IMMACULADA

IMMACULADA
Ivone C. Benedetti

SÃO PAULO 2009

Copyright © 2009, Editora WMF Martins Fontes Ltda.,
São Paulo, para a presente edição.

1ª edição 2009

Acompanhamento editorial
Helena Guimarães Bittencourt
Revisões gráficas
Luzia Aparecida dos Santos
Ana Maria Alvares
Produção gráfica
Geraldo Alves
Paginação
Moacir Katsumi Matsusaki

Dados Internacionais de Catalogação na Publicação (CIP)
(Câmara Brasileira do Livro, SP, Brasil)

Benedetti, Ivone C.
 Immaculada / Ivone C. Benedetti. – São Paulo : Editora WMF Martins Fontes, 2009.

 ISBN 978-85-7827-139-8

 1. Romance brasileiro I. Título.

09-04580 CDD-869.93

Índices para catálogo sistemático:
1. Romances : Literatura brasileira 869.93

Todos os direitos desta edição reservados à
Editora WMF Martins Fontes Ltda.
Rua Conselheiro Ramalho, 330 01325-000 São Paulo SP Brasil
Tel. (11) 3241.3677 Fax (11) 3101.1042
e-mail: info@wmfmartinsfontes.com.br http://www.wmfmartinsfontes.com.br

[...] Era uma vez uma choupana que ardia na estrada; a dona, – um triste molambo de mulher, – chorava o seu desastre, a poucos passos, sentada no chão. Senão quando, indo a passar um homem ébrio, viu o incêndio, viu a mulher, perguntou-lhe se a casa era dela.

– É minha, sim, meu senhor; é tudo o que eu possuía neste mundo.

– Dá-me então licença que acenda ali o meu charuto?

Machado de Assis – *Quincas Borba* – Cap. CXVII

PRIMEIRA PARTE

"Vá lá",
disse o pai,
e ele foi
Passava das sete. Na mesa, dois bules, manteigueira, pão, bolo, queijo, mamão, banana. Tudo sobrevoado por uma varejeira.
Lucinha tomava café com leite, olhar distraído varando a janela em frente, por cima da cabeça do marido. Atrás dela, uma porta para o corredor. Francisco acabava o leite:

– Volto sexta. Pernoito em Prudente todos os dias, em casa do major Salles. Se precisar ficar mais, telegrafo.

Era segunda.

Marianna entrava com café quente para a xícara final, pequena. Francisco tomava o café, saboreando, levantava-se da mesa, saía da sala pela porta do corredor, subia as escadas até o escritório.

Época de secagem e beneficiamento do café, ele viajava contra a vontade. Começada a colheita, já não havia quem o tirasse da fazenda. Mas o pai insistia: ele devia ir a Presidente Prudente, falar com o Souza, tabelião. Chegavam notícias da ação de posseiros nas paragens onde ficavam umas terras suas, nos cafundós de Presidente Wenceslau. Alguém precisava ir, separar fato de boato. Havia de ser tudo rápido. Eram terras compradas por ninharia, quinze anos antes, que tinham ficado lá, meio esquecidas, para futuro. Evaristo de Almeida e Silva, o pai, tinha um contrato manuscrito, assinado pelo vendedor, fazendeiro em apertos, nada mais. E nos últimos tempos tinha posto na cabeça que queria saber da situação legal daquilo tudo. Estava pensando em transferir as terras para o filho mais velho, também Evaristo. Mas não só isso: pensava até em transferir o filho para as terras. Francisco não entendia. Argumentou que o irmão mais velho tinha mulher e filhos pequenos, que aquelas terras eram distantes, perigosas etc.

O pai disse então que – vá lá! – de qualquer modo era preciso saber em que pé estavam as coisas na região.

No escritório recolheu tudo o que tinha preparado na véspera, saiu, fechou a porta à chave, foi até o quarto, guardou a chave na mesa de cabeceira, desceu e entrou na sala de jantar. De pé mesmo, disse "até logo" à mulher, enveredou pela sala da frente, onde pôs o chapéu e se foi.

Ouvindo os passos do marido no chão de tábua, Lucinha tomava os últimos goles de café.

O caminho não é tão perigoso

– Melhor impossível, major. Conforme já disse aqui ao nosso amigo Francisco, as terras continuam lá, nenhum aventureiro lançou mão delas. (Souza sorria orgulhoso.) Examinei o contrato. Para cúmulo da sorte, o vendedor ainda está vivo e disposto a passar escritura. Arranjo tudo: daqui a vinte dias, vêm aqui os dois Evaristos e a coisa fica regularizada de vez.

– Conhece as terras, Francisco?

– Não, achei um pouco longe. Não posso ir, pelo menos desta vez.

— Aquilo é um fim de mundo! O que deu na cabeça de seu pai comprar terras lá?

— Major, meu pai...

— ... tem paixão por terras, paixão por terras, major — o Souza completava, sem ser perguntado.

— ... achou o negócio bom demais, não quis perder, comprou no escuro.

— ... e não fez mau negócio, não — continuava o Souza. — As terras são boas. Bem exploradas, rendem. Não para o café, que não há como escoar, pelo menos por enquanto...

— Quem é o vendedor, Souza?

— ... para o gado são ótimas... são ótimas. Comprou do filho do Joaquim Vieira. Lembra dele, major?

— Do pai, do filho não.

— Gente de Minas, que fez dinheiro com ouro e depois desceu desbravando.

— O bugreiro!

— Exato, exato.

— Sujeito duro, malvado... malvado. Quem se atravessasse no caminho dele morria, viu, Francisco. Branco, preto ou índio, homem, mulher, morria. Lembra da história da Maria, Souza?

— Melhor esquecer...

— E ladino. Escravo com ele não tinha regalia. Alforria, nem falar. Papel não valia nada.

— Um desalmado. Mas o filho é um bom sujeito, major.

— Quem é o filho?

— O senhor conhece, só não está unindo o nome à pessoa. É o Romão, aquele sujeito que trabalhava de ferrador na oficina do Chico, um que puxa a perna...

— Aquilo ali é filho do Joaquim Vieira?! Aquilo não faz mal à comida que come...

— Deus sabe o que faz... Alma não se herda — ditou o Souza.

– Nem podia! Você acaba de dizer que o pai era um desalmado! Mas tinha alma, tinha alma desbravadora. O filho tem outra alma, tem alma frouxa, bamba. Foi a malvadeza do pai que garantiu aquela riqueza toda, que o filho não só não ganhou como acabou perdendo...
Pernoita aqui, Francisco?
– Não, não. Mando comprar a passagem de trem hoje. Parto amanhã mesmo...

Para os retardatários, a poeira

A cabeça de Francisco ia balangando frouxa no ritmo do sacolejo do trem. Não havia viagem que não fosse aborrecida, e ele desembarcaria só às oito, quando as luzes dos vagões já estivessem estampando nos vidros das janelas a paisagem de dentro e cegando a de fora, único ponto de fuga para os olhos entediados. Tinha relido papéis que agora dormiam na pasta de couro, tinha dado voltas e voltas pelo vagão-restaurante, tinha até ficado algum tempo na plataforma entre os vagões, admirando (sempre com algum susto) os engates a que se confiavam vidas, enquanto o chão passava correndo desembestado pelo vão. Agora se distraía relembrando imagens e sons, que lhe iam desfilando pelos olhos semicerrados da memória como trem de vagões invertidos, com lerdeza e mansidão. Vinte e sete anos de vida, advogado que não advogava, advogado moldado para as necessidades da casa.
– A família está precisando de alguém entendido em leis. Conhecimento que ajuda nos negócios e na política. Porque para essas duas coisas a gente tem duas armas: ou a guerra ou a justiça. As duas são caras.
Palavras do pai, dez anos antes, quando discutiam que carreira abraçar. Na noite da formatura, antes de saírem para o teatro, o pai chegou solene:
– Aqui seu presente de formatura.

Francisco abriu uma caixa forrada de veludo. Dentro, a escritura da Fazenda Represa dos Sabiás, primeira morada da família nas terras de Botucatu, área formosa, terras pródigas. Era lá seu destino.

Mas já desconfiava. Porque, cinco anos antes, o pai havia comprado para si mesmo umas terras lindeiras, área maior, onde estava instalando fazenda moderna, cheia de autossuficiências, casa espaçosa.

– Dividir propriedade entre os filhos é o melhor jeito de deixar todos pobres, plantando lavoura que só dá o pão de cada dia. Por isso tanta gente acaba na cidade. Detesto cidade. Não sou desses que perdem tempo viajando para a Europa e morando em São Paulo. Das raízes depende a planta.

Mas não era a sua segunda fazenda aquela. Ia já para mais de dez o número delas. Francisco abriu a pasta e puxou uns papéis, relatório de Silvino, guarda-livros do pai. Aproveitava o tempo morto para fazer coisa de proveito. Precisava examinar os métodos de escrituração em uso. Pretendia mudar tudo, aquela contabilidade não estava sendo eficiente. O balanço geral não era realista, não articulava bem os resultados parciais. Cuidaria disso no mês seguinte. Já tinha proposto ao pai uma organização mais integrada...

O passageiro da frente abaixou o vidro de supetão e o vento lhe arrancou o chapéu. Risos e exclamações estilhaçaram o burburinho monótono que se mantinha desde a última estação e fez Francisco esquecer do que ia pensando. Já devolviam o chapéu ao dono. Que ninguém resolvesse agora puxar conversa... Virou-se para a janela.

Sim, contabilidade integrada. Mas havia também as propriedades das bandas de Ribeirão. Chegando setembro, faço uma viagem a Ribeirão. Lucinha aproveita para rever a família... Paulo Morais Cintrão, pai dela, amigo de infância de Evaristo em Ribeirão. Quando se casaram, Francisco cuidou de mudar o nome da fazenda: Fazenda Santa

Lúcia dos Sabiás. Prometidos desde pequenos. Apresentados quando ele tinha 18, e ela, 15. Beleza de moça! Alívio dele, que não ia precisar fazer das tripas coração para dividir mesa e cama com mulher legítima. Não ia ele ser infeliz como o Carlinhos, colega de turma das Arcadas. Um caso de dar dó: assustado com a feiura da mulher, Carlinhos tinha tentado fugir do casamento, mas não houve como. Agora dividia o tempo entre o lar e Laura, amiga dos tempos da faculdade, mulher liberta que tinha trocado a porta larga do direito pelo torto estreito das artes. Marchande!

– Carlinhos... Quem for sensato não há de invejar...

Quem em noite de lua busca o ar

Desembarcou pouco passado das oito horas da noite na estação de Botucatu. Era esperado por Geraldo:

– Não pude vir com o carro, Dr. Francisco. O motor pega, mas morre. Só percebi isso na hora de sair. Tem um carro de praça aí fora esperando, acho que o jeito é dormir na cidade. Já mandei avisar o pessoal lá da casa, para garantir seu jantar.

Francisco ficou parado nos degraus da frente da estação, olhando o vaivém de gente e malas. Não queria pernoitar na cidade.

– Aquele mecânico italiano?
– Está de plantão na oficina da Estação.
– O Lúcio?
– Não é bom, não confio nele. Conserto dele dura meia hora.
– Já que não há outro jeito...

O jantar jazia sobre a mesa, repartido em tigelas espalhadas debaixo de um filó branco. Os dois comeram depressa. Entre as garfadas, as notícias de Presidente Prudente, os comentários breves.

Terminado o jantar, Geraldo foi para um quarto, Francisco para outro. A temperatura tinha caído, mas não se podia dizer que fizesse frio. Francisco abriu a janela e ficou olhando a rua. As pedras do calçamento rebrilhavam ao luar. Uns rapazinhos conversavam perto da esquina, mais adiante um grupo de meninas brincava de roda. Não havia casa fechada, luz apagada. As janelas abertas eram bocas escancaradas. Na noite asmática, sobravam estrelas. O vento decerto tinha ficado lá pela fazenda.

Nove e meia, nada de sono. Francisco sentia um desejo atroz de Lucinha, tinha sido maltratado por aquela comichão o dia inteiro. Vencido por um carburador!

Foi bater à porta de Geraldo.

Geraldo apareceu estremunhado, de ceroulas.

– Não vou aguentar ficar aqui esta noite. Não tem jeito, não pego no sono. Escute, vamos de charrete. Atrele o cavalo. Antes das onze, chegamos. Aqui a gente só está perdendo tempo.

Meia hora depois, o cavalo já trotava macio pela estrada; Geraldo ia controlando as rédeas, sem pressa. Com aquela lua, quem precisava de farol? Francisco, que vestia um paletó leve, sentiu o vento fresco a lhe bater no peito:

– Aqui se respira. Quanto mais se entra, mais o ar esfria. Pegou o capote?

– Ora! E como não? – respondeu o outro com um sorriso conivente.

Ao luar, Francisco conseguia imaginar como seria o rosto daquele mulato quieto sem as marcas da varíola. Ali estava um homem de confiança, seu braço direito. Rústico e refinado, um ser meio incompreensível, que sabia mexer com documentos, conversar com atravessadores, comerciantes, exportadores, mas não se arrenegava se lhe dessem tarefa de capinar. Até à Bolsa de Santos já tinha ido e cumprido bem a incumbência. Um instruído simplório, que dava receita de estrume e recitava uns trechos de Cícero quando bebia uns tragos bem regrados.

Francisco só percebeu que já chegavam quando começaram a percorrer a légua de cerca-viva da fazenda. Geraldo pôs os dedos nos lábios, soltou um assobio. Outro assobio respondeu de algum ponto adiante, do lado de lá da cerca. Depois, do alto de uma ladeira, avistaram o muro. Acima do portão imponente, um brasão e os dizeres: Fazenda Santa Lúcia dos Sabiás.

Pararam. Um trote se aproximava do outro lado do portão.

– Benedito, estou chegando com o Dr. Francisco. Abre aí.

Depois da entrada, percorreram uma aleia de uns novecentos metros, o núcleo formado pelo escritório da administração e pela casa do administrador. Francisco decidiu deixar a charrete por lá. Mathias já iria cuidando do cavalo. Seguiram a pé em direção à sede.

Tinham dado alguns passos quando ouviram dois latidos.

– Leão, se aquiete, sou eu – disse Francisco.

O cachorro abaixou as orelhas, começou a balançar o rabo e se juntou aos dois homens. Agora eram três seres, andando em direção ao grande corpo amarelo que se erguia cem metros à frente, na parte mais alta do terreno: a sede. Bento, que ficava de guarda nos arredores da casa, vinha chegando.

– Boa noite, Bento. Está tudo calmo?

– Tudo em paz, patrão.

– Então boa noite.

– Boa...

Em vez de continuarem pelas aleias, Geraldo e Francisco cortaram caminho pelo gramado e se dirigiram para o portão que separava a área da sede do restante da fazenda. Bobagem tentar entrar pela frente: a porta era fechada com tranca à noite. Contornaram a casa: Francisco entraria pela porta da cozinha, que dava para um pátio de aproximadamente cem metros quadrados; numa das laterais desse pátio (à esquerda de quem olhava da casa), ficava o anexo onde moravam Geraldo e a mulher. A porta da sede que dava para o pátio costumava ser fechada apenas com chave.

Geraldo se despediu do patrão e entrou em casa. Tentava não acordar Marianna, mas do meio da escuridão ouviu a voz da mulher, dizendo:
– Homem, a essa hora?!
– É, o Dr. Francisco quis voltar hoje de qualquer jeito.
– Minha Nossa Senhora!!
– Que foi, mulher? Acende o lampião.
Na penumbra, ele percebeu que ela se levantava.
– Vai aonde?
Ela não respondia. Abriu a porta.
– Que foi? Esqueceu alguma coisa?
– É, sim, esqueci. Agora só que me lembrei. Não ponhei a tranca na cozinha.
– Mas não era pra pôr mesmo!
– Não, quer dizer, acho que ponhei, o Dr. Francisco não vai poder entrar. Vou até lá.
– E, se pôs a tranca, como saiu?
Marianna já tinha ido.

Justamente onde o ar menos se encontra

Na sala de jantar, Francisco pelejava para acender um lampião, Marianna apareceu feito fantasma:
– Dr. Francisco, está precisando de mim?
– Que susto, Marianna. Não, vai dormir. Só quero me deitar.
– Tá bom, Dr. Francisco. Se precisar de mim, é só chamar.

— Não fale tão alto, mulher... Assim vai acordar a fazenda inteira.

Francisco pegou o lampião, entrou para o corredor e começou a subir com cuidado a escada que levava ao andar de cima. Estava no terceiro degrau depois do patamar do meio quando viu um vulto cortar a luz da lua que penetrava pelo vitral dos fundos. Era um homem! Francisco, com o coração em sobressalto, pôs a mão na cintura. Estava sem o revólver! A arma estava no escritório, que ele tinha fechado antes de viajar. A chave estava na mesa de cabeceira. Não podia perder tempo... resolveu seguir na direção do vulto, mas, passando pela porta do quarto do casal, pôs a mão na maçaneta: a porta estava trancada. Quando voltou a olhar para o corredor, o vulto tinha sumido. As portas, simétricas e enfileiradas corredor afora, estavam todas fechadas. Qual delas abrir? E como abrir sem estar armado? Pensou em descer as escadas correndo e chamar Geraldo ou Bento. Mas enquanto isso o homem fugiria. Por onde? Por alguma janela. Qual? As da frente eram altas demais. E quem pulasse por alguma de trás se esborracharia na telha-vã do puxado da cozinha ou em pleno pátio, na frente da casa de Geraldo. Mas por aquela janela da ponta da casa era fácil, a janela do quarto de hóspedes, janela que dava para uma sacada, sacada que dava para um gramado. Desceu as escadas correndo. Quantas vezes tinha imaginado que por lá qualquer um poderia entrar na casa! Tinha confiado demais nos guardas. Saiu pela porta da cozinha, fechou-a por fora e contornou a casa por trás. Não avistou Bento. Foi parar a alguns metros da tal sacada. Não tinha se enganado: alguém abria a porta devagar e se esgueirava, abaixado. Mas, por algum motivo, não continuou. Voltou e fechou a porta. Bento aparecia.

— Bento, tem um homem lá dentro de casa.
— Um homem! Tem certeza?

– Tenho! Ele estava saindo por aquela janela, acho que quando te viu voltou.
Bento olhou para cima, depois disse:
– Vosmecê tá armado?
– Não.
– Tá aqui um revólver – disse, metendo a mão por baixo da capa e estendendo-lhe uma Colt. – Eu vou ali pela frente. Tem alguma porta aberta?
– Não. Vigie a porta da frente. Eu vou por trás, chamo o Geraldo e entramos. Qualquer disparo, você entra também por trás.
Dirigiu-se para a parte de trás. Antes de virar a esquina, ouviu vozes. Uma era de mulher: Marianna. A outra era de homem: Geraldo, chamando a mulher para se deitar.
Francisco se aproximou devagar da esquina da casa, tentando assuntar. Encostado à parede, olhou: Marianna estava de pé, junto à porta. Ele ainda tentava entender o que acontecia, quando um homem saiu correndo da cozinha, atravessou um portão e se enfiou por trás da casa de Geraldo. Francisco gritou:
– Pega!
Mas o homem tinha sumido no arvoredo.
Francisco ficou lá parado, tentando distinguir algum movimento. Mas só uns poucos galhos altos e negros varriam o chão azul-marinho do céu estrelado. A ideia daquele homem lá em cima com Lucinha cortou o seu pensamento como um pássaro que some antes de mostrar a cor. Porque Geraldo, atrás dele, dizia:
– A gente não pode deixar esse sujeito escapar. É uma questão de...
– Para! – era Bento gritando lá na frente.
Os dois foram para lá.
– Ele passou por trás da cerca.
– Por que não atirou? – perguntou Geraldo.
Bento olhou para Francisco. Entre a aba do chapéu e o negrume da barba não se distinguiam os dois olhos

pequenos que inquiriam o rosto do patrão. Só se ouviu sua voz grave:

— Achei melhor não acordar todo o mundo.

Pode encontrar aquilo que não busca

Os três homens tomaram a direção que Bento indicava, mas ficaram andando a esmo, procurando atrás de galpões, barracões, paióis, entrando por onde houvesse porta aberta. Nada. Leão, cachorro imprestável, numa hora daquelas sumia. Quinze minutos de busca, Francisco desistiu. Queria ir para a sede, esclarecer aquilo com as duas mulheres. Parou no meio do terreiro e disse que voltaria. Que os outros dois continuassem a busca.

Francisco e Geraldo achavam que, pela direção, a intenção dele era sair pelo canavial. Combinou-se que os dois empregados pegariam seus cavalos e dariam uma batida por lá. Parecia sensato. Mas Francisco só tinha dado uns passos em direção à casa quando ouviu Bento dizer:

— Eu vou espiar na capela.

E Geraldo responder:

— O homem não haveria de ser tão besta de se enfiar na capela, se ali adiante tem um canavial, um campo aberto para fugir.

Francisco parou. Bento não fazia caso de Geraldo. Já ia andando, seu vulto já se desenhava contra a parede branca da capela e logo em seguida se perdia na escuridão da porta. Mais uns segundos, um lampião se acendia lá dentro, e os dois cá de fora ouviam vozes.

Geraldo olhou para o patrão:

— Tem alguém lá.

Aproximaram-se e, quando estavam a dez metros de distância, Bento já saía.

— Tá aí? — Francisco perguntou.

Bento fez sinal que sim, dizendo:
– Ladrãozinho de meia-tigela. Nós dá um jeito nisso, o senhor pode ir descansar.
Mas Francisco não ouvia. Passou por Bento de empurrão e entrou. Quase ao mesmo tempo Geraldo entrava, perguntando:
– Tá armado?
Bento dizia que não.
O pequeno recinto estava na penumbra. O lampião, deixado por Bento sobre o banco mais próximo à porta, arremessava luzes e sombras desvairadas pelo ambiente, fazendo Jesus bailar descompassado na cruz da parede em frente. Francisco pegou o lampião com a mão esquerda e, com a arma na direita, percorreu em quatro passadas todo o espaço que ia da porta ao altarzinho. Atrás deste, sentado no chão, descalço e em mangas de camisa, Evaristo, filho.

Pode encontrar histórias que não contam

Francisco ficou parado, olhando o irmão, tonto de raiva, com a fala entalada na gravata do susto, olhos cegos por lágrimas subidas sem aviso prévio. Depois, largou a arma e o lampião em cima do altar e, repetindo um velho gesto, como se não conhecesse outro, puxou-o pela camisa e começou a sacudi-lo. Mas Evaristo se agarrava às suas mangas, de modo que sacudir o irmão e sacudir-se a si mesmo foi ato pelos dois praticado, numa simbiose patética, que fez Bento exclamar:
– Isso não tem serventia, patrão.
Francisco se levantou e começou a apalpar o altar. A arma tinha sumido.
– Me dá o revólver, Bento.
Bento não se mexia. Geraldo dizia:
– Dr. Francisco, vamos conversar lá fora.

Francisco não ouvia. Repetia que queria o revólver. Mas Geraldo insistiu, e ele foi, levado como cego.

Lá fora o mulato disse:

– Essa vergonha só se lava com sangue. Se o senhor quiser, a gente diz que achou que era ladrão e acertou nele enquanto ele fugia. Se der sua permissão, eu trago ele aqui fora, mando correr e atiro.

Francisco olhou para o empregado. O clarão da lua luzia nos olhos de um Geraldo sem varíola um ódio cintilante que apagava a cordialidade fosca de todos os dias. Francisco não sabia o que responder. Podia, sim, despejar nos ombros de alguém que tivesse no olhar aquele ódio cândido e subserviente a culpa de um ato que lhe cabia. Ou não cabia... Ele ainda não sabia se preferia ser um Joaquim Vieira ou um Romão.

Com voz definhada, respondeu:

– Seja lá o que for, eu mesmo preciso fazer... Me dê essa arma.

Geraldo entregou.

Francisco entrou, foi em direção ao altar. Debaixo da cruz, Bento vigiava o homem que continuava sentado ao pé do altar. Francisco chegou pelo lado oposto, apontou a arma, pôs o dedo no gatilho. Evaristo olhou para ele e deu a face a ler. A história Francisco conhecia.

Bento observava imóvel Francisco fraquejar. É que o ato de matar, como o de se masturbar ou defecar, dificilmente admite testemunhas. Para as narinas de Francisco emanava do corpo do irmão um perfume fêmeo que entregava ao crucificado aquela intimidade conspurcada que era a sua. Cheiro ranço como o da manteiga, que a gente só sente depois de engolido o pão. Baixou a arma. Ouviu Bento murmurar:

– ... é casa de Deus.

Então disse a Geraldo:

– Leva esse vagabundo para a tulha. Fica com ele lá até eu voltar. Ele vai ter o que merece.

Evaristo continuava sentado, com as pernas dobradas, os braços sobre os joelhos, mas agora com a cabeça entre as mãos.
Geraldo gritou:
— Não ouviu a ordem? Levante.
Evaristo levantou-se e se afastou com ele. Francisco virou-se para Bento e disse:
— É dela que eu vou cuidar agora.

Acaba por achar-se sufocado

Evaristo tinha uma beleza obscena, divorciada do tipo de vida que queriam para ele. O porte ele tinha puxado do pai: ombros largos, braços fortes, corpulência máscula, estrutura sólida, na falta da muita altura que era a de Francisco. Mas, se do pai tinha herdado o porte, não tinha herdado o comportamento. Era um folgado. Um folgazão, de um humor que ultrapassava as medidas. Um sujeito sem consistência.
Vivia metido com empregados e colonos, mas não para trabalhar. Gostava de brincadeiras de mão, coisa de pouco respeito. Na colheita, na cata, na secagem, em tudo se metia. Mas não fazia nada que prestasse. As mulheres — novas, velhas, bonitas, feias — todas tinham o dom de lhe empertigar a coluna e inflamar o olhar. Vivia metido em brigas com rivais reais ou supostos. Uma vez, roubou das mãos de uma colona italiana metade de uma laranja meio chupada, meteu-a na boca e ficou olhando para ela com olhos lúbricos. O noivo, que estava por perto, puxou o facão da cintura e avançou para ele. Os outros se meteram, o rapaz foi dominado. Ao pai, Evaristinho (como a mãe o chamava) disse que o sujeito era louco. O pai mandou chamar o noivo. Ele tinha fugido, acobertado pelos colonos todos, que sabiam da gravidade de ameaçar o filho do fazendeiro com um facão. No dia seguinte, os pais da moça foram falar com o patrão. Disseram que

queriam ir embora porque, segundo o contrato que haviam assinado, poderiam retirar-se da fazenda em caso de atentado contra a honra de alguma mulher da família. O fazendeiro disse que não tinha havido atentado contra a honra de mulher nenhuma, e sim tentativa de assassinato do filho dele por parte de um colono, que, aliás, a polícia estava procurando. Convidou os dois a provar a desonra da filha. Se conseguissem, podiam retirar-se. Os pais capitularam. Na aparência. Uns dias depois, fugiram. Nunca mais foram vistos. Nem o dono do facão.

Evaristinho filho não tinha escrúpulos.

O casamento foi preciso fazer às pressas. Com dezenove anos, engravidou a filha do juiz de paz. Evaristo pai queria tentar um acordo com o juiz, que lhe devia tantos favores, não era homem rico... Mas o homem não cedeu. Tinha faca e queijo na mão, estava do lado do poder político local e se mostrava coberto de razões... A mulher de Evaristo, sempre sensata, disse que não era má ideia criar laços de família com a justiça de paz, sempre haveria serventia, mesmo que o seu representante estivesse na margem oposta do grande rio da política, ou talvez por isso mesmo. Pior se fosse uma colona. O casório saiu em um mês. Casamento sacramentado, filho nascido: nada disso era motivo para Evaristinho se emendar. A moça queria ficar com a família na cidade, mas o sogro achava melhor ter o filho debaixo dos olhos. Separou uma gleba de cinco alqueires do corpo da fazenda, zona boa, de terreno mais uniforme, e construiu lá uma casa pequena, mas decente, para o casal. Uma mulher ajudava e sempre havia alguém para cuidar do jardim e do pomar. Além disso, com três alqueires de alguma boa plantação, qualquer homem consegue alimentar e vestir a família. Nada foi plantado. O pai, então, prometeu ao filho uma pequena parte nos lucros, em troca de afinco e seriedade. Inútil. Evaristinho levantava tarde, cumpria as obrigações com desleixo: era o último na chegada, o primeiro na saída. Péssimo exemplo

para os colonos. Mais uma tentativa: o pai resolveu que o filho aprenderia o ofício de guarda-livros, e ele passou a receber aulas particulares de João Silvino. Quando João Silvino deu o curso por encerrado, o moço foi investido nas funções de escriturário e passou a sentar-se numa das mesas do escritório, para trabalhar a maior parte do tempo debaixo dos olhares atentos do pai. Não seria carreira brilhante, mas pelo menos ele faria jus aos caraminguás de que precisava para sustentar mulher e filho.
 Nada tinha dado certo. Agora, lá estava ele, sentado num banquinho, com uma arma apontada para a nuca. Sabia que Geraldo era cão fiel de Francisco. Sob a guarda de Bento, tentaria choramingar, talvez conseguisse escapar. Sentia frio. Em que enrascada se metera!
 Aproximou o banquinho de uma mesa, pôs os cotovelos sobre ela e deitou a cabeça no antebraço direito. Não havia o que dizer.

Mas uma dama como tu, Lucinha...

Lucinha entreabriu a porta em tempo de ouvir os passos do marido desabalados escada abaixo. Fechou de novo, apressada.
 Pouco depois, Evaristo percorria o mesmo caminho: tinha visto Bento e Francisco no jardim. Arriscava-se: desceu correndo as escadas, na esperança de sair pela cozinha. Acertou. Marianna estava lá: tinha acabado de abrir a porta. Foi nesse momento que Francisco apareceu no canto da casa.
 Quando os homens sumiram, Marianna subiu correndo e foi bater à porta do quarto do casal. Lucinha abriu. Estava linda, vestida numa pelerine de lã cinza-clara. Marianna não viu, mas por baixo havia um vestido de musselina de seda francesa da mesma cor, com fina renda cinzenta e preta no peito; estava de sapatos pretos, fechados, saltos baixos, e meias de seda clara. Na cabeça, um chapelinho que combinava com a pelerine.

— Dona Lúcia, aonde vai, assim tão bonita?
— Vou embora, Marianna. Você quer que eu fique aqui, esperando o Francisco voltar? Já estou cansada disto tudo. Peguei todo o dinheiro que tenho (e enfiava as mãos enluvadas numa mimosa bolsinha preta). Vá até a administração, peça ao Mathias que atrele uma charrete. Vou para a estação.
Pegou uma maleta e veio decidida até a porta. Marianna ponderou:
— Dona Lucinha, o que é que nós vai dizer pro Mathias? E como vai sair pela fazenda agora, com o Geraldo, o Bento e o Dr. Francisco correndo como uns doidos de espingarda por aí? A senhora pode levar um tiro. Dona Lucinha, o Dr. Francisco vai matar a senhora.
Lucinha se encostou na soleira, olhou para cima, suspirou. Marianna continuou:
— É melhor ficar escondida até a gente descobrir um jeito de fugir. É melhor sair da casa enquanto dá tempo, enquanto eles corre atrás do seu Evaristinho. A gente vai até as casas dos colonos. Tem uma amiga minha que mora lá, a Giulia. Eu conto uma história, a gente pede para a senhora ficar lá.
— Em casa de colonos, você está louca?
— Agora não é hora de orgulho!
— ...
— Outra coisa: com essa roupa vai ser difícil. A senhora está muito... muito... vistosa, clara...
— Clara?
— É. De noite, roupa escura não aparece. Já clara...
E enquanto dizia essas coisas, Marianna se espantava por precisar dizê-las.
Lucinha entrou, tirou a pelerine, abriu o guarda-roupa, vestiu um casaco preto por cima do vestido e voltou para a porta. Marianna disse:
— A meia e o chapéu! Luva preta pode ficar.

Lucinha tirou o chapéu e o jogou sobre a cama. Seus cabelos louros se espalharam, caindo até os ombros. Marianna não estava satisfeita:
— Lenço preto na cabeça.
Lucinha bufou, pensou um pouco, abriu a maleta, pegou um par de meias pretas e uma fina mantilha preta, de seda rendada. Com ela envolveu a cabeça e o pescoço. Sentou-se na cama e começou a descalçar as meias.
— Depressa! — disse Marianna.
— Calma!
Depois de trocar de meias, Lucinha levantou-se, fechou a maleta e a estendeu a Marianna. Esta hesitou um pouco e disse:
— Mala? Fugir de mala por aí? Isso pesa (e avaliava o peso, levantando e abaixando a maleta).
— Mas eu preciso das coisas que estão aí dentro.
— Não dá mais tempo. A senhora deixa essa mala aí ou eu caio fora. Eu não saio carregando isso por aí nem que me matem. Se a gente precisar correr, faz o que com isso?
Lucinha não se decidia. Ficou lá parada, no meio do quarto, olhando para a maleta com pena. Marianna, percebendo a confusão em que se metia, soltou um suspiro e foi embora. Lucinha correu atrás dela, e um minuto depois as duas saíam pela cozinha e rumavam para a direita, enveredando por um atalho escuro, que levava à pequena estrada de onde se chegava à casa dos colonos. Com aquelas pedras no caminho, Lucinha parava a cada meia dúzia de passos. Marianna seguia na frente, impaciente, preocupada com a volta de Geraldo. Ia pensando que não se encontrava em situação muito melhor do que a patroa e já começava a tramar um modo de se safar daquela encrenca.
Depois de quase vinte minutos, avistaram o casario dos colonos e foram avistadas pela cachorrada que perambulava noite adentro, ao redor das casas. Começou então uma cainçada infernal.

– Marianna, por que essa gente tem tanto cachorro?
– Não sei. Esse bando de vira-latas é capaz de atrapalhar tudo.

E, assim, iam as duas seguindo por uma ruela aplainada, com meia dúzia de vira-latas atrás, a reclamar daquela intrusão, num coro que só aumentava a cada passo. E, quando algum arremedo de matilha ficava para trás e resolvia se calar, de outra ruela lateral sempre surgiam pelo menos outros dois, que recomeçavam a mesma ladainha, sempre com a mesma partitura. Isso durou até alcançarem uma casinha branca com a mesma cara de todas as outras: boca de duas folhas entre dois olhos, três ou quatro degraus boca afora. Marianna pediu a Lucinha que ficasse escondida atrás da casa e bateu na porta. Lucinha obedeceu e ficou encostada à parede, enquanto o cão da casa se postava na esquina, latindo para as duas com certo desalento.

Uma das folhas da janela da direita se abriu um pouco, e uma cabeça de homem se mostrou. Depois do reconhecimento, a folha se abriu de todo.

– Seu Pippo, a Giulia está?
– Sim, claro. Mas o que aconteceu?
– Eu precisava falar muito com ela.

O homem, intrigado, foi abrir a porta e convidou Marianna a entrar.

– Não, seu Pippo, preciso falar com ela aqui fora mesmo.

O homem entrou. Daí a pouco apareceu a mulher com um cobertor nas costas. Saiu, fechou a porta atrás de si e ficou postada nos degraus.

– Giulia, aconteceu uma desgraça. O Dr. Francisco voltou da cidade bêbado, começou a brigar com a dona Lucinha. Falou umas coisas feias... Aí pegou uma faca e ameaçou a dona Lucinha de morte. Só vendo, que coisa... Então ela foi até lá em casa me pedir ajuda. A gente saiu correndo. O Geraldo ficou lá, acalmando o patrão.

Giulia parecia abobalhada, acordada no meio da noite por uma história daquelas. Comentou:
– Mas o Dr. Francisco? Sempre tão calmo!
Marianna, que já esperava o comentário, disse:
– Calmo nada, Giulia, as aparências enganam. Ele de vez em quando tem uns ataques de loucura. Nem vou te contar! A gente que vive lá perto é que sabe! Por favor, deixa a dona Lucinha dormir aqui esta noite.
Pela direção do olhar do cachorro (que não tinha parado de latir durante o diálogo), Giulia deduziu o paradeiro de Lucinha. Com um sinal, perguntou a Marianna se ela estava lá atrás. Marianna acenou com a cabeça. Giulia cochichou:
– Mas uma dama como dona Lucinha, aqui, nesta casa de pobre! Eu preciso falar com o Pippo.
E entrou. Passaram-se dois, três minutos, e Giulia voltou:
– O Pippo não quer.
E balançava a cabeça, desalentada. Marianna arriscou perguntar o motivo, e ela respondeu:
– O Pippo disse que não quer confusão. Disse que, se vocês querem, ele pega o cavalo e vai chamar o seu Evaristo para dar um jeito no filho. Vocês querem?
– Não, não, de jeito nenhum.
– Ah, bom, então não sei o que fazer. Me desculpa, viu.
– Obrigada, Giulia.
Marianna estava se afastando da porta, quando Lucinha apareceu. Foi dando boa-noite e perguntou:
– Será que o senhor Pippo emprestaria o cavalo?
Giulia ficou parada, de boca aberta, olhos arregalados, sem saber o que dizer. Pippo então apareceu, grande, loiro, quase gordo, despenteado, bochechas rosadas, olhos azuis, límpidos, puros, duros:
– Dona Lucinha, se o seu marido é violento mesmo, a senhora pode entrar e esperar. Eu vou chamar o pai

dele, e ele *chiarisce* tudo. Mas meu cavalo não posso emprestar. Amanhã cedinho preciso dele. Como faço emprestar um cavalo que eu vou precisar daqui a pouco?
Marianna respondeu:
– Está certo, seu Pippo. A gente vai ver o que faz.
Mas Lucinha insistiu, dizendo com voz clara, no português perfeito de quem não queria deixar dúvidas sobre quem mandava ali:
– Meu senhor, eu compro o seu cavalo. Quanto quer por ele?
Quando Giuseppe Piovesan olhou para Lucinha, seus olhos se apertaram. Um pouco mais perto, ela teria visto o brilho sagaz que os iluminava. Ele respondeu:
– No, senhora dona Lúcia, *non* vendo.
Marianna agradeceu, e, enquanto as duas se afastavam, ouviram a porta se fechar, a folha da janela voltar a seu lugar. Foram andando, novamente seguidas pelo cortejo canino, que parecia incansável.

Fugir de bruscas buscas e rebuscas

De volta à sede, Francisco e Bento encontraram a porta de trás aberta. Francisco pediu a Bento que iluminasse tudo e subiu as escadas. Deu com o quarto aberto, e, cheio de raiva, viu a maleta no chão, o guarda-roupa escancarado, uma gaveta puxada e, na cama desfeita, uma pelerine, um chapéu e um par de meias. Abriu a gaveta da mesa de cabeceira, pegou a chave do escritório, desceu de novo, atravessou a sala de jantar, entrou pelo corredor de baixo, abriu o escritório e, na gaveta da mesa, pegou uma Colt nova, brilhante, lavrada, dentro de uma cartucheira de couro marrom. Pôs a cartucheira na cintura.
Bento já havia iluminado quase toda a parte de baixo. Vasculharam a casa, mas sem esperanças. Francisco se sentou. Não queria acordar ninguém àquela hora, não

queria que aquela sua vergonha fosse conhecida de todos. Preferia que as coisas ficassem só entre as pessoas que já sabiam do caso. Bento e Geraldo seriam discretos. Precisava encontrar Lucinha para o acerto de contas. Mas não sabia como começar a procurar àquela hora. Disse:
— Bento, não quero fazer alarde. Não quero ninguém rindo de mim. Preciso lavar minha honra. Preciso achar essa mulher. Ela deve estar escondida em algum canto da fazenda, mas por onde começamos a procurar? E Marianna está metida nisso.
— Já bati lá na porta do Geraldo. Ninguém abriu.
— Isso quer dizer que as duas estão juntas. Mas a Marianna há de voltar, que ela não é boba de perder o marido, assim sem mais nem menos. É só uma questão de tempo.

Francisco ficou olhando para Bento, que não respondia. Puxou o relógio: onze e quarenta. De repente, meio tonto de ressentimento, sono e canseira, disse:
— Ela também me traiu...
— Ela...
— Marianna. Precisa ser castigada...

E ficou lá, sentado de lado para a mesa da copa, cabeça baixa, cotovelo apoiado na cadeira da frente, mão pendente. No silêncio da noite, os latidos longínquos de alguns cães.

Bento quebrou o silêncio:
— Se saiu a pé, não vai longe... Cavalo não pegou.
Francisco completou:
— Nem ia se meter pelo cafezal.
— É, para aquelas bandas não foi.
Francisco entendeu:
— Para os lados das casas dos colonos...
— Pode ser. É onde dona Marianna tem amizades.
— Bento, vá até o estábulo. Monte um cavalo e traga outro para mim.

Bento saiu correndo.

Quinze minutos depois, parava no pátio de trás da sede, montado num cavalo e trazendo outro pelas rédeas. Entraram pela rua aplainada, margeada por casas uniformemente brancas, uniformemente pequenas, sendo recebidos e seguidos pelo mesmo e uniforme coro canino de antes. Os passos dos cavalos e aquela segunda cainçada infindável iam acordando os colonos, que já espionavam pelas frestas. Francisco e Bento iam a trote, olhando para todas as casas, na esperança de descobrirem algum indício. Em vão percorreram todos os arredores. Nem sombra. Rumaram então para a casa de Giulia.

Bateram, Giuseppe abriu a porta, disse boa-noite, convidou os dois a entrar.

– Não vamos entrar, não, seu Pippo. Só queremos saber se a dona Marianna apareceu por aqui.

– Apareceu, sim.

E não disse mais nada. Os dois ficaram esperando, até que Francisco perguntou, impaciente:

– Sim, e o que queria?

– Queria o cavalo.

– Você deu?

– Não. Ele está aqui atrás da casa. Quer ver?

– Não, não, obrigado. Sua palavra basta.

– Para onde elas foram? – perguntou Francisco.

– Elas?

– É, elas. Marianna não estava sozinha, que eu sei.

– Não, não estava.

– Para onde foram?

– Por ali – disse Giuseppe, apontando o caminho por onde as duas haviam enveredado pouco antes.

– Obrigado.

Depois que o italiano fechou a porta, Francisco disse:

– Mas por aquelas bandas já passamos. Só podem estar metidas no matagal.

E voltaram para lá. Mas, por mais que vasculhassem os arredores, nada acharam e voltaram para a sede.

Ficaram de tocaia na cozinha. Uns quinze minutos depois, ouviram passos. Marianna já tentava abrir a porta de casa, quando os dois saíram. Iam abrir a boca, mas ela já foi dizendo:
– Graças a Deus encontro o senhor, Dr. Francisco, estou procurando o Geraldo faz tempo! Por onde ele anda?
Os dois homens se entreolharam, Bento sorriu, Francisco disse:
– Que é da sua patroa?
– Não sei, não. Depois que a gente saímos da casa do seu Pippo, ouvimos vocês chegando. Então ela me agarrou e me puxou pra o mato, dizendo que a gente precisava se esconder. Depois que o senhor desistiu e voltou pra cá, eu falei que não queria encrenca, não adiantava fugir, era melhor voltar pra casa, mas ela não quis ouvir. Começou a me xingar, dizer que eu sou ignorante, falo errado, não entendo nada... Então fiquei com raiva e larguei ela lá. Deve de estar no mato ainda. De lá não tem como sair.
– Marianna, você abriu a porta para aquele safado sair! – Francisco interrompeu quase gritando.
– Eu?! De jeito nenhum. Quer dizer, abri, mas foi sem querer. Eu estava aqui dentro de casa e ouvi um barulho. Então saí, não vi nada. Agora eu sei que foi na hora que o senhor saiu e fechou a porta.
– Você sabia que era ele!
– Não, eu tava pelejando pra entender que barulho era aquele, ouvi uma voz de lá de dentro, falando assim: "Marianna, abre aqui." Pensei que era o senhor. Aí abri. No que abri, ele saiu correndo, o senhor apareceu, o Geraldo também saiu correndo. Eu fui atrás, mas depois perdi os três de vista. Quando voltei, dona Lucinha vinha saindo, dizendo que eu tinha de ajudar ela a fugir.
– Mulher safada, você não merece o marido que tem. Pensa que me engana? Diga logo onde largou aquela prostituta ou eu te bato aqui mesmo.

Francisco vociferava e já ia puxando o cinto para lhe dar uma surra. Vendo aquilo, Bento, não sabendo se tinha ouvido "bato" ou "mato", achando que entre os dois verbos a distância é tão pequena quanto entre um cinto e uma cartucheira, agarrou o patrão por trás e, prendendo-lhe os braços nas costas, foi dizendo:

– Calma, Dr. Francisco, não vá fazer uma desgraceira dessas. O Geraldo não merece.

E enquanto Francisco gritava, dizendo ao empregado que o largasse, Marianna abria a porta da casinha, entrava e se trancava por dentro, chorando, protestando, dizendo que aquilo tudo era uma grande injustiça com ela, mulher honesta, empregada dedicada, capaz de administrar tão bem uma casa etc. etc. etc. E quando, solto por Bento, Francisco começou a esmurrar a porta de Geraldo, gritando que queria saber onde estava Lucinha e só dizendo e repetindo isso, o que se ouvia além dele era somente o choro de Marianna, lá dentro, clamando por Geraldo. Até que Francisco foi se cansando, e Bento conseguiu levar o patrão para dentro de casa, dizendo que ele devia se acalmar, que, se não se acalmasse, as coisas iam piorar, todos iam ficar sabendo do que ele não queria que ninguém soubesse.

E Francisco obedeceu, cansado que estava de tanta dor.

Lá dentro, Bento ponderava que ou a patroa estava escondida na própria fazenda, ou tinha conseguido fugir. Que o melhor seria chamar o pai dele, pois o patrãozinho não tinha condições de raciocinar, já tinha se cansado muito e estava nervoso. E Francisco se sentou num dos sofás da sala e se deixou estar, ouvindo o pio de alguma ave de rapina em busca não se sabe de quê, enquanto a voz monótona de Bento discorria em seus conselhos. Depois que o patrão deixou de responder e só ficou o pio da ave, Bento concluiu que ele concordava. Então ele se levantou de manso e passava da uma quando montou em seu cavalo e a galope demandou a fazenda Canto do Sabiá, onde morava Evaristo, o pai.

Arma até apontei, mas não matei
Quando chegou lá e contou o ocorrido, apesar da pressa não deixou de estranhar que, mesmo acordado àquela hora, o fazendeiro não demonstrasse espanto nem indignação. Até parecia que tinha tudo preparado, pois logo foi declamando uma enfiada de nomes... Marins, Luciano, Júlio, Jerônimo, Toninho..., distribuindo tarefas, ditando missões. Os dois primeiros que fossem para a fazenda com Bento e o ajudassem a vasculhar tudo. Os dois últimos que seguissem pela estrada, observando, até a cidade; e, se não achassem nada pela estrada, que um galopasse até a estação e o outro voltasse, batendo tudo de novo, parando nas casas da beira do caminho. Que fizesse o caminho várias vezes, parasse o cavalo e ficasse ouvindo, fizesse tocaia, o que preciso fosse. Tinha certeza de que ela só podia estar tentando chegar à cidade. E Júlio que fosse buscar Evaristinho, imediatamente, que o trancafiasse num dos galpões da fazenda; e que montasse guarda. Assim que achada, a mulher também deveria ser trazida e entregue aos cuidados de Magdalena, a governanta. Tudo precisava ser feito logo, antes da cerração, que decerto ia começar a descer daí a umas duas horas. Ele mesmo estava indo ver Francisco. Não queria falar já com o outro filho, pois isso era coisa que devia ficar para depois.

Encontrou Francisco encolhido no sofá da sala. Achou que estava adormecido. Sentou-se e ficou à espera. Não demorou muito, o espírito inquieto do rapaz lhe abriu os olhos, que depararam com o pai, defronte. Mas o corpo continuou parado, na mesma posição, encerrando palavras; só os olhos mesmo se mexiam, como se o moço já estivesse cansado de atitudes. O pai foi logo dizendo:

– Francisco, eu desconfiava que aquele traste andava rondando o teu terreiro. Mas não sabia que já tinha pulado a cerca.

Francisco se sentiu incomodado por alguma ideia que não ficou muito clara. Só depois, rememorando, percebeu que não tinha gostado das metáforas. Mas essa sensação ficou escamoteada por um primeiro impulso que o fez perguntar:

– Por que não me falou?

– Meu dever era evitar uma desgraça. Desconfiança, só, é pouco para se dizer coisa tão grave. Podia ser engano. Por isso a ideia de verificar aquelas terras, afastá-lo daqui. Essa noite, às nove horas, mandei um recado para ele, por um dos meus homens. Ele estava em casa. Logo depois eu fui dormir sossegado. Antes de pegar no sono, até pensei: "Acho que me enganei, desconfiando do que não existe." Como é que eu podia imaginar que depois ele ia sair de casa?

Francisco não se movia, não dizia nada. O pai olhou em volta e continuou:

– Meus homens haverão de encontrar a mulher.

Não pronunciava o nome dela, como se fosse faca afiada, capaz de matar o filho.

Francisco, passados uns minutos, sentou-se no sofá, cruzou as mãos, olhou o chão e murmurou:

– Tenho vontade de matar aquela mulher.

O pai então respondeu num repente, em voz mais alta, como num engulho:

– Então por que não matou?

Francisco levantou a cabeça, olhando o pai. Este continuou:

– Francisco, essas coisas a gente faz no fogo do ódio. Não adianta agora ficar dizendo que tem vontade disto e daquilo. Quem faz não guarda vontade.

Francisco não respondeu. O pai continuou:

– Depois..., o flagrante já se perdeu. Você sabe disso melhor do que eu. E eu também sei que agora você não ia ter coragem de ficar frente a frente com ela e de lhe meter uma bala nas fuças. Eu te conheço! É isso que quer fazer? Olhar nos olhos dela e apertar o gatilho?

Francisco abaixou os olhos e ficou parado, na mesma posição de antes, lembrando da cena com o irmão, na capela. O pai então disse, com voz mais mansa, aliciadora:

– Olha, Francisco, depois de velho a gente começa a ficar sabido. Se quer saber de uma coisa, eu não gostaria que meu filho matasse a filha de um grande amigo, aliado, irmão e parceiro meu como o Cintrão. Principalmente que matasse a sangue-frio. Vá lá, se você tivesse entrado no quarto aquela hora e tivesse descarregado a arma num momento de... de... de loucura, vá lá. Mas a sangue-frio, olha... acho que nem eu ia conseguir. Nem consentir.

Pensou um pouco e perguntou:

– Por que não fez logo?

– O quê...

– Ora! Por que não entrou no quarto aquela hora para fazer sua vontade, por que não matou naquela hora?

– Porque eu só vi um vulto de homem no corredor. Podia ser um ladrão.

– Ladrão... – comentou Evaristo, abanando a cabeça e soltando uma risota.

Francisco perguntou:

– Como foi que o senhor desconfiou, e eu não?

– Meu filho, quando um homem e uma mulher têm algum caso, o modo como um olha para o outro é diferente. Essas coisas só a experiência ensina, e a gente só não vê quando não quer... ou quando não pode...

Francisco preferiu não pedir pormenores. Mudou de assunto:

– Eu cheguei a apontar a arma para ele, lá na capela. Não tive coragem. Fiquei correndo atrás dele, e ela escapou. Fiz tudo errado...

— Francisco, você fez uma bobagem em cima da outra. Por que não chamou todos os homens que estão aí à sua disposição? Ela já teria sido encontrada!

— Porque eu não queria ninguém rindo de mim.

— Rindo?! Pois se você tivesse feito o que era preciso na hora certa, ninguém ia rir. Você bobeou, ela escapou... agora, sim, vão rir.

— Meu pai, o senhor não está dizendo coisa com coisa. Faz dois minutos, disse que não gostaria que seu filho matasse a filha de um amigo, e agora vem dizer que fiz asneira em não matar!

O pai se levantou, exaltado.

— Você não entende! Um homem precisa saber o que quer. Se você achava importante lavar a honra, lavasse na hora certa. Isso até o Cintrão haveria de entender. Mas agora, a sangue-frio, é... é... Olha, Chico, tem gente que faz. Você não faria. Uma coisa é certa: não quis que rissem antes, vão rir agora. Aliás, que bobagem é essa de se preocupar se os empregados riem ou não? Você tem autoridade aqui? Tem ou não? Tua palavra é lei, sim ou não?

— Meu pai, já não estamos no tempo da escravidão...

— Não é questão de escravidão nem de meia escravidão! De um homem na sua posição ninguém há de rir! Isso não existe! Isso não pode existir!

Francisco se levantou num pulo e também começou a falar alto, andando pela sala como quem não pode fazer outra coisa:

— Pois existe, meu pai. Pois existe! Essa gente toda que nos rodeia só esconde as garras enquanto é mais fraca. No dia em que puderem, nos matam. Nos devoram crus e sem sal. E, enquanto não podem matar, riem. Mas riem pelas costas, que é o mesmo que matar. Nós estamos rodeados de estrangeiros e de filhos de escravos. Gente que não tem motivo nenhum para gostar de nós.

— Não é questão de gostar. É questão de temer.

— Mesmo quem teme pensa. E eu sei o que pensam. Mas não vamos discutir isso agora. Eu só sei que não vou poder continuar aqui, comandando esta fazenda como fiz até agora. Porque vão rir, porque vão rir.

Francisco parou ofegante, no meio da sala. Depois continuou, mais calmo:

— A lei prescreve até três anos de prisão para a adúltera. É o máximo que eu posso conseguir agora. Mas, para isso, preciso de testemunhas. Vou arrolar quem? O Geraldo e o Bento. Que vergonha! Enfrentar um juiz, expor tudo num tribunal, tendo como testemunha dois empregados. Esse tipo de sentimento eu só imaginava. Agora eu sinto, eu sei o que é essa vergonha.

— Isso quer dizer que, se a gente achar essa mulher, você não vai tomar nenhuma medida judicial?

Francisco sentou-se. Pôs o rosto entre as mãos, não respondeu. Evaristo perguntou:

— O que é que eu faço com ela... se achar?

— Não sei.

Lá fora, três pios. Evaristo pensou: "Pio de cobra, sinal de chuva daqui a três dias. Tomara que não chova." O silêncio da madrugada ficou pesando nos ouvidos até que a voz de Evaristo ressoasse de novo, com um aveludado conspirador:

— Eu tenho uma ideia. Mandar de volta para o pai, com uma carta, exigindo que ela seja posta num convento. Para ela, isso vai ser pior que a morte. Sei que o Cintrão faz isso.

Francisco se levantou. Parecia estar com dificuldade para respirar. Tinha saído da cidade para sentir a brisa da fazenda, sem saber que lá seria asfixiado pela raiva.

— É pouco. De qualquer jeito, eu continuo amarrado para o resto da vida. Amarrado. Traído e amarrado. É o que os outros vão pensar de mim. Que eu sou um fraco! E o pior é que quem me achincalhou foi meu próprio irmão!

Não pôde continuar falando. A voz foi cortada por um soluço, última represa de um choro que explodiu desabafado, desalentado, enquanto ele esmurrava a parede.

Evaristo continuou em pé, parado no meio da sala, com a cabeça baixa e os olhos erguidos, olhando para o filho como quem não acredita no que vê.

Quando Toninho veio avisar que tinham achado aquilo que estava sendo procurado, faltavam vinte para as três, o leite da cerração densa já começava a misturar luz e trevas, Francisco dormia num dos quartos do corredor de cima, e o pai estava sentado na sala, de braços cruzados, olhos bem abertos, fixados no vazio, como quem vigia demônios.

A quem vida vive, mas sem vida

Chegou mancando, apoiada em Jerônimo, agarrada à bolsinha, para ser trancada em um dos quartos da fazenda Canto do Sabiá. Agora, embrulhada no casaco, encarapitada num banquinho, esperava a volta de Magdalena, que lhe preparava um banho e roupa limpa. A mulher tardava, Lucinha tinha sono. O pé esquerdo doía, latejava, inchado.

Quando tinha se machucado tanto? Teria sido quando a maldita Marianna a puxou para o mato, numa pressa sem palavras nem requinte, e ela entrou, sentindo o molhado do orvalho lhe esfriando as pernas, a finura dos espinhos lhe estropiando as meias, a contusão dos pés não sabendo onde pisavam, a rebeldia dos sapatos, insistindo em se livrar dos pés? Talvez não então. Talvez depois. Por que obedeceu quando a cozinheira a mandou se enfiar no mato e descer aquela ribanceira? Não queria, tinha medo, foi puxada. E desceram as duas, percorrendo o caminho das enxurradas, levando os tombos dos tombos do aguaceiro, quando ele desce correndo os caminhos dos baixios.

Não se lembrava de ter sentido dor quando, chegando lá embaixo, Marianna lhe ordenou que se enfiasse numa espécie de grota aberta pela água e esperasse, até que as coisas se acalmassem. Obedeceu! Ouviu paciente a empregada explicar que, continuando a descida, por uma trilha curta, daria no canavial, no pasto e na estrada, tudo nessa ordem. Que, dali à cidade era pertinho. Antes do amanhecer, a pé, chegaria lá. Para cima, melhor não arriscar porque, depois do cafezal, era o rio, bobagem tentar. Marianna dizia tudo isso baixinho, depressa. Mal acabando de explicar, escafedeu-se ribanceira acima, escalando a ladeira como aranha escolada. E ela tinha ficado lá, sem ver nem ouvir, a não ser latidos, que iam se afastando, diminuindo... Tinha até pensado que, afinal, aquela bicharada lhe dava conta do movimento dos outros, assim como dera conta dos movimentos seus.

Dor naquela hora não tinha, não. Ficou ali parada, por pura falta de coragem de seguir. O que à luz do sol podia ser uma trilha, à luz da lua era nada, era uma mistura inextricável de galhos com sombras de galhos. E, enfiada naquela grota fria, ouvindo ruídos desconhecidos, sem coragem de ficar, de subir nem de descer, tinha se abaixado, encolhido e chorado baixinho, pedindo socorro a Deus e a todos os santos de seu conhecimento. E naquela posição tinha ficado um, dois, três minutos, até que um ruído estranho, um certo deslizar por entre galhos lhe fez o coração descompassar num batuque desbragado. Decerto uma cobra! Como não tinha lembrado das cobras? Maldita Marianna que a deixava naquele antro e dava o fora! Levantou-se e enfiou por aquilo que a cozinheira dizia ser uma trilha. Avançava assombrada, sentindo o rosto lanhado por galhos entremetidos, perdendo a mantilha em meio àquelas chicotadas imprevistas, mas metendo os pés no meio do capim e se precipitando no desconhecido a cada passo, por puro medo de ficar. Talvez então tivesse virado o pé.

Uns dez minutos devia ter durado aquela arremetida em que a velocidade ia aumentando por força do declive. A voz de Magdalena no corredor lhe deu esperanças de que a portuguesa aparecesse. Mas o pedaço de frase durou um segundo, e a presença não se fez.

No canavial tinha parado, ofegante, apavorada, enquanto a brisa movimentava de vez em quando as folhas da cana que, dançando, faziam barulhinho de fitas de organdi. Não, não tinha dor no pé então. Lembrada de ter lembrado do som do organdi, sim estava. Como podia ter pensado numa coisa dessas numa hora daquelas? Depois começou a percorrer um caminho mais limpo e uniforme, que separava o mato do canavial, até que encontrou uma trilha para a direita. Quantas voltas tinha dado? Incontáveis. Recordação nítida foi a alegria de ter deparado uma clareira, um pasto, um plano. Ilusão. Porque a luz da lua, batendo em cheio no capim, dava ao campo uma lisura que ele na verdade não tinha. E ela, continuando naquele andar que não admitia detença, ia metendo os pés em charcos e montes de bosta, avançando num cair e levantar já quase sem fôlego, emporcalhando-se, rasgando-se, mas fazendo questão de segurar nos pés uns calçados disformes e fugazes, por saber que, sem eles, nem andar mais poderia.

Agora achava que tinha virado o pé naquele pasto traiçoeiro.

Naquele percurso entendeu que aos poucos, degrau a degrau, vinha sendo derrotada por aquele chão, sendo acachapada por aquela serra inclemente que só aos pássaros se rende.

No fim, lá estava ela, com o pé inchado, a mão ferida, as meias rasgadas, despenteada, casaco lambuzado, acabrunhada... o retrato do flagelo.

Antes da estrada, uma cerca de arame farpado que ela só viu quando quase nele se chocou. Procurou um espaço de fios mais frouxos para arregaçar. Depois de duas tentativas, abaixou um deles e começou a atravessar a cerca. Mas o vão não era bastante. O fio de cima – não havia jeito! – enroscava-se ao casaco e aos cabelos. A mão direita, que segurava o arame de baixo, espetava-se numa farpa, apesar da luva. No desespero de atravessar, ela tinha se atirado ao chão e, na queda, ouvido o rasgar-se do casaco nas costas. Ajoelhada, o que viu foi o chão, a grama rala de beira de estrada.

Duas léguas adiante, num aglomerado de casas, conseguiria ajuda. Se conseguisse andar. Só então tinha percebido a dor do pé. Ficou ali, regando de lágrimas um solo que via de perto pela primeira vez. Não muito tempo depois, o trote dos cavalos, os homens chegando, parando, ela olhando para cima, sem ação, sentindo nas extremidades o tato vazio de quem não tem mais para onde correr, no que se agarrar. Os homens descendo, ela sendo erguida pelo braço forte de Jerônimo, posta no cavalo. Jerônimo dizendo: "Toninho, vai correndo avisar *seu* Evaristo e depois me alcança antes da porteira."

A mão direita, mal cicatrizada da agressão das farpas, ainda doía. Com um pouco de paciência, aquilo tudo ia passar... passar... cabeceou.

Passos no corredor, um sobressalto, mas ninguém abriu a porta.

Do que tinha vivido depois de sair da casa do pai o que extraía? Um sumo insípido. Casamento arranjado. Dote bom: grandes extensões de terras boas na região de São Simão. Lucinha, ótimo negócio feito pelos Almeida e Silva. E agora, com quem ficaria aquilo tudo? Talvez com o marido, como compensação pelos erros dela. Mas erro só se comete quando é possível acertar. Quando o que se faz daria para não ser feito. Como deixar de viver o que tem de ser vivido, o que arrasta a gente porque insabido? Como tapar os ouvidos para aquilo que o desejo vai contando aos poucos, fechar os olhos para o que o instinto vai mostrando sem mostrar? Como vencer a torrente poderosa que leva para o desconhecido sempre procurado, sempre entremostrado, anônimo ou com pseudônimo? Pensava em tais coisas, desejando dormir...

Abriu-se a porta de supetão e Magdalena irrompeu. Magdalena, portuguesa carrancuda e feia: na testa, eterno vinco; na nuca, eterno birote; nas ancas, eterna saia franzida.

– A senhora não tem permissão de andar pela casa sem mim. Deve ficar aqui até que seu sogro volte e decida de seu destino. Recebi ordens de preparar-lhe o banho. Vamos, a água está quente.

Lucinha esticou as pernas. Mostrava o pé esquerdo, roxo e inchado. A portuguesa disse:

– Faça um esforço e vá até o banheiro. Manhãzinha cedo, mando chamar a negra Brazilina, que endireita ossos. Se precisar de arrimo, apoie-se em mim – e estendeu o braço como quem vai dar um soco.

Lucinha olhou, hesitou, abriu e fechou a boca, até que disse com voz sumida:

– Minhas regras desceram. Estou toda suja.

A portuguesa olhou-a de cima para baixo e, como que percebendo a contragosto que, afinal, havia algo em comum entre as duas, disse:

– Mando providenciar paninhos.

– Mas não posso tomar banho.

– Porque está de regras? E como há de livrar-se dessa imundície?

Lucinha olhava a banheira sem saber se aquela água teria o poder de limpar ou de matar. Qualquer que fosse o resultado, cabia-lhe entrar. Entrou. Quando a água morna lhe chegou ao pescoço, a moça começou a chorar. Sentia uma tristeza profunda, tumular.

Não se arrependia. Não se arrependia, como não se arrepende a onça que dilacera o ventre da capivara. Mas estava triste, como animal acuado, parado, sem saída, diante da arma do caçador. Relembrava os lances daquela fuga desastrada. A esperteza de Marianna. A do italiano, que lhe negara acolhida e cavalo. Com ele, aprendera uma lição: sua posição de senhora já não valia, porque ela havia cometido o único ato capaz de anular todas as prerrogativas de sua classe. Nem o assassinato se igualava ao adultério. Lia isso nos olhos de todos. E nos olhos de quanta gente ainda precisaria olhar? Do sogro? De Francisco? Do pai? Do pai tinha medo. Cintrão, o grande Cintrão, homem respeitado por onde passava. Violento, arrogante, insuportável. Sua língua, o chicote. Língua ardente, dilacerante, cortante de tudo o que lhe parecesse embotado: um cavalo empacado, um filho renitente. Lucas. Lucas, que o pai mandava açoitar como escravo. Lucas, que cometia o erro de não ser o homem que o pai era. Lucas, que não tinha suportado, Lucas vencido, enforcado aos vinte e quatro anos. Lembrança do irmão dependurado nas vigas do paiol. Foi ela que achou.

– Lucas! Lucas, o que você fez! Lucas, não me abandone!

Soluçava, quando Magdalena abriu a porta.

– O senhor Evaristo chegou. A senhora deve dormir até a hora do almoço. À tarde conversa com ele. Aqui estão as roupas: uma saia e uma blusa de uma das empregadas, para o momento. A roupa íntima é nova, pode usá-la sem receio. E estes são os paninhos.

E, pensando que sente, é sentida

Por volta das dez, Magdalena irrompeu de novo no quarto. Entrou, mas não fechou a porta. Ficou segurando o trinco da porta aberta, olhando para alguém que deveria entrar. Alguém que foi chegando de mansinho, com passos silenciosos. No ombro direito, um alforje, vestido simples de flanela estampadinha, alpercatas azuis, meias brancas de algodão. Uma cafuza: cor marrom, desbotada, rosto

redondo, lábios e nariz finos; nos olhos, a expressão triste de quem não consegue olhar sem enxergar. Tinha os cabelos presos, mas uns fios crespos, teimosos, lhe saltavam da testa e das têmporas como raios de Júpiter, esvoaçando soltos e revoltos. Não tinha mais de cinquenta anos. Assim que entrou, olhou fixo para Lucinha e parou. Magdalena cortou o silêncio com voz de vergastada:
— Esta é Brazilina. Veio ver seu pé. Brazilina, nada de rezas. Faça a massagem, enfaixe o pé da moça, mas sem benzeduras, que não são bem-vindas nesta casa.

Brazilina respondeu com ligeira reverência. A porta se fechou, e as duas ficaram sozinhas.

Lucinha descobriu o pé, a mulher chegou mais perto, olhou demoradamente, depois disse:
— Não tem osso quebrado nem fora do lugar, não carece ter medo. Vosmecê vai ficar boa.

Ajoelhou-se à beira da cama, tirou vários frascos de dentro do alforje e começou a misturar pastas esverdeadas, umas cheirosas, outras nem tanto. Pegou tudo aquilo e se pôs a esfregar o pé de Lucinha num vai e vem vigoroso que arrancava lágrimas da moça. Mas era como se Brazilina não visse: continuava massageando, impávida. Durou o inferno uns cinco minutos, até que a benzedeira se convenceu — sabe-se lá por quais indícios — de que devia terminar com aquele tormento. Parou de massagear, pegou uns panos e começou a enfaixar o pé, amarrando tudo com um laço no tornozelo. A dor foi passando e Lucinha se acalmou. Então a mulher fechou os olhos, abaixou a cabeça e, segurando o pé, começou a dizer baixinho umas coisas ininteligíveis. Depois de alguns minutos, arrematou:
— Deus seja louvado!

Abriu os olhos e fitou Lucinha como se voltasse de outro lugar. Levantou-se, pôs a mão direita sobre a cabeça da moça e começou a sussurrar como antes. Lucinha, então, desatou a chorar, chorar, e tanto chorava e

tão alto soluçava, que Magdalena abriu a porta e invadiu o quarto com a mesma brutalidade com que sempre o fazia. Mas, olhando como quem espera surpreender um flagrante, nada surpreendeu, pois a mulher já havia retirado a mão de cima da cabeça de Lucinha, e a única coisa que havia para ver era Lucinha chorando como criança que apanha do pai. Brazilina, parada à frente dela, olhava impassível. Depois, olhou para Magdalena, que não dizia palavra, acocorou-se e começou a arrumar o alforje. Enquanto isso, Lucinha se acalmava. Brazilina então se levantou, voltou-se para ela e disse com tristeza amorosa nos olhos:
– Fica longe dos rio.
E saiu com Magdalena. E, saindo, levava o mundo consigo. Lucinha só sabia desejar que ela ficasse. Sentia uma tristeza de criança, do tempo em que sentir é ser, tristeza inominada e assombrosa de quem fica com o quinhão do inferno que cabe a cada existência, vendo o outro partir com o paraíso. Levantou-se e foi até a janela. Brazilina atravessava o jardim. O negro Jerônimo parava à sua frente, curvava-se e beijava-lhe a mão; ela o abençoava.

Nesta gamela há cheiro dos escravos

Algum tempo depois, Magdalena entrou com alguns pratos numa bandeja, arrumou as coisas numa mesinha, e saiu. Lucinha sentou-se e devorou tudo. Estava na sobremesa quando a portuguesa apareceu de novo para dizer que o sogro a esperava. E assim dizendo esticou o braço, Lucinha amparou-se e saíram.

Aquela casa não tinha a tristeza soturna da sua. A sua era prédio de fachada comprida e fundo estreito, fileira de aposentos ao longo de um corredor central, que na parte de trás dava para um sul nunca iluminado pelo sol, morada de fantasmas, insuportável no inverno, sofrível no verão, lúgubre nas chuvas. A cozinha, mero puxado de telha vã, no melhor estilo do século XVIII, ligeiramente melhorado por sucessivas reformas, parecia ainda guardar o cheiro dos escravos que por lá dormiam nos tempos em que o avô de Francisco pouco passava de comerciante aventureiro, amealhador de tostões nos mercados de Minas. Lucinha odiava aquela casa, que lhe lembrava a do pai. A casa do sogro, não. A casa do sogro era um quadrilátero bem proporcionado, com telhado de quatro águas bem divididas, terraços, alguns até envidraçados. Por todas as janelas entrava abundância de luz. Tudo sempre limpo, funcionando com precisão e pontualidade. Desde os tempos de dona Marília. E, quando ela morreu, o fazendeiro, não querendo prescindir de tanta eficiência, saiu à procura de alguém que lhe servisse de governanta com competência, senão igual, pelo menos parecida. Achou Magdalena. Chegando esta, o pelotão de empregados (que Lucinha não via agora!) se tornou mais ativo, porque, se Marília primava pela rigidez conventual, a portuguesa impunha disciplina militar. As refeições tinham horários imutáveis e cardápios fixados; as tarefas tinham dias certos e executantes bem determinados: a barrela não podia ser feita por quem areava as panelas, e o chão não podia ser limpo por quem engomava. Magdalena afirmava que, bem pagos, os empregados trabalham com mais satisfação e resistem menos às imposições. O patrão, mesmo não convencido, transigiu.

    Amparada pela portuguesa, Lucinha atravessava a sala que separava o corpo de dormitórios do grande escritório do andar superior. Uma porta maciça se abriu e ela entrou. Ali trabalhavam todos os dias Evaristo pai, seu guarda-livros e Evaristo filho. Lá eram feitos balanços, calculados lucros e perdas, planejados investimentos futuros, computados os produtos de todas as fazendas. Enfim, negócios de vulto. Em seus cofres residiam correspondências, balanços, dinheiro, títulos, escrituras. Mas poucos de fora frequentavam o aposento. Acordos com fornecedores e compradores locais, contratações, demissões e pagamentos de empregados, controle de cadernetas de colonos eram coisas feitas fora do corpo da sede, num galpão onde João Silvino se aboletava em certos dias, para atender comerciantes e trabalhadores. Lá o chão se prestava a botas barrentas.

Quando Lucinha entrou, não havia ninguém. Ela não sabia que de manhã, ali mesmo, o sogro intimara o filho mais velho a deixar a serra de Botucatu com mulher e filhos para nunca mais voltar. Destino imediato: as terras de Presidente Wenceslau. Mas a mulher não queria ir. Chamada ali também, ouviu que a partida era urgente, Francisco voltava com notícias preocupantes sobre a ação dos grileiros no oeste. Não se comoveu. Respondeu que precisava consultar o pai, mas adiantou que achava difícil ir tão cedo, por causa do filho menor, de não muito boa saúde. Iria depois, talvez. Saiu de lá quieta, foi com um empregado buscar os pertences do marido e se despediu sem lágrimas. Parecia até aliviada.

Lucinha esperava sentada. O sogro apareceu menos de cinco minutos depois. Veio pela escada que ligava o escritório ao vestíbulo do térreo. Sentou-se à mesa sem olhar para ela. Fazia anotações. Lucinha sempre se impressionava com a semelhança entre os dois Evaristos. Pareciam-se no nome, no físico, nos gestos, no amor à vida. Mas, enquanto o pai sabia dividir o ardor entre negócios e aventuras regradas, embrulhadas em felpuda discrição, o filho era um desastrado. Francisco, ao contrário, puxara à mãe. Tinha herdado dela o temperamento, as feições e o ar monástico, sem nenhuma pitada do viril tempero paterno. Pensava essas coisas olhando o grande retrato de Marília, na parede.

Finalmente Evaristo ergueu a cabeça e olhou para ela. Começou a falar, mas parecia que contra a vontade:

– Espero que a senhora tenha noção da gravidade de seu ato. Deve lembrar o juramento que fez diante da

Santa Madre Igreja e das leis deste país. A senhora desrespeitou todas as regras de boa conduta, violou a lei, pecou, maculou o seu lar, feriu um homem digno, traiu a confiança desta família e do senhor seu pai, que é meu grande amigo. E espero que continue sendo. Não sei se meu filho algum dia se recupera desse golpe. Este está sendo o dia mais infeliz desta família. Quando a mãe dele morreu, Francisco sofreu muito, mas sabia que aquilo era vontade de Deus. Hoje não. Hoje ele não sabe por que está sofrendo. Eu trouxe a senhora para esta casa porque precisava impedir uma tragédia. É meu dever de pai impedir que meu filho suje as mãos e estrague a vida por uma... uma...

Esmurrou a mesa e levantou-se. Aquela preleção não era de seu estilo. Não sabia falar de moral. Para ele, aquela mulher tinha decaído da condição humana e pronto: não tinha por que dar satisfações. Que amolação aquele papel! Rebaixava-se.

Foi até a janela. Lucinha ficou esperando. Ele não havia terminado a frase. Parecia atento a alguma coisa lá fora. Da parede, Marília presenciava tudo de cara fechada, gola apertada, crucifixo no peito. Nos olhos, o zelo caloroso que faltava ao olhar de Francisco. A frase que o sogro não tinha completado Lucinha sabia como terminava. O fazendeiro continuava interessado no que acontecia lá fora. Voltou-se para Lucinha e disse:

— Venha cá, dona Lúcia. Venha ver uma coisa de seu interesse.

Lucinha levantou-se e, amparando-se nos móveis, foi até o terraço. Lá embaixo, uma carroça ia saindo. Nela, Evaristo filho e um peão.

— Está vendo ali? Aquele é meu filho Evaristo. Está vendo? A senhora conhece bem, não? Aliás, bem demais. Pois fique sabendo que, por sua causa, ele agora está saindo daqui para nunca mais voltar. Vai sem a mulher, que não teve coragem de enfrentar a vida dura que ele vai levar, não quis se embrenhar no matagal, viver na solidão, na falta de conforto, trabalhando de sol a sol. A senhora estragou dois lares de uma só família. Esse peso há de ficar na sua consciência.

E entrou.

Lucinha continuou no terraço. De lá, ouviu o sogro completar:

– Se bem conheço seu pai, o seu destino agora vai ser um só: o convento. E, no que depender de mim, é para lá mesmo que a senhora vai.

O peso da culpa que ele queria jogar sobre ela não pesava. Lucinha sabia que aquele homem não sentia toda a dor que queria dar a entender. Seu vigor era inesgotável. A vida, para ele, era uma dança, e ele comandava. O que lhe importava era estarem os bailarinos no passo, e a música, no ritmo. O que destoasse era acidente, desde que o baile continuasse sob seu comando. Aquele adultério era um passo errado. Ele precisava tirar a dançarina. Mais cedo ou mais tarde seu lugar seria ocupado, e ninguém se lembraria dela. Desde que ela saísse da dança sem muito alarde.

Lá embaixo, saindo de carroça, o homem a quem se entregara. Cabisbaixo, de ombros curvados, corcunda, envergonhado: um monte de carne desprezível. Atitude típica dele: cara de réu apanhado em flagrante. Criança encolhida debaixo da surra. Todo ser humano é uma cisterna de potenciais e um cadinho de atos. Evaristinho, mais que qualquer um. Não escolhia. Encolhia-se. E colhia da existência apenas o sobrenadante, o que vinha à tona trazido pelo instinto.

Àquele ali ela se entregara. E o que mais tinha? Um marido insosso, detestado desde o primeiro dia. Não queria aquele marido. Não se arrependia de tê-lo perdido. Não respeitava o sogro. Não amava o pai.

Evaristo ordenava que ela voltasse a sentar-se. Ela voltou e, tropeçando numa cadeira, com uma dor insuportável no pé esquerdo, caiu na poltrona com um gemido. Mas o sogro já dizia:

– Amanhã a senhora parte no primeiro trem. Vai com a dona Magdalena e com o Júlio até São Simão. De lá, os dois voltam, a senhora fica. Fica lá com seus padrinhos. Leva uma carta minha para eles e outra para seu pai. Depois, segue para Ribeirão Preto.

– Quero minhas roupas.

– Ninguém vai buscar suas roupas. Acabou-se a vaidade.

Foi até a porta e pediu a alguém que chamasse Magdalena. Esta logo apareceu. Ele voltou para a mesa, dizendo:

– Dona Magdalena, a senhora providencie um daqueles vestidos pretos de dona Marília. Também um dos crucifixos. Dê a esta moça. É com essa roupa que ela viaja. Sapatos, veja o que consegue arranjar.

E, voltando-se para Lucinha:

– Amanhã cedo a senhora veste a roupa que dona Magdalena lhe der e prende os cabelos, porque mulher que presta não anda de cabelos soltos.

E para Magdalena:

– Dona Magdalena, também o véu preto.

Mas antes que acabasse Lucinha gritava:

– O senhor não presta! Não presta! Não presta!

A voz saía engasgada, estridente, rouca. Lucinha levantou-se, gritando sempre, debruçou-se na mesa do escritório e, com um safanão, atirou longe uma lamparina, o mata-borrão, um copo de cristal, vários papéis e um tinteiro de prata, que espalhou tinta pelo chão, indo respingar a saia de Magdalena, lá parada, paralisada, fascinada pela cena, sem encontrar no seu catálogo de atitudes o expediente apropriado a uma circunstância daquela. O sogro levantou-se e, do mesmo lado da mesa em que estava, agarrou o braço esquerdo de Lucinha, puxou-a para si e disse em voz baixa:

– A senhora tome tento, senão, em vez de sair daqui com a roupa da defunta, sai num caixão.

A moça continuou chorando, de olhos fechados, enquanto pelo rosto escorriam em mistura as lágrimas dos olhos, o muco das narinas, a saliva da boca.

Evaristo soltou a moça e fez um sinal para a portuguesa. Esta se aproximou, estendeu o braço, mas Lucinha não viu. Outro sinal do patrão, e ela tomou o braço direito de Lucinha, começando a conduzi-la para fora, mas com o cuidado de desviá-la da tinta que havia no chão. Quase na porta, disse:

– Já já mando alguém limpar isso.

Pediu verdade, teve o que não quis

Quando Júlio apareceu para buscar Evaristo, Geraldo deu graças a Deus. Ia para mais de duas horas que estava lá montando guarda, com frio, sono e fome. Evaristo dormia, enroscado em sacas amontoadas num canto. Acordado aos chacoalhões, o filho do patrão reclamou: não podia sair por aquela estrada só de camisa! Queriam que ele morresse de pneumonia? Geraldo, querendo se livrar logo daquela amolação, pediu a Júlio que ficasse lá montando guarda uns minutinhos, enquanto ele ia buscar um agasalho em casa. Estava mesmo era louco para saber de Marianna. Chegando lá, encontrou a mulher sentada na cama, mãos abraçando os joelhos dobrados, cara de ré. Olhou para ela em silêncio, foi até o guarda-roupa, pegou um paletó e disse que voltava logo. Saiu e voltou depois de vinte minutos. Entrou ressabiado, pendurou a carabina na parede, pôs as mãos na cintura e ficou olhando a mulher em silêncio. Ela encarava. Aquela morenice sedosa da cara de Marianna era pura tentação para Geraldo. Porque a beleza da cara de Marianna não era angelical. A beleza da cara de Marianna era uma beleza descarada. Em Marianna nenhuma fronteira dividia espírito prático e atrevimento. Os olhos miúdos, pretos, espertos, os lábios de grossura apenas suficiente, o nariz afilado, quase arrebitado, as sobrancelhas retas, os cabelos lisos, sempre bem presos, tudo isso formava um conjunto equilibrado, seguro, decidido, lúcido. A fala não desmentia: as palavras saíam velozes, incisivas, certeiras. Juízos rápidos, gestos precisos, ações eficientes: Marianna era a empregada competente, a companheira mais que útil. Marianna encarava agora, porque encarava sempre.

Ficaram naquela posição mais de um minuto. Então ela se levantou e se abraçou ao pescoço dele, dizendo que até que enfim ele tinha voltado, quanta saudade, que coisa mais horrível tudo aquilo que tinha acontecido... Geraldo curvava o pescoço, deitava a cabeça de lado, para se livrar da lambição da mulher, mas não havia jeito, ela não parava. Então ele a empurrou:

– Como é que você acoberta o malfeito da mulher do patrão? Você está louca? Está querendo acabar comigo?

– Eu não fiz nada.

Ele sabia que ela ia sacar umas histórias que tinham toda a cara de verdade e um tremendo cheiro de mentira. Estava cansado. Sentou-se na cama. Cismou um pouco e afinal disse:

– Não vou perguntar o que aconteceu de verdade, porque não quero ouvir mentira. Você só pode ter feito isso por dinheiro. Quanto ela pagou?

– Nada.

– Ah! Então fez o que fez porque achava certo! Quer dizer que acha certo uma mulher trair o marido. Por isso ajudou. Quer dizer também que pode fazer isso com o próprio marido. E como é que eu pude confiar numa mulher que não acha mal em trair? Isso é sério. Amanhã mesmo a gente cuida disso. Vou lá falar com seu pai, contar tudo o que você fez. Ele vai me dar razão, mulher sem-vergonha eu não quero, não.

– Pagou.

Geraldo, de costas para Marianna, esboçou um sorriso.
– Quanto? Quede o dinheiro?
Marianna levantou-se, foi até o guarda-roupa, enfiou a mão num bolso do casaco e estendeu uma nota de cinquenta mil-réis ao marido. Geraldo olhou para a nota, depois para a mulher e disse em voz baixa:
– Não sei o que é pior, se ter mulher cachorra ou vendida.
Depois, erguendo a voz, quase gritando:
– Você fez o que fez por essa merda?
Marianna ainda quis retrucar:
– Quer dizer que, se fosse por mais, valia?
Geraldo levantou-se, segurou o braço dela e, com o dedo em riste, disse:
– Escuta aqui, sabes que não é isso o que eu quis dizer.
Mariana puxou o braço e começou a chorar. Quando Geraldo falava como o avô português, a coisa estava séria. Chorando baixinho, foi engatinhando na cama até a cabeceira, sentou-se na posição em que estava antes, deitou a cabeça nos joelhos e continuou choramingando e chupando o nariz. Era assim que fazia quando não tinha o que dizer. Geraldo voltou a sentar-se nos pés da cama, de costas para ela. Ouvia a mulher chorar, chorar, não parava mais... Então, com voz mais mansa, disse brasileiramente:
– Eu quis dizer que quem é sem-vergonha, quem se vende, se quiser se justificar, precisa se vender caro. Com esta porcaria, não dá nem para entender.
Depois, levantou-se e ditou com voz de mando:
– De manhã você vai devolver esse dinheiro ao Dr. Francisco e dizer que se despede. Eu agora vou para a sede, ver se ele está precisando de mim. Durmo lá.
Fechou a porta e parou junto à soleira. Começava a desconfiar que não teria coragem de levar aquilo até o fim. Tinha mandado a própria mulher confessar uma

culpa imensa com uma mixaria de dinheiro na mão. Humilhação demais. Para os dois. Mas palavra de rei não volta atrás. Atravessou o pátio e entrou na casa.

Marianna, depois que o marido saiu, enxugou as lágrimas e ficou pensando no que faria para evitar o vexame de ir dizer ao patrão o que o marido tinha mandado. Foi até o armário, abriu a porta, puxou um casaco e apalpou: por dentro do forro, sentiu a presença dos outros quinhentos e cinquenta mil-réis. Pôs o casaco no espaldar de uma cadeira, ajeitou-se na cama e dormiu.

E cruza o canto o ar da permanência
Eram seis e meia, Francisco abriu os olhos. Das horas todas só dormira a última. As outras tinham sido um reviramento entremeado de sonhos. No cérebro, uma algazarra louca de lembranças, retinindo pelo silêncio noturno como ferro em bigorna.

Olhou para a janela. Por trás da madeira de suas folhas, percebia a claridade primeira do dia, espiando tímida pelas frestas. Dois bem-te-vis já se entreviam nos arredores, acima das vozes humanas. Mathias passava por perto, conversando com alguém:

– Leva o material para aquele barracão.

Que material seria? Francisco se lembrou que Mathias tinha falado em encomendar cordas, arames, peneiras... Um pouco depois, uma voz de mulher gritava, longe:

– Josiiiiiias.

Um pássaro comentava:

– Prrriiiiii-pi-pi-pi.

Lá fora, as engrenagens todas rodavam lubrificadas. Naquele momento, Francisco aceitaria alegre o prêmio de uma amnésia. Nem parecia que naquele lugar tinha acontecido tudo aquilo, que já havia sido noite antes daquele dia. Queria e não queria sair do quarto e voltar a ser primeiro motor daquela máquina. Sentou-se na cama, mas

foi dominado por um desânimo tristonho e se abateu, desmoronou, recostou a cabeça no travesseiro e assim ficou, cismando no que fazer da vida. Até que se levantou de vez e saiu. Pelo corredor, intrometia-se um cheiro de café. Desceu e encontrou a irmã de Bento, na sala de jantar, servindo a mesa, fazendo serviço que seria de Marianna. A moça se explicou:
– *Seu* Geraldo me mandou cuidar do seu café.
– Bento?
– Não quis ir dormir antes de falar com o senhor. Está esperando ali na porta da cozinha.
– Chame então.
Bento entrou e parou diante da mesa. O rosto branco e um tanto enrugado se mostrava agora por inteiro contra a luz da janela. A boca desaparecia por trás da barba espessa, comprida, crespa. Os olhinhos, sempre espremidos, fosse de muito enfrentar o sol, fosse de tentar enxergar por trás do que os outros diziam, pousavam uma mirada segura e sossegada no rosto do patrão. O chapelão, pendente da mão, era frequentador tão assíduo de sua cabeça, que havia pautado os cabelos ondulados com uma linha horizontal e, na altura das têmporas, sulcava a testa de lado a lado. Francisco despejava café numa xícara.
– Sente aí.
O homem se sentou. Francisco continuou:
– O que aconteceu ontem que ninguém saiba.
Bento balançou a cabeça, fechando os olhinhos em sinal de assentimento. Francisco perguntou de chofre, de olhos baixos:
– Como é que aquele... homem entrava na minha casa sem você ver, se você estava encarregado de vigiar a casa?
– Ele chegava pelo canavial. Pelo cafezal, tem o rio, a casa do Mathias, o estábulo, na beira da ponte, tem a casa das máquinas, a morada do polaco Wenceslau...

– Eu sei de tudo isso...
– Não fui dormir, mor de falar essas coisas com o senhor.
– Então fale.
– Quando cheguei da casa do senhor seu pai, de madrugada, fui dar uma volta por aí. Vi o cavalo do seu Evaristo amarrado num mourão que tem bem pra lá da capela, na ponta de uma trilha do tempo daquela bica... aquela abandonada. Lembra qual é? Beirando a capela por trás...
– Eu sei.
– ... segui o mato pisado da trilha e achei o cavalo. Depois, desci pelo canavial...
– E como é que ele levava o cavalo até lá?
– ... e fui dar na cerca da estrada lá embaixo. Tinha um pedaço de arame cortado, com a galharada seca escondendo. Nem de dia se enxerga a tranqueira. Se vosmecê quiser, a gente pode ir lá ver. É o cavalo dele.
– E como é que ele chegava na casa?
– É isso que me arrelia. Só podia ser com ajuda...
Pensou um pouco e arrematou:
– Eu sou um só. O cachorro era amigo dele. Tinha gente amiga também.
– É, eu sei. Ontem três homens foram ludibriados por duas mulheres.
Bento abaixou a cabeça, adivinhando o que significa "ludibriado", sentindo o sentido pelo gosto do fato aliado ao gesto do patrão. Francisco comentou:
– O asno entrou na capela e se enfiou numa arapuca. Podia ter fugido.
– Descalço? Com aquele pé fino naquela trilha cheia de mato seco?! Queria era pegar o cavalo logo ali...
Francisco teve a impressão de ver um sorriso irônico naquela boca que vivia enterrada na barba. Agradeceu o caboclo e disse que ele podia ir dormir. Bento se retirou respeitoso, não sem antes encostar a cadeira à mesa, para deixá-la onde estava antes.

Geraldo entrava. Disse bom-dia, Francisco o convidou a sentar-se. Ele puxou a cadeira pouco antes ocupada por Bento. Estava com os olhos vermelhos.
– Tome café – disse Francisco.
– Não tenho fome, mas preciso comer alguma coisa para poder enfrentar a dureza da vida – e enquanto dizia isso, ia se servindo de café com leite, pão e manteiga.
Francisco perguntou de Marianna. Geraldo tirou um pedaço de papel do bolsinho da camisa e o entregou ao patrão. Nele se lia, em letra irregular, a lápis:

Fui me embora.
Marianna.

Geraldo não contou, mas junto com o bilhete havia uma nota de cinquenta mil-réis. Só disse:
– Quero lhe pedir desculpas por ela.
Francisco respondeu:
– Não precisa. Deve ter sido bem paga. Foi embora como?
– Depois que o senhor foi dormir eu tive uma conversa com ela e vim para cá. Me ajeitei naquela poltrona. Às cinco o Bento me chamou. Diz que ela saiu de casa com uma trouxa, passou por ele, olhou com cara de atrevida, e continuou andando. Ele veio me perguntar se era para deixar ir embora ou segurar. Eu falei para deixar. Não é a primeira vez que ela faz isso. E eu toda vez vou atrás. Mas dessa vez não vou. Ela é assim mesmo, culpa do sangue de índio que tem nas veias. Ninguém segura. Parece que segura, mas não segura. Quando lhe dá na telha, ela faz o que bem entende. O que ela fez foi feio. Foi muito feio. Não consigo perdoar. Feio para o senhor e para mim. Porque, se ela não viu mal no que a patroa lhe fez, não haveria de ver mal em fazer o mesmo pra mim. É ou não é?
– A pé?

– A pé. É uma andarilha. Conhece Deus e todo o mundo aí em volta. Assim ela vai até a cidade. Lá se vira. Não vai falar nada do que aconteceu aqui. Ah, isso não vai. Quando sabe que fez bobagem, cala o bico.

Da cozinha, chegavam os ruídos de Josita lutando com as panelas, Leão latindo, ela ralhando com ele. A passarada continuava na farra matinal. Os homens continuavam na lida.

– Geraldo, tome conta de tudo...

A frase cortou-se. O empregado ficou esperando a continuação. Francisco abaixou a cabeça e a voltou para o lado oposto, escondendo as lágrimas. De onde estava, avistava a Colt que tinha deixado em cima do aparador. De repente, levantou-se de um pulo, apanhou a Colt e foi saindo. Geraldo correu atrás, perguntando:

– Aonde vai?

– O cavalo que eu deixei no pátio ontem à noite. Onde está?

– Mas aonde vai?

Sem responder, Francisco avistou o cavalo e se encaminhou apressado em sua direção. Desatou as rédeas de uma árvore e, enquanto puxava o animal, dizia:

– Matar aquela desgraçada.

Pôs o pé no estribo e já estava montado quando Mathias apareceu correndo:

– Dr. Francisco, Dr. Francisco, bom dia. Bom dia, Geraldo (e estendeu a mão, que Geraldo aceitou, ressabiado). Ontem veio aí o técnico olhar a turbina da tulha. Passou o orçamento. Muita coisa para trocar. Falou que vinha hoje e já está aí, esperando a resposta. Se o orçamento for aprovado, o serviço pode começar hoje mesmo.

Dizia isso mostrando uma folha meio amassada. Francisco olhava, sem pegar, o papel que a brisa contorcia na mão do empregado. Mathias o estendia, à espera de algum movimento, que não vinha. Um grito de araponga partiu dos confins da mata e se espetou no ar. Francisco pegou o papel. Pegou mas não leu. Olhava só. Do alto do cavalo, via dois rostos: no de Mathias, a expectativa; no de Geraldo o azedume da noite maldormida. Francisco olhava. Olhou a casa, a paisagem, o mato, olhou de novo os dois homens, o papel, olhou mais um pouco e, no segundo grito da araponga, apeou.

Um crucifixo vai do louro ao mouro
Evaristo passou o dia de sexta quase todo na fazenda Santa Lúcia dos Sabiás com o filho, assumindo o comando dos serviços. Pousou lá. Com Geraldo, acertou que no dia seguinte diriam aos empregados mais chegados que dona Lucinha tinha viajado para São Paulo por motivo de saúde. Era preciso garantir o silêncio de Bento e da irmã. O filho disse que já havia tratado do assunto. Quanto a seus próprios homens, o pai informou que não seria esse o primeiro segredo que guardariam. Francisco tinha certeza disso.

Às sete horas, Evaristo, depois de tomar café, rumou para sua fazenda. Instalando-se no escritório, chamou Magdalena. Perguntou se já estava tudo pronto para a viagem. A portuguesa respondeu que sim.

– A moça está pronta?
– Está, sim.
– Quero ver.

Magdalena foi buscá-la.

Lucinha apareceu muda, cabisbaixa. Os cabelos loiros estavam presos na nuca, cobertos por um véu preto. O vestido, de chita preta um tanto ruça, tinha gola alta, mangas longas e cintura baixa; era comprido, quase chegava aos pés; e, de tão largo, balouçava a cada passo como pendão de procissão. As meias eram de algodão preto e, nos sapatos, de verniz preto e saltos baixos, cabia mais espaço do que os pés ocupavam. Sobre o peito, Lucinha ostentava um crucifixo de prata com um Cristo realista, sobre o qual se lia facilmente a inscrição INRI.

Não levantou a cabeça. Tivesse levantado, teria visto a cara de satisfação do sogro, teria talvez se perguntado se, com aquilo, ele pretendia ridicularizar a nora ou vingar-se da defunta.

Magdalena estava em trajes de viagem, com um vestido azul-marinho. Atrás dela, apareceu Júlio, com duas maletas. O patrão, sentado à mesa, olhava o grupo. Dirigiu-se a Júlio:

– Júlio, você traga o carro até a frente da casa, ponha as malas e depois embarque estas senhoras, que deverão ir sentadas atrás. Na estação, chame um daqueles molequinhos que ficam por lá vendendo doces, dê uns trocados e peça que vá até nossa casa chamar o Miguel. Entregue o carro a ele e peça que venha para cá. Eu volto com ele para a cidade.

Depois, dirigindo-se a Magdalena:

– Dona Magdalena, aqui estão as duas cartas: uma para o pai da moça, outra para o padrinho. Depois de cumpridas todas as formalidades, voltem assim que puderem.

Os dois movimentavam a cabeça o tempo todo, em sinal de assentimento. Entregues as duas cartas, Júlio desceu pelas escadas que davam no vestíbulo e foi buscar o carro. Quando embarcaram, não havia ninguém nas imediações. Do terraço, Evaristo ficou olhando o carro partir.

Passou a tarde no escritório, ora mexendo nos papéis, ora recostado na grande poltrona de couro verde. Fazia um balanço dos últimos acontecimentos. Até certo ponto era culpado por aquele desfecho. Se tivesse posto alguém para dar conta dos passos do filho mais velho, decerto teria descoberto tudo a tempo. Descobrindo, mandaria o rapaz logo para longe e chamaria a nora às falas. Sabia como obrigar a moça a entrar na linha. Francisco não sofreria, e os negócios continuariam sendo tocados perfeitamente bem, como sempre. Mas agora não, agora Francisco falava em sair da fazenda, em ir para São Paulo, advogar. O que seria dele sem o filho? Além do mais, com a dissolução do casamento, perdia-se o dote de Lucinha, ótimas terras na região de São Simão, que Evaristo começava a explorar com o apoio do padrinho da moça. E não era só isso. Havia títulos. Aquela hesitação fatal tinha sido responsável por um enorme prejuízo. Como um erro de um minuto pode custar a um homem um prejuízo de milhares de contos de réis e a anulação de anos de acertos!

Eram quatro da tarde quando Miguel chegou. Evaristo estava pronto, à sua espera. Vestia um terno de casimira cinza, chapéu de feltro cinza, gravata de fina seda. Logo saíram de carro.

Naquele sábado, Miguel achou o patrão calado demais. A certa altura, desconfiou de um gesto de impaciência, uma espécie de murro no ar. Ficou olhando com o rabo dos olhos, mas ele não dizia nada. Na cidade, Evaristo desceu em frente a uma casinha branca de portões verdes e pediu a Miguel que o pegasse lá mesmo no dia seguinte, por volta das oito da manhã.

Abriu o portãozinho de ferro e, antes que chegasse à porta, esta já se entreabria. Quando o fazendeiro entrou, foi recebido pelos braços escancarados de Cinira.

– Por que não veio ontem? Passei a noite preocupada!
– Tive um problema sério, mas já estou aqui, não estou?
– Vai estar sempre?
– Sempre, você sabe disso.

Evaristo entrou, pendurou o chapéu na chapeleira e sentou-se num sofá de damasco florido. Cinira sentou-se ao lado e pousou a cabeça nos joelhos dele. Ele ficou olhando aquele rosto branco-mouro, acastanhado e luzidio, de lábios carnudos, purpurinos, que dispensavam pintura. As sobrancelhas cheias, arqueadas, uniformes, moldavam uns olhos grandes, pretos, de cílios recurvos.

A cabeleira encaracolada era uma cascata caótica e sombria quando solta. Os seios eram fartos e a cintura, fina. Os dois ficaram lá sentados, conversando numa fala macia e sossegada, entrecortada de vez em quando pelas risadas dela. Cinira falava do meio pato assado no dia anterior; tinha sobrado, ele podia comer, quem sabe, mas, se não quisesse pato, ela poderia aprontar uma sopa, ou talvez as duas coisas, batata-doce, sim, batata-doce, tinha lá várias ótimas, dadas pela vizinha da direita que andava querendo fazer amizade, mas ela achava que era para bisbilhotar, apesar disso aceitava os presentes, não queria fazer pouco-caso. Falava, falava, sozinha de coisas miúdas, e ele ia ouvindo pelo simples prazer de saborear o timbre da voz dela, de ir imaginando o que se escondia por baixo daquele vestidinho azul, despretensioso... Ouvia não ouvindo, não, ele não era todo ouvidos, ele era todo sentidos, olhos, tato, desejo... Ia sendo embalado por aquele acalanto macio, com um esboço de sorriso nos cantos dos lábios, quase fechando os olhos de vez em quando. Acordou quando ouviu a palavra crucifixo.

– Crucifixo?
– É, um crucifixo e um anel.
– Como assim?
– O Guilherme, ourives, esteve aqui ontem. Veio mostrar um crucifixo e um anel.
– E...
– Não, não quero nada, imagine, você já me deu tanta coisa. Mas o crucifixo é lindo. De ouro, em cima tem um tipo de papel enrolado, escrito INRI. Afinal, o que quer dizer INRI?

Evaristo se sentiu sufocado. Levantou-se, foi até a janela.

– Não sei. Se quiser o anel, dou. O crucifixo, não.
– Então só o anel está bom.

Evaristo sorriu. Ela se levantou e foi ao seu encontro. Um amor imperioso consumou-se ali mesmo.

Coisas da morte só acabam com a vida

Às quatro da madrugada, ele estava de olhos abertos. A luz da lua entrava pela bandeira da janela, projetando sombras e clarões no quarto azulado. O silêncio continuava desfiando, só para ele, os fatos da noite anterior. Até era bom ficar acordado; se fechasse os olhos, eles viravam pesadelo. Cinira suspirou e virou-se para o lado dele. Os dois seios se amontoaram, semiencobertos pelo braço esquerdo dela. A anca esquerda formava um promontório debaixo da coberta. O olhar de Evaristo passeou por aquele corpo entremostrado na penumbra e transviou-se quarto adentro, quarto que lembrava um ventre. No canto direito, acima da porta, uma ponta do papel de parede se descolava. Procurava enxergá-la. Não, aquele canto estava escuro agora, mas ele se lembrava. No dia seguinte precisaria avaliar bem o estado da casa. Fazia meses pensava em reforma. Começou a calcular: piso da cozinha, móveis da sala, pintura geral... Talvez conseguisse negociar com o Cintrão a sua permanência na fazenda de São Simão. Que burrice ter deixado que as coisas acabassem daquele modo! E o filho naquele fim de mundo... não tinha sonhado aquilo para ele. Cinira virou-se, ficou de costas, braço esquerdo esticado... grunhia. Decerto sonhando. Cinira, dez anos atrás e agora. Não tinha mudado. Dez anos antes, ele entrou numa loja de tecidos. Felipe o atendeu. Evaristo queria um corte de seda, presente para uma sobrinha. Felipe mostrou o que de melhor havia na loja. Evaristo escolheu quatro metros de seda salmão. Foi pagar. Uma moça discreta, sentada atrás de uma caixa registradora, esperava o dinheiro, com um sorriso esquecido nos lábios. Evaristo pôs as notas no balcão com o fôlego por um fio. Quarenta e sete anos de idade, nunca tinha se sentido cego e surdo por causa de uma mulher. Deixou até de contar o troco.

No caminho de volta, procurava, mas não achava, uma desculpa para voltar à loja. Até humor fazia, dizendo de si para si que é ofício de fazendeiro comprar fazendas. De todas as cores. Mas Marília achou assanhada demais aquela cor para uma mocinha. Ele se prontificou a comprar outro corte.

— Troque — dizia Marília.

— Não, não. De jeito nenhum, tecido caro como esse, já cortado, é desfeita. Dê a quem quiser. Compro outro. De que cor, afinal?

— Para moça séria, branco, azul, no máximo um lilasinho bem discreto.

Evaristo voltou à loja e pediu um lilás, quem sabe Marília não gostasse. Daquela segunda vez, demorou mais para se decidir, pediu sugestão à moça da caixa registradora, levou mais tempo para selecionar as notas na carteira e saiu dizendo que voltaria em breve para ver um corte de casimira. Saiu, foi à casa da tia Izilda, falou da loja, ela conhecia: Felipe e a mulher tinham ótimos produtos.

Marília gostou da seda.

Evaristo não queria voltar. Mulher casada, melhor tirar da cabeça. Voltou.

Comprou um corte de casimira, pediu que mandassem ao Hernandez, alfaiate. Naquela terceira vez, enquanto pagava, um novo freguês chegava, o marido se distraía, ele conseguia trocar algumas palavras com ela.

Antes não tivesse ido. Passou dias entre alegria e angústia, esperança e ciúme. A paixão começou a virar tormento. Queria estar onde ela estivesse, sem poder. Passou a visitar a tia Izilda, só porque a conhecia. Atento, ouvia histórias entrecortadas, provocava reminiscências na velha senhora, como quem não quer nada. A moça era de São Paulo, filha de turcos; o Felipe, fazendo negócios com o pai, interessou-se pela filha. Não, o casal não tem filhos. Pena, Felipe adora crianças. Aquelas histórias todas ainda soavam na voz da tia Izilda. Quanto durou aquilo? Um ano mais ou menos. Aí veio a festa de casamento de uma parenta. Ele deu um jeito de pedir que convidassem o casal. Marília não iria. A saúde andava ruim. Ele ia, aproveitava para se encontrar com o Leitão, sujeito meio inacessível que, por questões de briga política, se negava a lhe vender umas terras que ele estava cobiçando. Conseguiu ficar quase meia hora sentado num sofá, ao lado dela. Conversavam, ficou tarde, o casal precisava ir. Ele ainda se lembrava do vazio que sentiu depois das despedidas. Procurou o Leitão. Também já tinha ido.

Evaristo não conseguia dormir. Devagar, levantou-se e foi para a sala. Encheu um copo com água de uma bilha e se sentou perto da janela. A noite deserta projetava silêncio rua abaixo. As casas dormiam, nenhum cão perdido atravessava o luar estendido pelas calçadas, nenhum som de fora varava as frestas. Ficou ali, sentado com meio copo de água na mão, olhando aquele vazio de mundo, lembrando as coisas todas da vida que só acabam com a morte. Tia Izilda tinha morrido. As terras que o Leitão lhe negava continuavam paradas, os donos não vendiam. Engraçado...

– Evaristo! – Cinira chamava de dentro.

O relógio marcava quatro e meia passada. Ele voltou para o quarto.

– Perdeu o sono?
– Perdi.
– Deite aí e se acalme. Está muito nervoso hoje. Pensa que não percebi?

Evaristo deitou-se e abraçou Cinira por trás.

– Você também estava nervosa. Sonhou muito?
– Sonhei com Felipe.

Felipe viajava sempre para São Paulo. Um dia, morreu no trem. Faltava pouco para chegar, ele começou a gritar com a mão no peito. Que doía, doía muito. Antes da estação seguinte, estava morto. Ataque cardíaco fulminante – disse a autópsia. A família não aceitou, falava em envenenamento. Por quê? Porque alguns minutos antes tinha comido no vagão-restaurante. Pediu filé, arroz, salada e refresco. Nenhum outro passageiro passou mal. Abriu-se um inquérito para a investigação do caso. Não houve prova concludente.

Três meses depois, Evaristo montava casa para Cinira. A família do marido revoltou-se. Que aquilo era indigno, ela deveria ir morar com os pais em São Paulo. Cinira ignorou rogos e desaforos. Alheou-se da sociedade local, afastou-se da família e só vivia para Evaristo. A cidade inteira conhecia o caso. Marília ficou sabendo um ano antes de morrer.

Antes das cinco, os dois dormiam.

Quem muda muda o mundo ao se mudar

Evaristo passou o domingo com o filho e suas emoções desencontradas: o moço falava no futuro, sorria no presente, mas tropeçava no passado e caía em desespero. Voltou até a chorar. Quando isso acontecia, o pai ficava sem saber o que fazer, imóvel e sem jeito, esperando que a crise terminasse. Instável no que sentia, mais seguro no que queria, Francisco parecia que estava mesmo decidido a sair da fazenda. Um pouco antes do jantar, Evaristo comunicou que dormiria lá. Achava que o filho estava mais desconsolado agora do que antes. Jantados, foram se sentar no salão da frente. Francisco se recostou na poltrona e ficou quieto bem uns dez minutos. O pai de vez em quando dizia alguma coisa sem importância, e a conversa morria. Até que o moço soltou sem mais nem menos:

– Vou embora.

Evaristo argumentou:

– Assim eu perco dois filhos de uma vez. Teu irmão era um traste, mas era meu filho. Tua mãe morreu...

– Tem muita gente de confiança por aí...

Evaristo não respondeu. Francisco continuou:

– Fico por aqui um tempo e deixo tudo em ordem. Mathias e Geraldo continuam fazendo o que fizeram até agora, sem tirar nem pôr. Aumento as responsabilidades de Geraldo. Pago mais... Ele corresponde. Tanta fazenda por aí, dono ausente... Suas, até. Não sei por que eu haveria de ficar amarrado aqui sem precisão.

O pai se levantou, foi até a janela, encostou o nariz no vidro, e assim ficou uns segundos. Depois, sentou-se mais longe de Francisco, apoiou os cotovelos nos joelhos e, olhando para o chão, disse:

– Eu vou sentir muito.

– Eu sei. Mas eu não tenho condições de ficar aqui.

Evaristo dessa vez se recostou na poltrona e olhou para o filho:

– Essa conversa outra vez?

– O senhor pode achar bobagem, mas não é. É gente demais sabendo. Não dou uma semana, todo o mundo está comentando. Além disso, os meus sentimentos...

O pai se recostou e, cabisbaixo, cruzou os braços. Parecia tenso, com medo de outra crise. Mas Francisco continuava calmo:

– Depois, eu ando pensando umas coisas. Gostaria de conversar com o senhor faz tempo, mas não achei jeito.

– Diga.

– Eu sei que o senhor confia demais no café, que meu avô enriqueceu com ele, o senhor também, mas...

– Francisco, não insista. Você já me falou sobre isso. Não vou mudar de vida e não vou mudar de cultivo. Não espere que eu fique plantando feijão, milho, essas coisas de pobre. Entendo da lavoura do café, sempre me dei bem nela. E nela vou ficar. Nenhuma outra plantação dá dinheiro e exporta como o café. E, tirando plantação, eu não sei mexer com nada mais. Conheço a terra. Para mim, terra é base, base de prosperidade e desenvolvimento. Só ela dá aquilo que a gente carece. Conheço esta terra. Tudo vai continuar como está.

– Que terra não muda?

– O chão que a gente pisa não muda.
– É? Com uma crise atrás da outra! O senhor mesmo não diz que meu avô precisou vender três fazendas nos tempos da guerra, quando não se exportava?
– Os tempos da guerra passaram, e nós estamos passando muito bem. Está tudo em paz.

Evaristo já se levantava, impaciente. Quando o pai começava a andar durante uma discussão, Francisco sabia que a argumentação estava por um fio. Mas insistiu:
– Se no ano passado mesmo havia tropas aboletadas logo ali, em Rubião Júnior. Já se esqueceu do que aconteceu em São Paulo? Podíamos aproveitar esta boa fase e investir...
– Investir, sim. Mudar de atividade, não. Você não me convence. No Brasil as guerrinhas não vingam. E lá fora eles não seriam burros de começar tudo de novo. Além disso, temos aí os Estados Unidos... E tem outra coisa: as guerras passam, o café fica.

Disse estas últimas palavras em tom sentencioso e peremptório, dando voltas mais rápidas pela sala. Francisco preferiu terminar:
– Então voltamos a conversar daqui a alguns dias.

O pai ficou quieto. Francisco pensava em Carlinhos, com escritório montado na XV de Novembro. Pensava em São Paulo, na leveza de caminhar anônimo entre anônimos. Já se via morando sozinho, em novo estilo. Que o pai continuasse ali...
– Não quero falar mais disso – a voz do pai ecoou irritada.
– Perfeito, não falo mais. Com sua licença, vou dormir.

O filho subiu. O pai ficou em pé bem meia hora, com a testa apoiada na janela, olhando pelo vidro a pouca paisagem que a noite avarenta lhe entregava. No céu, uma procissão de nuvens ia velando uma lua que já começava a desfalcar-se.

Tudo o que escrito está tem meu carimbo

Os dias passavam, dores e raivas minguavam. Os planos iam sendo traçados para meses. Depois dos trabalhos todos urgentes, Francisco iria a São Paulo, fazer os acertos para sua incorporação no escritório de Carlinhos. De Andrade e Albuquerque – Advocacia a denominação passaria a ser Andrade, Albuquerque & Almeida e Silva – Advogados. Capital e quotas: tudo já estava acertado. Também fazia parte dos planos de Francisco, após a mudança definitiva para a casa que tinham na rua Albuquerque Lins, pedir ao João Ignácio Andrade, especialista em direito de família, que cuidasse de seu desquite. O casamento havia sido realizado em Ribeirão Preto. Seria preciso ir até lá. A partilha dos bens talvez desse trabalho. O pai haveria de se acertar antes com o Cintrão.

Enquanto os trabalhos do café iam sendo executados, Francisco preparava Geraldo para assumir novas funções.

Mas outras coisas iam acontecendo. Magdalena e Júlio voltaram uma semana depois da partida. Diziam que, chegados a São Simão, entregaram as cartas do patrão aos padrinhos da moça; que estes ficaram olhando intrigados para a afilhada vestida daquele modo, com aquela cara de desconsolo, até que ela se atirou chorando nos braços da madrinha; que o padrinho, vendo aquilo, se apressou a abrir a carta que lhe era destinada, e, lida a carta, sentou-se calado numa cadeira e ficou olhando a paisagem pela porta aberta, sem abrir a boca; que a madrinha, querendo saber o que havia acontecido, preferiu perguntar diretamente à sobrinha; que, como a sobrinha só chorasse, a madrinha chamou-a para outros aposentos, onde ficaram as duas conversando bem uma hora; que, enquanto isso, Magdalena ficou sentada, atrás do padrinho, sem saber o que dizer nem fazer, enquanto Júlio ia passear lá fora pelos mesmos motivos; que, depois desse tempão de modos sem jeito, a madrinha voltou à sala e se pôs a xingar o senhor Evaristo, dizendo que ele não tinha o direito de humilhar a afilhada daquele jeito, de mandá-la de volta embrulhada numa mortalha (e trazia a mortalha na mão, jurando que seu próximo paradeiro seria uma fogueira); que o padrinho, resolvendo falar enfim, se levantou e disse à mulher que se calasse, que ela não devia ofender daquele modo o senhor Evaristo; que ela, que era uma "espanhola sem rebuços" (palavras de Magdalena), disse que ofendia, sim, e que, se ele estivesse lá, ela diria exatamente o que estava dizendo; que Magdalena então disse que tinha ordens de levar as roupas da finada dona Marília de volta; que a espanhola as jogou em sua cara; que o padrinho, nessa hora, mandou de novo a mulher calar a boca e disse a dona Magdalena que ia cuidar de acomodações para ela e Júlio, pois a viagem decerto havia sido cansativa.

Magdalena contou tudo isso com o vestido e os sapatos da finada na mão. E completou:

– Aqui estão as roupas e o sapato, senhor Almeida e Silva. Infelizmente, só depois de aqui chegar dei-me conta de que falta o crucifixo.

Mais ou menos uma semana depois da chegada dos dois, Geraldo e Marianna se reconciliavam. Daquela vez, não foi dele a iniciativa, como era costume. Consta que um dia, na cidade, passava ele distraído pela frente da casa de uma prima de Marianna, quando esta o avistou da janela e pensou: "Mulato desses não se deixa solto por aí." Desceu, chamou. Ele fazia de conta que não ouvia. Ela insistiu, ele parou. Ela falou, ele não respondeu. Ela pediu perdão, ele fez que não escutou. Ela fez juras de amor, tantas, que ele, já morto de saudade, aceitou as desculpas. Mas ela não voltaria para a fazenda. Seu Evaristo não queria nem ouvir o nome dela.

– E ele lá tem moral? O que falam dele por aí... – disse ela.

A isso Geraldo respondeu que a vida dos outros não era da conta dela. Portanto, Marianna ficaria ali pela cidade mesmo. Os dois se veriam nos fins de semana. Ela já tinha até arranjado emprego em casa rica. Ia cuidar de um par de gêmeos e cozinhar para a família. No dia seguinte, com autorização dele, Marianna foi procurar casa para alugar. Tinha quinhentos e cinquenta mil-réis para a mobília.

Uns quatro dias depois da chegada de Magdalena e Júlio, quinta-feira, uma da tarde, Miguel entrava na fazenda de automóvel, descia, procurava Francisco. Este estava metido não se sabia bem onde. Foi achado quase meia hora depois. Chegou suado, empoeirado: os eternos problemas da turbina. Apertou a mão de Miguel, este lhe estendeu um papel em que Francisco reconheceu as marcas do telégrafo. Abriu e leu:

LUCIA MORTA PT ENTERRO SEXTA RIBEIRAO PT CINTRAO.

Francisco enfiou o papel no bolso da camisa olhando para o horizonte. Depois, voltou-se para o empregado e disse:

– Entre e tome um refresco.

Francisco não foi a Ribeirão. Foi o pai. Que precisava mesmo acertar muitas coisas com Cintrão. Chegou lá no sábado. Ficou sabendo que a moça tinha morrido afogada no rio Pardo, em São Simão mesmo. Tinha sumido na segunda à tarde para só ser achada na quarta de manhã. Não se sabia se era suicídio ou fatalidade. A polícia investigava.

Quando Evaristo contou a Magdalena de que modo Lucinha havia morrido, a portuguesa comentou, de olhos arregalados:

– Bem que Brazilina disse à moça: "fique longe dos rios".

– Então já estava escrito! – sintetizou Evaristo.

Quanto à amizade entre Evaristo e Cintrão, continuava inabalável.

Uns quinze dias depois, Francisco foi à cidade tratar de alguns negócios. No caminho de volta, cruzou com duas carroças. Parou para dar passagem. Eram duas famílias italianas que saíam da fazenda. Ele tinha assinado a quitação delas no dia anterior. As cadernetas dos dois chefes de família estavam em ordem, não havia débito, eles queriam ir embora. Pensava nisso e no modo de suprir a saída daquela gente, quando olhou para cima e deu com o olhar duro e puro de Giuseppe Piovesan. Abaixou os olhos e arrancou.

SEGUNDA PARTE

E mais histórias vêm, que são a polpa Pai e filho tinham chegado na noite anterior de Santos. Naquela manhã, como em todas, por volta das oito o café já estava posto numa mesa redonda, instalada num jardim de inverno. A casa em São Paulo era térrea, não muito grande, construção no meio de um terreno de mil metros, com entradas laterais. Um anexo do fundo abrigava um casal: Tomé e Judith. Esta cozinhava, aquele cuidava do jardim e, no tempo restante, ganhava uns trocados arrumando outros jardins vizinhos. Duas vezes por semana, uma mulher ia fazer a limpeza mais pesada e lavar roupa. Tudo bem estipulado por Francisco, que já fazia dois anos morava ali, com uma passagem pela Europa.

Francisco lia um jornal, à espera do pai, e o gato de Judith, encolhido no mármore do parapeito, tomava sol e se relambia. Evaristo chegou, Francisco disse bom-dia sem erguer os olhos, o pai ficou sentado uns minutos, admirando o sistema felino de higiene, antes de despejar café numa xícara.

Andava ressabiado, mas não podia dizer nada ao filho mais novo. Do outro filho as notícias não eram boas. As terras continuavam virgens; o gado, abandonado, já ia ficando magro, maltratado, arisco até, quando não morria. Seis meses antes, tinha mandado quatro homens com experiência e coragem para o serviço necessário. Fazia duas semanas, dois chegavam com queixas: o que dependesse do dono não andava. Evaristinho passava a maior parte do tempo na cidade. Bebia.

O gato se esticou: uma nesga de sol intrometida entre dois galhos se deitava sobre o animal. Estava decidido: arrendaria as terras de Presidente Wenceslau e repassaria o produto do arrendamento ao filho. Não podia cuidar daquilo tudo, tão longe, mas não queria se sentir responsável pela ruína total do rapaz. A nora continuava na cidade, sem coragem de se embrenhar.

Francisco dobrou perfeitamente o jornal e o pôs de lado.

Evaristo sempre admirava a semelhança entre os modos dele e os da finada mãe. Por onde andasse, Francisco não deixava rastros nem impressões fortes. Pisava leve, falava baixo. Não remexia, palpava. Não largava, pousava.

— Meu pai, precisamos falar de negócios.

— Hoje!

— É preciso.

O pai dava um gole no café. Francisco continuou:

— Entramos no ramo da construção civil.

— Quem?

— Nós dois.

— Você está louco. Eu não entendo nada disso.

— Nem eu.

— Está querendo jogar dinheiro fora?!

— De jeito nenhum. Hoje à tarde, depois do almoço, nos reunimos no escritório com todos os interessados. O senhor sabe que não entro em negócio nenhum, se não for seguro. Mas não quero entrar sozinho. Acho importante a sua participação. Sempre trabalhamos juntos. O senhor está com capital disponível. Sei de títulos e ações de que poderia dispor no momento. Eu também consigo levantar uma boa soma. A intenção é fundar uma sociedade em comandita por ações. Seríamos três capitalistas: o senhor, eu e o Carlinhos. Além de nós, haveria dois sócios-gerentes, que seriam os administradores. Esses dois eu ainda não conheço. São conhecidos do Hastings, um inglês, cliente do escritório há bastante tempo, exportador de café. O Carlinhos já conhece, deu ótimas referências. Nós, sócios capitalistas, não participamos da administração, que fica por conta dos sócios-gerentes, os que entendem de fato da atividade. A responsabilidade por dívidas, obrigações sociais etc. é toda deles. Cada um dos capitalistas só se responsabiliza pela quota de capital subscrito. Mas temos o direito de convocar assembleias e fiscalizar os negócios da empresa.

– Calma, Francisco, você amontoa tudo... Diz que só entra em negócio seguro, mas vai começar do nada num ramo que não é o seu.

– Não, não, desculpe, eu não expliquei direito. A empresa já existe, está funcionando. É a Mello & Dantas – Construções Ltda.

– Não conheço.

– Eu sei. É uma empresa pequena, mas sólida. Está precisando se expandir para atender a demanda, que está crescendo, crescendo muito. Eles têm grande conhecimento do ramo, mas não têm capital suficiente para a expansão necessária no momento. A firma está com a escrituração em ordem. As dívidas existentes serão liquidadas com essa entrada de capitais. Cria-se então uma nova sociedade, em moldes diferentes. Bom... Que mais? Ah, sim, vai ser preciso importar máquinas. Talvez seja bom levantar um crédito junto a um banco inglês. Isso não seria problema, o Hastings pode servir de intermediário nesse negócio.

– Tá, tá. Francisco. Calma, espere...
– O mercado interno está crescendo. É um crescimento cíclico, mas inevitável. Veja aí a indústria de cimento a todo vapor.

Francisco, acumulando dados, não impressionava o pai, que olhava o relógio:

– Olhe, já é tarde. Eu quero dar uma volta pelo centro ainda de manhã. No escritório, a gente conversa melhor. Quero ver os números.

– Tem razão... Conversamos melhor depois.

Francisco levou a xícara de café com leite à boca. O pai olhou para fora, pensativo. O gato tinha sumido. Evaristo perguntou:

– Como se chamam esses sócios que você não conhece?

– São dois engenheiros: o Paulo Souza Mello e um outro que também é fazendeiro em Campinas, o Ecumenácio Dantas.

– Ecumenácio! Que nome!

Quem na bagagem su(j)a traz mil anos

O ar estava ligeiramente frio, e o sol relutava em aquecer. Evaristo desceu do carro na XV de Novembro e pegou o rumo da praça da Sé. Passaria pela rua da Quitanda, iria ao Banco do Brasil, visitaria o Palacete Santa Helena, bisbilhotaria em lojas de sapatos e perfumes, visitaria uma casa de máquinas de escrever... Planejava tudo isso intuindo um tanto aflito que era preciso ter muita força para resistir à tentação das facilidades da cidade grande. Muitos fazendeiros se rendiam, deixavam as terras por conta dos outros. Não ele. A sabedoria está em gozar os encantos sem se deixar fascinar. Viver na metrópole é transformar prazer em costume, ou vício. Matar o prazer por dose excessiva, como mata todo remédio, se demais.

Uma gravata de seda chamava-o de uma vitrine. Atendeu. Era bonita. Já tinha tantas. Gravata só se usa em cidade. Mudar para a cidade, em compensação, é transformar em mais prazer o prazer costumeiro de agora: subir de trem a serra soberba, sentir o cheiro da mata, ouvir o grito da araponga nas manhãs de sol, meter-se debaixo de cachoeira em tarde quente... É aumentar a intensidade e diminuir a frequência. Estranho bicho o humano, que fareja prazeres e os quer muitos e sempre, mesmo que menores. Evaristo se via maduro e sabedor de coisas que não são dadas a conhecer antes de certo tempo de vida. Era assim que se via Evaristo naquela manhã, entrado já na rua Direita, quando o faro o fez parar: era um cheiro de temperos e conservas de encher de água a boca e de apertos a mandíbula. Casa de queijos, vinhos e embutidos: Mazzarini & Cia. Evaristo ficou na calçada, de lá olhando as prateleiras: uva-passa, fruta cristalizada, damasco, tâmara, azeitona preta, azeitona verde, amêndoa, noz, avelã, cereja, castanha, queijo, queijo, queijo, alcaparra, salsicha, salsichão, linguiça, chouriço... Inventariava, arrolava o que levar para Cinira... Nada que se estragasse depressa, ele ia demorar uns dias para voltar. Um bom vinho, alguma daquelas conservas perfumadas. Bacalhau! Ela adorava. Deu uns passos loja adentro, começou a examinar os rótulos das garrafas...

– Às ordens, *signor* Evaristo.

Voltou-se e deu de cara com uma cara conhecida. Mas de onde? Ficou desnorteado, tentando decifrar um rosto fora da moldura. Pelo sotaque, era italiano. Algum ex-colono? Decerto. Pensando nisso, Evaristo se sentiu na situação precária do rei descido do trono, na altura do lacaio. Lá estava ele, em propriedade alheia, em comércio pertencente a algum subordinado, na posição malparada de quem precisa frear o galope por causa de uma cerca obscura. Quem seria aquele carcamano que lhe interrompia o ato tão íntimo de pensar num vinho para tomar com a amante, sem lhe deixar a liberdade de não escolher coisa alguma e ir embora? Olhava sério e mudo para o homem, e seus pensamentos transbordavam da expressão fria e descontente.

Qualquer um se intimidaria com aquele olhar, menos Alfonso Molinaro. Quase calvo, moreno, de estatura mediana, trazendo na tez e na língua a marca do meridional arabizado, herdeiro de tantas e tantas miscigenações e colisões, apesar de não passar de uma das incontáveis criaturas vindas numa terceira classe imunda, paga pelo dono da terra (sujeito rico, altivo, autoritário, que seria seu patrão e quase dono da sua vida – aquele mesmo que estava ali, na sua frente), apesar de tudo isso, Alfonso Molinaro não se intimidava. Achava-se até superior ao ex-patrão. E por quê? Porque tinha trazido na bagagem suja e surrada milênios de cultura de que o outro mal suspeitava. Na verdade, Molinaro via-se representante do maior dos impérios de todos os tempos. O fato de estar na nova terra em posição subalterna não alterava a identidade que lhe corria nas veias: Molinaro era um romano de dois milênios. Via o Brasil como uma multidão de analfabetos explorados por alguns clãs ignorantes e despóticos. O resto era mato, índios, cobras. Por isso, não se intimidava com o olhar distante e frio de um homem de quem dependera um dia sua própria vida.

Um lampejo de memória fez Evaristo retroceder um passo. Claro, era ele, o pai daquela moça... A família fugida... O sogro de um fulano que queria esfaquear seu filho. O fazendeiro calou o pedido que faria, o cumprimento que daria, fez meia-volta e saiu da loja. Passou o resto da manhã irritado.

Cinira ficou sem presente.

E da intenção ao cisco a mão se trava

A intenção era descobrir os meios de punir aquela gente. Amargou maquinações até uma da tarde, quando foi encontrar-se com o filho no escritório. Subiu pelas escadas, era só o quarto andar. Lá em cima, viu-se numa sala ampla, com poltronas de couro preto. Entrando, à esquerda, uma espécie de guichê e, atrás deste, três moças trabalhando. Perguntou pelo Dr. Francisco, apresentou-se, a porta da direita se abriu, e ele foi introduzido num amplo corredor atapetado: do lado esquerdo, várias portas; do direito, uma parede forrada de estantes de livros. Uma das portas seria a de Francisco. Ele tiraria uns minutos com o filho para falar sobre aqueles imigrantes.

Mas, em vez de encontrar o filho sozinho, debruçado sobre papéis, como imaginava, deu com a sala cheia de homens que gargalhavam de alguma boa piada. Todos os assentos (uma poltrona de três lugares e duas cadeiras) estavam ocupados. Quando Evaristo entrou, Francisco apontou para ele com a mão estendida e disse brincalhão:

– Senhores, finalmente o meu pai.

Carlinhos imediatamente se levantou e foi abraçá-lo. Há quanto tempo não se viam! Francisco passou às apresentações:

– João Ignácio, um dos sócios do escritório, Hastings, exportador, Paulo, um dos proprietários da empresa, Fabrício e Antenor, dois outros advogados do escritório.

Evaristo estava pensando se devia ou não perguntar do outro construtor, quando Carlinhos disse:

– O Dantas não veio, e o crime foi premeditado: quer nos obrigar a ir à casa dele para um almoço no sábado. Aliás, convida até para o café da manhã, assim chegamos mais cedo e tratamos de negócios a manhã inteira. O que diz o senhor?

Todos olhavam para Evaristo, que congelou um sorriso e olhou para o filho.

— Mas eu pensei que íamos tratar de negócios agora. Sábado não estou aqui.
— Chiquinho, você não disse que seu pai ia embora logo — disse Carlinhos.
— Na verdade, eu ainda pretendia conversar com ele.
E falando com o pai:
— Hoje à tarde vamos, sim, examinar a papelada todos juntos, aqui. Fica faltando o Dantas, na verdade representado pelo Paulo. O Carlinhos explicou do jeito dele, não é nada disso. (Os outros riam.) O Dantas agora está em Campinas. Como não podia vir, resolveu dar o almoço no sábado. O senhor pode voltar para Botucatu na segunda...
— Já até convocamos dona Eulália, nossa estenógrafa — arrematou Carlinhos —, e ela não aceita recusas.

Evaristo estava descontente. Primeiro, não conseguia ficar sozinho com o filho para tratar daquele assunto que lhe estragara a manhã. Depois, teria de ficar em São Paulo no fim de semana, sem ver Cinira. Francisco percebeu a expressão do pai e remediou:
— Vamos almoçar, que estou com fome. À tarde a gente trata disso.

A proposta não foi contestada.

A tarde se passou, e o assunto Molinaro não foi discutido. Não que Evaristo tivesse desistido tão depressa. A caminho do Automóvel Club, ia tramando aconselhar-se com aquela horda quando voltassem, abrindo um parêntese na questão da empresa de construção. Mas, durante o almoço, a sua perspicácia não lhe permitiu deixar de ver que o tema colono soaria desafinado. Aquele almoço foi uma lição para o caipira que ele se sentiu. Percebeu que estava ladeando alguns dos homens mais ricos do país. Fato que não o intimidava, pois se sabia dono de um patrimônio considerável, maior que o de muita gente ali. Novidade era o ambiente, o jeito da riqueza, aquilo que escapa das pessoas sem que elas saibam, aquela espécie de cheiro de alma que não se sente com o nariz. Preferiu manter silêncio a maior parte do tempo e observar. Reparava no filho, ali outro homem: mais aberto, cordial, risonho até. Assuntava as conversas, procurando extrair delas mais a intenção que o conteúdo. Percebia que o tempo todo se falava de dinheiro, mas quase nunca se dizia a palavra, raramente se explicitavam quantias. Poder era o que estava por trás de tudo o que se fazia. Mas o que se fazia o tempo todo eram piadas, cumprimentos, deferências, referências, alusões, demonstrações de espírito. A magnitude daquele mundo parecia incalculável para simples mortais. O próprio Molinaro, poucas horas antes trave fatal no seu olho, já começava a reassumir sua real dimensão de cisco na vastidão de um areal. Uma frase do tipo "uma família de colonos fugiu há dez anos da minha fazenda, o que posso fazer para punir essa gente?" cairia como pedra no delicado suflê que Carlinhos ia lambiscando, seria um balde de lavagem no *crêpe au fromage* que Francisco ia consumindo como quem não tinha toda a fome anunciada. E Evaristo ia pensando em todas essas coisas, enquanto tentava atacar uma cebolinha lisa e luzidia que opunha implacável rebeldia ao seu garfo.

Diga em que casa mora o pombo azul

O sábado amanheceu chuvoso. Pai e filho saíram de casa por volta das nove. Tinha ficado acertado, afinal, que a reunião em casa de Dantas excluiria o café da manhã. Quando chegaram ao casarão dos Dantas já lá estavam Hastings, Paulo Souza Mello e dona Eulália, devidamente instalados no gabinete do dono da casa. Assim que entraram na sala, foram acolhidos por um homem de estatura mediana e grandes olhos castanho-claros. O que sobrava de cabelo dizia que ele devia ter sido louro. Era um sujeito corado, fisionomia alegre, sorriso fácil, que recebia os recém-chegados de mão estendida, dizendo:

– Dr. Francisco, senhor Evaristo Almeida e Silva? Eu sou Dantas, muito prazer.

Depois dos cumprimentos, os dois se sentaram. Uma conversa amena foi reiniciada; faziam hora, faltava Carlinhos. Dantas procurava deixar os recém-chegados à vontade, mostrando-se interessado pelo bem-estar de todos, perguntando se preferiam café, chá ou refresco e coisas do gênero. Um copeiro circulava convicto, atento. Depois de uns quinze minutos de conversa, Evaristo concluía que tinha simpatizado com o dono da casa e procurava ler nos olhos do filho se o sentimento era igual.

Mas os olhos de Francisco pareciam desatentos da sala. Estavam fixos em algum ponto lá fora, no corredor, onde duas mulheres conversavam. O vento, entrando pela porta frontal aberta, desfraldava saias, revelando formas. Não era preciso ser muito esperto para saber qual delas chamava a atenção do filho. Ao lado de uma figura esférica e vulgar ganhava destaque o corpo alto e esbelto da outra, os grandes olhos de azeviche e o breu dos cabelos ondulados, que desciam emoldurando um rosto forte para se prenderem atrás, num coque irrepreensível e discreto. O conjunto era de fato muito atraente...

Mas Carlinhos finalmente chegava. Entrava radiante, sorriso de meia lua no rosto redondo, cabelos desfeitos pelo vento, dois cachos caídos nos cantos da testa, como era costume. Com bom humor, reclamando da chuva, que o fazia atrasar-se para uma reunião tão importante, já ia entrando na sala com as duas mulheres.

Dantas se levantou, abraçou o rapaz, apertou a mão da gorducha e, apresentando a outra, disse a Francisco e Evaristo:

– Esta é minha esposa, Helena.

Evaristo olhou para a mulher lembrado das palavras de Carlinhos: "família antiga, tradição política e diplomática, grande prestígio no império". Beijou-lhe a mão. Francisco estendeu-lhe a sua, com um ensaio maljeitoso de mesura. Os outros dois homens já estavam de pé. Paulo avançou e deu um beijo na testa da prima. Hastings não fez gesto algum. Sorria. Evaristo intuiu que já se haviam cumprimentado antes.

Acalmado o ambiente, depois daquela entrada ruidosa, começou a reunião. Dantas tinha tudo preparado. Durante quase uma hora e meia mostrou fotos de obras já realizadas e pormenorizou projetos. A cada detalhe técnico explicado, perguntava aos dois advogados e a Evaristo se tinham alguma dúvida. Depois foi a vez de Paulo, que expôs a situação financeira da empresa, historiou todos os investimentos, fazendo passar de mão em mão o consolidado de todos os balanços. Por mais de uma hora falou e respondeu a perguntas. Evaristo fez muitas. Francisco olhava satisfeito para o pai: finalmente ele se interessava. Por fim, Dantas, parecendo querer encurtar as coisas, disse:

– Numa reunião como esta não é possível passar todos os detalhes financeiros, que só podem ser devidamente apreciados *in loco*. Os senhores estão convidados a fazer uma visita à sede da empresa, acompanhados dos peritos que desejarem. Lá o guarda-livros porá à disposição toda a documentação solicitada.

Carlinhos fez um aparte:

– Aliás, um dos principais objetivos desta reunião é propiciar maior conhecimento entre os fundadores da empresa e os novos sócios, bem como uma avaliação dos projetos em andamento, para dirimir quaisquer dúvidas e vencer eventuais resistências suscitadas pelo desconhecimento da real situação dos negócios (e olhou Evaristo de relance).

E para dona Eulália:

– Agora, dona Eulália, a senhora tem quinze minutos para terminar de consignar suas impressões e finalmente nos deixar almoçar.

Todos riram. Durante aquelas horas, dona Eulália tinha observado tudo com olhos vivos, lápis na mão, buscando no chefe alguma ordem que justificasse sua presença ali. Que anotações fazer? Ninguém parecia lembrado dela. Não tinha feito nada. Nem faria, porque o copeiro entrava com aperitivos, e a conversa passava às amenidades.

Hastings, que pouco tinha se manifestado durante o tempo todo, agora despejava impressões sobre a política externa e interna de Stanley Baldwin. Todos ouviam atentos quando ele parou de falar, levantou-se da cadeira, abriu os braços e, olhando para a porta, disse em voz alta, articulando bem as sílabas:

– Immaculada!

Todos olhavam para a porta. Emoldurada pelos batentes altos, destacava-se a pequenez de uma menina de uns dez anos, com um vestido de lãzinha xadrez cor-de-rosa, cabelos castanhos, presos atrás, numa única trança. Hastings a esperava, de braços abertos, mas ela continuava parada, de olhos baixos, mãos atrás. Foi quando apareceu na porta uma mulher que, em francês, convidava *mademoiselle* a voltar. Dantas disse:

– Immá, você não conseguiu esperar o almoço? Robert, ela está louca para lhe contar a solução do problema que você lhe passou na semana passada.

E voltando-se para a francesa:

– Deixe estar, Mlle Durbec. Ela fala depressinha aqui com o Robert e já volta. Entre, Immá.

A menina entrou. Hastings inclinou-se e virou a cabeça para deixar a orelha à disposição do segredo que seria despejado. Ela se aproximou e cochichou alguma coisa. Ele se ergueu, levantou as mãos, soltou um *ah* sonoro e lhe deu um beijo em cada face, enquanto dizia:

– Muito bem, muito bem. Papai não ajudou, não?

A menina meneou a cabeça: não, não tinha ajudado. Dantas confirmava: ela tinha chegado sozinha à solução.

Evaristo, encantado com a figura, querendo que ela olhasse para ele, perguntou:

– E qual é a solução?

Ela então depositou sobre ele a mansidão infinita de um olhar que mal se continha nuns olhos imensos, um verdadeiro luzeiro cor de mel recortado num rosto oval, de queixo pontudo e boca pequena. Mas não respondeu. Hastings começou a explicar. A pergunta era: em que casa mora o pombo branco, porque há casas de várias cores: azuis, brancas...
Evaristo não ouvia; só via a menina.

Que só se mostrará a entremostrar-se mostrar".

Eram quase duas quando o almoço começou a ser servido com "requinte bem dosado", como diria Evaristo depois, admirando o luxo de "quem mostra sem se mostrar".

Carlinhos, expandindo o máximo ardor de seu fogo verboso, bulia com todos, sem dar tempo para respostas. Só poupava Paulo, o discreto, casado com uma mulher insossa, que dava um sorrisinho amarelo toda vez que alguém lhe dirigisse a palavra. Ao lado de Carlinhos, a esposa Leda, gorda Leda, mulher sem queixo, de dentes tortos, que do útero da mãe tinha saído com bom humor suficiente para encarar a existência vazia de graça. À mesa também estavam dona Eulália, Mlle Durbec e Immaculada, quase à frente de Evaristo. Francisco, ao lado do pai, parecia muito atento às brincadeiras de Carlinhos. Evaristo observava o filho, que não dava mostras de ter sido afetado como ele pelo encanto da menina.

O único que conseguia rivalizar com a loquacidade de Carlinhos era Hastings, tão à vontade que parecia mais da família do que Paulo, sujeito meio macambúzio que estava sentado ao lado de Evaristo. Este aproveitou para perguntar de parentescos, a conversa começou a girar em torno de avós, tios, cognatos e afins, até que, devidamente conduzida por Carlinhos, enveredou por sendas pitorescas:

– Pois fique sabendo que nosso anfitrião tinha um avô fazendeiro, leitor de Voltaire (Dantas balançava a cabeça, sorrindo). Esse avô, em nome da racionalidade, quis que o neto fosse engenheiro. E, em nome da tolerância religiosa e da união de todos os cultos, quis que o neto se chamasse Ecumênio.

Carlinhos fez uma pausa. Evaristo calou comentários. O outro continuou:

– Mas ele não se chama Ecumênio, estarão pensando vocês dois. Não, claro. Porque o pai, que se chamava Ignácio e queria legar o nome ao filho, não aceitou. Depois de muita discussão, decidiram que ele se chamaria Ecumenácio.

– E é por isso que hoje eu me chamo Dantas.

Enquanto Carlinhos ria, Hastings disse:

– Qual era a religião de seu avô?

– Vovô era deísta, como Voltaire.

– Ateu? – perguntava Leda.

Hastings então começou a explicar a Leda a diferença que havia entre deísmo e ateísmo. Leda ouvia com a atenção vazia de quem não consegue entender a importância que certas pessoas dão a ideias abstratas. Enquanto isso, dona Eulália e a mulher de Paulo pareciam tecer considerações sobre o bordado da toalha.

Depois da exposição, Paulo perguntou a Hastings qual era sua religião, e ele disse que era católico.

– Um inglês católico! – exclamou Mlle Durbec.

– Não sou inglês, sou irlandês. E filho de mãe brasileira, descendente de italianos: Rita Cogliano.

– Hastings, você é um irlandês... – e lá vinha Carlinhos preparando uma piadinha, quando Hastings atalhou:

– E ex-seminarista. Agora, sim, pode fazer sua piada.

Carlinhos soltou:

– Você então é um ex-portador de batina!

– Essa foi boa – dizia Francisco.

Helena sorria, divertida. Hastings, mais animado, continuava:

— Seu avô tinha muitas propriedades, grandes propriedades, não, Dantas?
— Sim, sim...
— Então fazia bem em ser voltairiano.
E, como todos olhassem intrigados, Hastings pegou a taça de vinho e tomou um gole. Leda, especialmente eloquente naquele dia, do seu lugar, soltou com voz quase estrangulada por um bocado que acabava de engolir:
— Se ele era comunista...
— Quem?! — perguntou Francisco.
— Esse Voltaire — respondeu Leda.
Hastings pousou a taça na mesa com as sobrancelhas arqueadas, Mlle Durbec baixou os olhos para o prato e Carlinhos pegou um guardanapo e o pôs na frente da boca, deixando à mostra apenas os olhos, que começaram a girar na órbita de maneira cômica, fazendo Immaculada dar o seu primeiro sorriso naquele almoço.
— Eu disse alguma bobagem? — perguntou Leda.
Helena então pediu a Hastings que explicasse o seu comentário. Hastings prosseguiu:
— Voltaire achava péssimo que as grandes propriedades pertencentes a uma nobreza tradicional caíssem nas mãos de camponeses enriquecidos. Para ele, esse era o melhor caminho para a ruína de uma nação.
— No que estava certíssimo — disse Evaristo.
— Mas sabia que as propriedades podem mudar de mãos, migrar de uma classe social para outra. E, se isso era inevitável, que pelo menos se impusesse um limite legal à quantidade de terra que os não nobres pudessem adquirir.
— Bem pensado — disse Carlinhos com o indicador em riste e certo ar matreiro que pressupunha alguma ironia.
Mas Hastings não permitiu que ele continuasse:
— Desse modo se criaria a pequena propriedade para os não nobres. Dizia ele que essa era a melhor forma de exploração da terra para enriquecer uma nação. E citava a Inglaterra como exemplo.

— Ah... Era aí que ele queria chegar — de novo Carlinhos.
— Isso explica o acesso de erudição... — sorria Francisco.

Mas Hastings continuava com suas ponderações, voltando-se para Dantas:
— É uma visão que não exclui certa incoerência e falta de profundidade...
— Não vejo por quê — disse Evaristo. — Em todos os tempos foi preciso ter muito dinheiro para explorar as grandes propriedades... E mais: a grande propriedade das terras sempre esteve unida ao poder... Como entra aí o camponês?
— Mas entre um nobre empobrecido e um camponês enriquecido, o que seria melhor, em termos de produtividade do solo? — a pergunta era de Paulo.
— Bom, eu só estou tentando imaginar isso no Brasil... — explicava Evaristo.

Mlle Durbec sorria, de olhos apertadinhos, como quem tivesse mil apartes silenciados entre os lábios finos. Hastings disse:
— Não creio que seja possível adaptar esse pensamento ao Brasil. Aqui o homem que trabalha na terra está muito longe de alcançar condições de rivalizar com o latifundiário...

Dantas começou a elogiar o peru em voz alta, chamando a atenção de Hastings para aquela delícia. O irlandês pareceu esquecer o que ia dizendo. Evaristo também achou melhor não encompridar. Mas Hastings, depois de provar o peru e concordar com o dono da casa, ainda reservava uma alfinetada:
— Não podemos deixar de ver por trás dessas afirmações do grande pensador francês (e fez uma reverência em direção a Mlle Durbec, que a retribuiu) o grande desprezo intelectual que ele tinha pela ralé, pelo povo não pensante. Assim pensava o filósofo da tolerância, senhor Dantas.

Dantas então respondeu com bom humor:
– Então dá para entender por que vovô gostava dele. Francisco, prove um pedacinho desse peru, que está divino.
A frase foi seguida por um silêncio de alguns segundos. Immaculada, ao lado da francesa, manejava os talheres com aplicação. Mas se sentiu observada, ergueu os grandes olhos para Evaristo e os baixou de novo, atenta ao prato.

Presença, corte, mente rutilada

Marília abriu a porta com brusquidão, invadiu o quarto quase gritando:
– Desperta, desperta, Francisco.
Francisco deu um pulo, sentou-se na cama e abriu os olhos. Na retina, a imagem dela, vestida de preto, avental branco. Imagem e voz ficaram reverberando uns segundos. Aos poucos, o claro-escuro do quarto começou a ganhar forma: pelas frestas da janela a claridade salpicava feixes de luz para dentro do quarto.
– Hoje preciso começar o parecer do Banco... – pensou olhando o relógio: sete e meia.
Desceu da cama, enveredou pelo corredor em busca do banheiro. Lá, parou diante do espelho, olhou-se e lembrou:
– É domingo.
Abaixou a calça do pijama e foi urinar. A imagem da mãe e o som da sua voz se misturavam a uma sensação de morte que ele conhecia bem: uma angústia implacável, mão de ferro a estrangular o peito. Não tinha sido simples sonho. A mãe entrando no quarto era certeza de presença viva, gravada nos tímpanos e nas retinas.
Foi até o lavatório e olhou-se no espelho: rosto magro, bigode, nariz fino, cabelos pretos e lisos. Era o que via. Só e sempre. Não gostava de olhar para os próprios olhos. A fratura do eu que se indaga nem sempre é suportável.

Voltou para o quarto. Nunca tinha visto a mãe de avental branco. E por que dizia "desperta", e não "acorda"? Deitou-se de novo. Não iria dormir. A imagem de Helena escorregou sorrateira para dentro dele e se deu a notar como vibração de artérias, estando sem estar, presença morta de membro amputado. Precisava arrancar de si aquela presença, forte, forte porque invisível.

– Logo uma mulher casada!

Levantou-se falando sozinho e foi para a cozinha como quem foge. Tinha sede. Lá deu com o pai.

No dia anterior, em casa de Dantas, o fim da tarde e parte da noite os homens tinham passado no *fumoir*. Nem todos, porque a certa altura Evaristo foi para a biblioteca com Dantas, ficaram lá pelo menos uma hora. O que teriam conversado?

Judith abriu a porta da cozinha, uma lufada irrompeu com ela. Francisco se lembrou do sonho.

– Os dois já aqui tão cedo? Faço o café num instante. Dr. Francisco está doente?

O tempo todo do café Evaristo passou fazendo comentários sobre as pessoas que tinham conhecido no dia anterior. Relembrou todos, como tabuada decorada. Immaculada ele reservou para encerrar, como quem deixa para o fim a iguaria mais gostosa.

– Aquela menina é muito graciosa, não?

– É. Pai, pensou em tudo o que foi dito ontem? Decidiu se entra na sociedade ou não?

– Francisco, eu ainda preciso pensar. Você me faz um favor? Poderia chamar o Carlinhos? Gostaria de falar com ele hoje à tarde aqui. Assim conversamos os três juntos. Eu precisaria de umas informações dele.

– Como quiser.

Levantou-se e foi até o telefone, na outra sala. Evaristo ouvia:

– Depois do almoço... Meu pai quer ter uma reunião com você e comigo... Pode ou não pode? Entendo... Essa questão resolvemos depois... Combinado, às três... Está querendo aproveitar, hem?... Vida difícil essa sua, hem!... Até lá...

Quando voltou, Evaristo perguntou:
– Por que vida difícil?
– Ele gostou da ideia de ter de sair de casa em pleno domingo à tarde. Assim dá uma escapada até a casa de Laura...
– Quem é Laura?
– A amante.
– Ah, ontem mesmo eu estava pensando: com uma mulher dessas... Ele sustenta essa Laura?
– Não! Laura é *marchande*. Ganha muito bem. Vive no meio de artistas. É uma mulher... como direi? Uma mulher liberta. Uma intelectual de vanguarda.

Evaristo cismou uns minutos: como seria uma intelectual de vanguarda, vista de perto? Como seria ser o homem de uma mulher intelectual de vanguarda?
– Você conhece?
– Conheço, sim.
– É bonita?
– Bastante – Francisco balançava a cabeça.
– Já pensou em ter uma dessas?
– Não é bem o meu tipo de mulher.
– É, eu sei...
Depois de uma pausa, disse:
– Francisco, está na hora de se casar de novo.
– Nem pensar.
– Você não pode passar a vida assim, solteiro. Precisa ter filhos. Não quer herdeiros?

Francisco olhou o pai, pensou um pouco e disse:
– Eu não morro.

Com muito ter, só tem o que planta

A chuva caída durante a noite tinha deixado só lembranças no chão, junturas de calçadas escurecidas. O tempo estava nublado, mas não chovia desde manhã. Estava mais frio. O silêncio da rua, muito mais fundo que de costume, dizia que era domingo. Faltavam dez para as três, um ruído de motor, que levou Francisco até a janela da biblioteca. Carlos Albuquerque descia de um Buick cupê branco. Cabelos por enquanto penteados, Carlinhos teria acabado de sair do banho. Mas as duas mechas logo cairiam testa abaixo, como sempre. Francisco não foi receber o amigo na porta. Esperou que Judith o anunciasse. Tomé foi abrir o portão.

Logo depois dos cumprimentos, a conversa foi sendo atacada aos poucos por Evaristo, que começou fazendo comentários sobre a família que haviam conhecido no dia anterior. Depois, perguntou da situação financeira, do patrimônio do casal. Carlinhos respondia:

– Eles têm uma fazenda de café em Campinas, disso o senhor já sabe. Essa fazenda veio como dote da mulher. A mulher trouxe outras coisas, como títulos, joias... Não posso saber qual o montante desses outros bens, mas só sei que o ramo paterno da família dela é muito rico. E politicamente influente. A dele é diferente. O patrimônio foi sendo dividido, a cada geração as atividades foram se diversificando, muita mulher na família... dos homens, nem todos bons em negócios... essas coisas. Mas a fazenda de Campinas é bem produtiva. O Dantas colocou lá gente muito competente... dona Helena (é interessante isso) vai para lá com frequência. Ela é uma excelente administradora, sabia? Para a fazenda, muito melhor que o marido. É ela que está por trás do sucesso daquilo tudo.

– Quantos pés de café?

– Mais de oitocentos mil.

Francisco olhava fixo para o pai. Tentava descobrir aonde ele queria chegar. Evaristo continuava perguntando:

— Quantos meses costumam passar em Campinas?
— Na fazenda ou na casa de Campinas?
— Ah! Eles também têm uma casa na cidade?
— Têm. Na verdade, o domicílio da família é em São Paulo. Mais por causa do trabalho de Dantas. A casa daqui ele construiu. A de Campinas é herança. Mas dona Helena e a filha passam todo o inverno lá. A menina não se dá bem com o frio daqui. Ela é de saúde um pouco delicada.
— Doente?
— Não, não. Só um pouco delicada, fica logo resfriada com a umidade daqui.
— Muito graciosa a menina!
Carlinhos animou-se:
— Um encanto. Uma doçura. É a alegria daquela casa. Dona Helena não pode ter mais filhos.
Evaristo balançava a cabeça, à espera. Carlinhos resolveu continuar.
— É uma menina inteligente, sensível. Gosta de pintar.
— Quais são as pretensões dos pais para ela?
— Não sei. (Pensou.) Não sei mesmo. Mas acredito que aquilo que se espera de qualquer mulher: casamento, filhos etc.
— Qualquer mulher? — perguntou Evaristo com um sorriso malicioso.
Carlinhos olhou para o amigo e não respondeu. Evaristo continuou:
— É uma menina muito linda. Também, com uma mãe daquelas...
Carlinhos riu, concordando. Francisco sentiu uma espécie de despeito, como se lhe tivessem roubado os direitos autorais de uma ideia. Evaristo voltava a atacar:
— É bem verdade que ela se parece bastante com o pai...
— É... — dizia Carlinhos. — O senhor gostaria de ter uma filha?
— Sempre quis, mas Deus não quis...

Fez uma pausa e perguntou a Francisco se Judith não poderia servir um café. E em conversas amenas se passaram os minutos seguintes. Até que Carlinhos disse:

– Mas não foi só por isso que o senhor me chamou aqui...

Evaristo respondeu:

– Na verdade, não. Gostaria de conversar sobre umas propriedades que a família dele tem em Botucatu. Você sabia disso?

– Ah, por alto. O senhor soube ontem?

– Eu soube que ele é proprietário da Fazenda Três Estrelas – disse isso e olhou para Francisco, que ergueu as sobrancelhas: estava começando a perceber.

Os dois rapazes ficaram em silêncio, ele resolveu continuar.

– O Francisco já deve estar entendendo por que eu o chamei aqui. Essa fazenda é lindeira com a minha. Você veja só como essa vida é engraçada. Faz dez anos eu me interessei por ela. Quis comprar. Procurei o dono. Me disseram que ele morava em São Paulo e me deram o endereço do procurador dele lá em Botucatu; chamava-se (ou melhor, chama-se) Leitão. Fiz de tudo, e não consegui arrancar nada do tal Leitão. Acontece que aquelas terras estavam, e estão ainda, ao deus-dará. Foram cultivadas até mais ou menos 1870, 1880, e depois ficaram abandonadas. Está tudo em ruínas, uma pena. No entanto, por ela passa a via férrea. Eu sempre achei uma injustiça ter de transportar meu café para longe, enquanto uma fazenda improdutiva tinha até linha férrea. Nessas coisas, a sorte está sempre com quem chega antes, você sabe. Para encurtar, ontem, conversando com o Dantas, eu fiquei sabendo que aquelas terras eram da mãe dele. Tinham entrado no dote do casamento, mas o pai nunca explorou. O último que explorou foi o avô dele, materno, claro, não o paterno, que era meio maluco, e, pelo jeito, só explorou a paciência alheia.

— O senhor está muito bem informado — disse Carlinhos com bom humor.
— Pois bem, a mãe dele morreu há três anos. As terras agora são dele. Mas ele não tem tempo nem disposição para aquilo. O que eu quero de você é o seguinte: que convença o Dantas a me arrendar aquelas terras. Neste momento, não vou fazer oferta de compra. Eu exploro aquilo, ganha ele e ganho eu. Mas antes é preciso saber se há gravames, dívidas, hipotecas, essas coisas todas. Você acha que consegue me ajudar nisso?
— Acho que não é difícil. Mas por que não falou disso ontem com ele?
— Porque eu ainda não tinha muita certeza sobre essas coisas todas. Tenho ainda algumas dúvidas.
— Quais? Posso tentar esclarecer.
— Esse Dantas tem muita coisa. Tem a casa que conhecemos ontem, que é uma mansão, outra em Campinas, uma fazenda de café, outra abandonada, uma empresa de construção e mulher rica. Mas está sem capital para expandir a empresa. Você não acha que ele administra mal os negócios, que gasta muito em luxo? Outra coisa: se a mulher dele é tão rica, por que não arranja o dinheiro com a família?

Francisco poderia ter jurado que o pai diria isso. Uma das mechas de Carlinhos já se dependurava lânguida na testa, tudo estava muito previsível naquela reunião.

— Ele não quer o dinheiro da família da mulher. O Dantas sempre se orgulhou de conseguir tudo por esforço próprio. Não parece, mas trabalha feito um mouro. De uma coisa eu tenho certeza: ele só sabe construir. Aprendeu a ser engenheiro, mais nada. Às vezes eu percebo nele certo desprezo pelo que herdou...
— Se despreza, que venda!
— ... é verdade, podia vender, demoraria. A empresa está com vários projetos em vista. Muitos loteamentos surgindo na cidade, muitas estradas nascendo... Aí está essa

nova estrada que vai ligar São Paulo ao Rio. A empresa precisa ser pujante, ter capacidade de vencer concorrências. Não se pode esperar que as coisas andem no ritmo dos tempos em que não havia telégrafo, telefone, automóvel, avião, rádio... Enfim, o Dantas é um homem de uma nova geração...
— E eu sou da velha...
— Eu não quis fazer comparações.
Evaristo movimentou-se na cadeira como quem gostaria de dar a conversa por encerrada. Eram quatro e meia. Finalmente disse:
— Carlinhos, acho que já fiquei sabendo o que queria, ou pelo menos boa parte. Hoje pretendo ter uma conversa aqui com meu filho. Amanhã ele lhe transmite o resultado no escritório.
Despediram-se. No portão, Carlinhos disse a Francisco:
— Se Leda ligar, diga que saí com seu pai, dar uma volta no Trianon. Qualquer coisa, sabe onde estou.

Ponta de malho bate onde não deve

Depois que Carlinhos saiu, Francisco achou que estava na hora de ter uma conversa franca com o pai. Subiu as escadas da varanda com as perguntas a lhe queimarem a goela, entrou na sala, mas o pai não estava. Foi encontrá-lo na cozinha, remexendo o saco de pão, dizendo que ia requentar o cozido do almoço, já estava com fome. Francisco quis chamar Judith, ele não quis. Em vez disso, pediu que o filho se sentasse à mesa, com ele. Mas não disse nada. Francisco ficou lá, esperando, enquanto ele punha a comida no prato, cortava o pão e ia buscar no armário a meia garrafa de vinho que havia sobrado do almoço. Ao lado, no bule, o cheiro do resto de café acariciava narinas. Evaristo pôs a primeira garfada na boca e começou a mastigar com gosto. Seria preciso esperar mais... Francisco então perguntou:

— Por que o senhor propõe o arrendamento, e não a compra?

O pai acabou de mastigar, engoliu com calma e respondeu:

— Para não gastar agora; vamos precisar, não?

E continuou comendo em silêncio. Francisco continuou:

— Vai viajar amanhã mesmo?
— Vou, sem falta.
— No próximo fim de semana, vou para lá.
— Ótimo.
— Papai, vamos falar com franqueza. Eu acho que o senhor está me escondendo alguma coisa.

O pai agora mordia o pão com fome e continuava atacando o cozido, em silêncio. Mastigou, mastigou e por fim disse:

— Francisco, não vou comprar terras que podem ser nossas de graça. Você quer franqueza? Então, tá.

Mas parou de novo, ia falando aos trancos. Aquilo estava começando a aborrecer. Depois de uns minutos continuou:

— Não posso aceitar que você passe o resto da vida sem se casar. (Nova pausa.) Eu já dei muitos indícios desde ontem. Daqui a cinco anos aquela menina vai estar no ponto de se casar...

Francisco levantou-se da cadeira e dirigiu-se para a porta da cozinha. O pai disse, calmo:

— Volte e sente, meu filho. Vamos conversar direito.

Francisco relutou, mas voltou. Não se sentou. Apoiou as duas mãos sobre o espaldar da cadeira e ficou lá em pé, inclinado, olhando o pai. E este continuou:

— Eu só deixaria essa ideia de lado se você me dissesse que já está interessado em outra. Está?

— Não, não estou.

— Pois bem. (Limpou a boca, tomou um gole de vinho...) Você ficou muito magoado com o que lhe acon-

teceu há dois anos, eu compreendo, mas já está na hora de passar por cima daquilo.
— Não quero falar nesse assunto!
O pai engoliu mais uma garfada e disse:
— Sente aí, vamos conversar direito. Assim de pé não dá. Não consigo nem olhar de frente, estou comendo! Sente aí, meu filho.
Francisco sentou-se, cruzou os braços e preparou-se. O pai continuou:
— Eu acho que você não consegue confiar em mulher nenhuma, tem medo de se casar e acontecer tudo de novo... É isso? Estou enganado?
— Não, não está.
— Hummm... mmm... Pois então. Pense bem. (Engoliu.) Uma menina, que a gente acompanhe desde a pureza da infância, uma menina que cresça dentro de certo modo de criação, que saiba desde cedo que você vai ser o marido dela...
— A Lucinha sabia desde cedo...
Evaristo limpou a boca, ficou pensando, tomou um gole de vinho. A fome já lhe dava trégua. Argumentou:
— Mas aí é diferente. Vocês dois tinham a mesma idade. Eu agora estou falando de uma menina que veja seu marido como um homem mais velho. Um homem a quem ela deva respeito, como se fosse uma espécie de pai. Não pai, claro.
Francisco levantou-se de novo. Evaristo protestou:
— Assim não dá para conversar. Ou você se senta, ou eu paro de vez.
Francisco voltou a sentar-se. Evaristo continuou:
— Veja só. Você sabe quantos anos tem o Dantas? 49. Sabe quantos tem a mulher dele? 32. Conheço muitos casamentos assim... Sempre dão certo. As mulheres precisam respeitar o homem como respeitavam o pai. Se acharem que o marido é igual a elas, não respeitam...

— Minha mãe não era muito mais nova que o senhor...

— Sua mãe era diferente. Aliás, muitas vezes eu gostaria que tivesse sido bem mais nova. Mas isso não vem ao caso.

— Ela é uma criança. Eu não consigo imaginar...

Evaristo já dava as últimas garfadas. Fez sinal para que o filho esperasse. Depois de uns minutos, disse:

— Claro que não. Agora não. Mas daqui a cinco ou seis anos, sim. Eu estou dizendo isso por várias razões. Escute, vamos dar uma requentada nesse café?

Francisco se levantou amuado, com o bule na mão, e foi até o fogão. O pai continuou:

— Primeiro, eu me preocupo com você. Eu não gostaria de saber que meu filho vai passar a velhice sozinho. Eu não tenho mulher... legítima, quero dizer, mas tenho meus filhos, meu filho, você. E se não tivesse? Essa é a primeira coisa. A outra é que você, se aproximando da família dela, da mulher dele, porque é ela que me interessa, você se aproximando dela vai ter mais facilidade de fazer carreira política. Sabe quem foi o bisavô dela, não sabe? Sabe quantos parentes eles têm em ministérios hoje?

— O Carlinhos já me disse.

— Pois é. E eu sei que você tem ambições políticas, porque já andei observando certas conversas suas com os outros advogados. Eu hoje concordo: nós ficamos muito tempo isolados lá no mato, eu fiz uma política local muito mixa, aqui as coisas têm outro tamanho. Se essa é a sua vontade, acho que você precisa realizar. Outra coisa: esse Dantas não deve ter só aquelas terras na região. Pode ter mais. Porque no tempo em que andei cercando o Leitão, a tia Izilda disse que a família tinha outras terras, se eu quisesse. Eu disse que não queria, que só estava interessado naquelas. Na época, o interesse deles era guardar para especular mais tarde. No entanto, os pais dele já morreram e hoje o herdeiro ou um dos herdeiros (que é

ele) está sem capital e não tem capacidade para ganhar dinheiro. Essa é a verdade, vamos ser francos. Eu vou ser uma tábua de salvação, pode apostar. Ele vai se agarrar a nós. Ele vai aceitar a proposta.
– De arrendamento!
– E de casamento.
– Não... Não...
– Não me interrompa. Então aquelas terras – e outras! – podem entrar no dote da moça. Não responda nada agora. Pense. Na semana que vem conversamos. Troque umas ideias com o seu amigo, o Carlinhos.

Francisco achou melhor não discutir. Foi sentar-se na biblioteca. Escurecia. De onde estava, enxergava através da cortina, acima do parapeito da janela, as pontas dos galhos da árvore em frente. Com a brisa fria batendo, eles ora se estremunhavam, ora se retorciam, parecendo braços de afogados a lhe mandarem mensagens cifradas. A casa estava em silêncio, Evaristo recolhido. Francisco fechou as pálpebras para se olhar por dentro. No mistério das entranhas, os sentimentos já não brotavam como fonte cristalina da argila da razão. Era um borbotão de cloaca. Abriu os olhos. A presença de Helena perdia a rutilância na penumbra da tarde. Estava cansado. Odiava tudo o que se insinuasse vulnerável.

Levantou-se, foi até a janela e, como se falasse para a noite atrás dos vidros, disse:
– Só se fosse louco.
E Helena deixou de existir.

Um dia atenderá à voz do dono

O inverno chegava áspero. Mal acabada a semana, Helena, a filha e a preceptora francesa iam de armas e bagagem para Campinas.

No mês seguinte, Evaristo arrendou as terras de Dantas e virou sócio da Empreendimentos Dantas, Mello e

Cia. Ltda., como era querer de todos. As terras estavam mais para planas, não muito afeitas a cafezais. Motivo talvez para o abandono. Não tinha dado ainda destino certo à fazenda, apareceu por Botucatu um americano com a intenção de negociar a compra das safras de médios e grandes plantadores de algodão para abastecer uma indústria têxtil de São Paulo. Um amigo o apresentou a Evaristo, que do encontro saiu com a ideia de implantar lá uma lavoura de algodão. Coisa que começou a ser feita logo em seguida.

Nos meses seguintes Francisco conheceu Dantas mais de perto. Sujeito de cordialidade admirável, alegria franca. Uma alma cândida, um espelho-d'água. Francisco não frequentava o casal, não se sentia assim tão íntimo. Nem queria ser, pois tinha decidido aterrar de vez o subsolo revolvido pelo sismo daquele primeiro encontro.

Os dias eram ativos, a rotina, frenética, mas as noites, assombradas. Vira e mexe Francisco acordava com ruídos e, acordado, já não sabia se eles eram reais ou sonhados. Aliás, real mesmo só uma vez. Um quadro se desprendeu, deslizou da parede e foi bater no chão com estardalhaço. Francisco só tomou consciência do estardalhaço, que lhe decepou o sono profundo e o fez, num pulo, se sentar na cama e, não saído do sono nem entrado na vigília, dizer:

– Pai, perdoai os meus pecados.

Um segundo depois, acordado de vez, morria de vergonha. De outra vez pulou da cama: alguém esmurrava a porta da frente. Atravessou a casa espavorido e, chegando à sala, viu-se de pijama, descalço e desamparado, num aposento escuro e em total silêncio: não havia ninguém, o portão estava fechado, pelo postigo se enxergava o gato de Judith encolhido no terraço.

Já estavam se tornando costumeiros esses sustos. E se envergonhava. Sempre. Durante o dia reinava cheio de razões e porquês, à noite era subjugado por um pavor cheio de por quês. Que impossibilidade imbecil era aquela de viver na solidão escura da noite?

Francisco acendeu uma lâmpada e se sentou. Só então percebeu o tique-taque do relógio de parede.

Ficou pensando. Onde quer que estejam, as hordas humanas se aglomeram. No fundo das cavernas, em palácios ou choupanas a humanidade se apinha. Por quê? Porque tem medo. Só a solidão era capaz de fazer dele um ser irracional. E a voz do pai lhe dizia: "Adão não viveu sem Eva nem um dia sequer." E ele respondia: "Pudera, não deixaram!" Pensava nessas coisas e imaginava a presença de uma mulher ali ao lado, sentada na mesma poltrona. Arrepiante. Melhor arranjar um cachorro.

Uma tarde Carlinhos apareceu lá com um filhote de terra-nova que, conforme afirmava, ainda não atendia, mas em algum momento atenderia pelo nome de Rubião...

Verão outono inverno primavera

Nascia dezembro quando, num almoço, Dantas encorajou Francisco a frequentar a casa de Pontes, tio de Helena, eminência parda da República, homem capaz de atravessar eras e eras políticas com o mesmo prestígio incólume e impoluto, ainda que de suas mãos emanassem cargos e cargos, como universos inteiros emanam do espírito de um demiurgo. Francisco ficou muito interessado. Quinze dias depois, teve com Carlinhos uma conversa que começou de um jeito que parecia levar a nada. As festas chegavam, os dois tiraram uma hora de conversa fiada no fim do expediente. No dia seguinte não se veriam, viajavam... Depois de vários elogios ao Dantas, Carlinhos disse que a convivência com aquela família seria proveitosa para sua projeção social. E, tecendo nó por nó o tapete da conversa, foi trazendo Francisco para onde queria. Depois que o amigo fez as perguntas que ele esperava, abaixou a voz e disse:

– Agora, você sabe que um sujeito solteirão ou viúvo inveterado desperta suspeitas. Pode ser visto como invertido.

E desfiou sua teoria:

– Viúvo recente com trinta anos vá lá; com trinta e cinco, discutível; com quarenta, inaceitável. Vai esperar chegar a essa idade?

Janeiro de 1928, Francisco voltava de trem. Olhava pela janela, mas pouco enxergava o matagal sempre o mesmo passando lá fora. Via sonhos. Comprava um lote no Jardim América. A empresa de Dantas cuidava da construção da casa do casal. Daí a cinco anos ele se instalava numa bela mansão, casado, pronto para se lançar com mais vigor na vida política. Com sorte, tinha uns dois filhos.

É que a menina gosta de avião

No dia em que Evaristo, no escritório da empresa, disse a Dantas que tinha ido lá lhe solicitar uma visita sua e do filho à residência da família, para lhe pedirem oficialmente a mão da filha em casamento, Dantas disse que, em princípio, não se opunha, mas que precisava consultar Helena. Não pareceu surpreso. Combinaram um novo encontro para daí a quinze dias.

Naquela noite Dantas esperou para conversar com a mulher a sós, no quarto. Falou do casamento, Helena não concordou: Immaculada era uma criança, e Francisco, um homem feito, de quem só se sabia a situação financeira, mais nada.

– Como mais nada? – Dantas perguntava.

– Mais nada sobre caráter, temperamento, essas coisas. Tenho medo que ela sofra.

– Isso pode acontecer com qualquer um, felicidade conjugal não é coisa que se adivinhe antes do casamento.

– Ele é velho demais para ela.

– Tanto quanto eu para você.

A mulher então respondeu que entre eles dois havia sido diferente, que ela tinha gostado dele à primeira vista, com quinze anos, quando já não era criança. E isso fez Dantas lembrar de tantas coisas boas, e os dois começaram a falar de tudo o que haviam passado juntos e, conversa vai, conversa vem, ele deu de beijar o cangote dela e, beijo aqui, beijo ali, a conversa acabou com outro tipo de diálogo, não propriamente de palavras.

Helena achava que na manhã seguinte o assunto estaria esquecido, mas, nada disso: o marido voltou à carga. Ela se queixou: não tinha dormido direito, não queria falar daquilo.

– Temos quinze dias para pensar, não adianta querer pensar tudo numa noite, vá dividindo o pensamento um pouco por dia. Daqui a duas semanas você me diz o que concluiu. Aliás, ontem, no fim do expediente, passou por lá também o Carlinhos Albuquerque; comentei com ele a proposta dos Almeida e Silva... (Helena fez um gesto de contrariedade.)... pedi sigilo, claro, porque era assunto que ainda não tinha discutido com você... calma, calma, não se abespinhe, eu quero só dizer que o Carlinhos falou muito bem do rapaz, muito bem mesmo, que eu não me arrependeria de dar a mão da minha filha em casamento a um homem tão correto e cheio de futuro como aquele.

– Pudera! São amigos...

Semana e meia depois, Immaculada já tinha ido dormir, Helena perguntou se ele estava disposto a negar o pedido.

– Heleninha, é uma situação delicada, vai parecer desfeita, o pedido foi feito porque é quase certo o aceite. Me diga o que é que impede essa união.

– A vontade dela.

– Você perguntou a ela?

– Não. Sugiro o seguinte: você diz ao pai do moço que concordamos, fazemos muito gosto, mas gostaríamos

de condicionar o aceite a uma ratificação em momento oportuno.
— Que momento seria esse?
— Ele propõe o casamento para quando ela fizer dezesseis anos, não é? — continuou Helena. — Isso vai ocorrer em maio de 1933. A ratificação fica marcada para dezembro de 1932. Nessa época a menina já estará com quinze anos completos, vai saber o que quer. Se ela concordar, realizamos o noivado. Até lá, fazemos de tudo para que ela vá aceitando o rapaz. Desse modo ele também vai se esforçar para ser agradável, o resultado vai depender muito dele.
— Isso os Almeida e Silva nunca vão aceitar, o moço não vai se amarrar cinco anos para depois ficar a ver navios. Heleninha, você não está entendendo o que vai por trás da proposta — disse Dantas e explicou todo o interesse que os Almeida e Silva tinham naquela união.
Helena empertigou-se, arregalou os olhos, ergueu a voz e respondeu:
— Por isso mesmo não quero!
O marido, pacientemente, disse que qualquer pretendente que se aproximasse de Immaculada teria aqueles mesmíssimos interesses, que a vida era assim mesmo, que ela estava cansada de saber, e que Francisco tinha a vantagem de ser muito rico, excelente partido, coisa tão boa, que podia não aparecer de novo.
Helena pensou, pensou, acocorou-se de lado no sofá e respondeu:
— Não sei, não... Uma menina que dois anos atrás disse que queria ser aviadora...

E pensando voa só palmilha

Coisa difícil lidar com ela. Era dobrável, flexível, móvel, esquiva a capturas. Com sete meses engatinhava, com nove estava em pé e com um ano falava. Normais os números, mas não os modos. Uma febre de locomoção era o que tinha. Engatinhava depressinha, com determinação, parecendo saber o destino, e o destino era sempre longe. Andando, não desmentiu os primeiros pendores. Immaculada não corria, não transpunha, não galgava: palmilhava. E, palmilhando, percorria currais, estábulos, paióis e recantos desertos, onde ninguém a esperaria. Sumia sempre milagrosamente. Estavam todos reunidos no alpendre, Immaculada junto, brincando com o cachorro, e de repente só havia o cachorro, já cochilando ao pé da porta, e... o que é feito de Immaculada? Horas de procura... Tinha a natureza do tatuzinho, que se enrosca quando tocado e, se esquecido, escapa silencioso com mil passinhos precisos e eficientes.

Um dia foi achada em casa de um colono, suja, brincando com outra menina, no chão; na frente das duas, uma fogueirinha, uma panelinha em cima, com alguma coisa muito fedida dentro.

– Immaculada, o que está fazendo aí?
– Fritando minhoca – respondeu, ignorando o "aí".

Sete anos de idade, barreiras, proibições, nada resolvia.

Com a contratação de Mlle Durbec a coisa se acalmou. Foi o começo dos estudos, havia adulto por perto o tempo todo... Immaculada começou a aprender francês, latim e música. Mlle Durbec só tinha folga às quartas e sextas, quando vinha um professor para ensinar aritmética, história, geografia e português. Isso em São Paulo, porque na fazenda as incumbências da francesa redobravam.

O que mais intrigava Helena é que, se nas andanças, Immaculada era autônoma, decidida e franca, na fala se encolhia, demonstrava timidez, hesitação e... dissimulação? Demonstrar dissimulação é modo de dizer, porque dissimulação não se demonstra; por definição o que se mostra não é dissimulado. E, visto que a virtude da dissimulação está em que todos a tomam pelo oposto, só sabe mesmo que está dissimulando quem dissimula. Por isso a dúvida de Helena. Pois dá indícios de dissimular quem diz o que os outros querem ouvir. E com Immaculada foi assim: embora seus membros tivessem causado tantas preocupações quando começaram a articular-se, sua língua, ao começar a articular sons, deixou os adultos mais sossegados. No entanto, a combinação de tanto elã locomotor com tamanha contenção verbal era desconcertante. Porque o dizer-sem-fazer é sempre tranquilizador: ninguém se preocupa com o fanfarrão. Mas o fazer-sem-dizer é sempre subversivo.

Como arlequim do corso, rubra boca Assim, ignorando indícios e intuições, Dantas teve pressa em comunicar aos Almeida e Silva que ele e senhora aceitavam a proposta. Levou dias num trabalho lento e seguro de persuasão. Até que conseguiu. Certa tarde de sábado (a resposta a Evaristo deveria ser dada na terça-feira seguinte), ela consentiu. Mas à noite dormiu inquieta, acordou de madrugada, achando que tinha feito uma grande asneira. De olhos arregalados, lia desgraças e reveses no teto escuro. Jurou que voltaria atrás. Nascido o dia, caloroso e azul, o trevor das visões da noite perderam alma, e ela resolveu calar. Mas por toda a manhã revezaram-se nela sobressaltos e apaziguamentos em turnos desiguais.

Eram umas três da tarde, chamou a filha ao quarto. Immaculada entrou, o vento levantou da janela uma cortina de renda branca que, varada por um sol esfuziante, desenhava quadriláteros no chão.

A mãe, sentada num sofá, bordava, ou fingia. Olhou para a filha e disse:

— Joana está fazendo bolo de chocolate e você comeu massa crua como sempre! (A boca da menina estava rodeada por uma orla escura.) Vai lavar a boca e volta aqui, assim não dá para conversar. Está parecendo aquele arlequim do corso do ano passado.

Immaculada saiu e voltou cinco minutos depois. Helena, que continuava empenhada no bordado, perguntou:

— Immá, você se lembra daquele moço que foi almoçar naquele dia lá em casa, em São Paulo? Aquele que chegou com um senhor, chamado Evaristo, que se sentou na sua frente, na mesa...
— Um que tem bigode de escova?
— Isso, esse mesmo. O que você achou dele?
Immaculada deu de ombros.
— Gostou dele? — insistiu Helena.
— Não sei. Gostei mais do pai dele.
Helena levantou a cabeça, olhou para a menina. Tinha começado a conversa, esperando uma resposta mais positiva. Já se arrependia. Sim, aquela era Immaculada, como não tinha pensado antes?
— Não gostou? Não gostou mesmo?
— Um pouco... Gostei, gostei sim.
— E se ele dissesse que quer se casar com você, o que você diria?
Immaculada abaixou a cabeça e começou a brincar com a franja de uma almofada.
— Quer se casar, ter filhos? — perguntou Helena.
— Quando eu crescer?
— Claro!
— Pode ser.
E olhava para a mãe sem dizer nada. Helena insistiu:
— Você entendeu?
— Entendi. Posso ir?
— Pode.
A menina saiu pelo corredor, chamando Joana.
Mas, afinal, de que serviu essa conversa?

Indiferente, digno, superior

Nascia o ano da graça de 1928, estava-se em meados de março, quando Francisco e o pai se apresentaram na residência dos Dantas, em Campinas, para o pedido oficial. Foi oferecido um jantar, com a presença de Immaculada, durante o qual os futuros noivos trocaram as primeiras palavras. Devidamente alertada pela mãe, a menina falou o mínimo possível e deu mostras de grande juízo. A natureza e a indústria colaboravam: já lhe despontavam os seios, e a costureira da família, atendendo à solicitação de Helena e à orientação de Mlle Durbec, fizera um lindo vestido de seda salmão, que não deixou de trazer à lembrança de Evaristo certo corte de tecido. O feitio adulto do vestido (que excluía o laço nas costas), a substituição da trança por um coque gracioso (como o da mãe), com um ligeiro *mise-en-plis* da parte frontal, o levíssimo sombreado dos olhos e o pequeno salto dos lindos sapatinhos brancos, todo o conjunto indicava que a menina, em seis meses, já havia subido um degrau na complicada hierarquia feminina.

Pai e filho saíram de lá satisfeitos. Talvez por motivos diferentes. Em Francisco não medrava o mesmo encantamento que arrebatava o pai diante do olhar de Immaculada, mas a metamorfose da menina dava-lhe indícios de algumas coisas interessantes: do engenho da mãe, da disposição de agradá-lo por parte da família e da grande beleza potencial da mocinha.

Quanto aos sentimentos por Helena, saiu de lá também satisfeito, sabedor de que sempre seria como havia sido naquela noite: indiferente, digno, superior.

Alguns dias depois, Ecumenácio Dantas e Francisco Almeida e Silva firmaram um acordo, devidamente lavrado em cartório. Dele, além do compromisso assumido por Francisco, de casar-se com Immaculada quando ela completasse dezesseis anos, Dantas se comprometia a dotar a filha com a fazenda Três Estrelas, bem como com 500 apólices da dívida pública no valor nominal de um conto de réis, com juros de 5% ao ano. A moça também levaria para o casamento as joias herdadas da bisavó materna, avaliadas em cerca de 150 contos de réis. Em troca, Francisco transferiria para Dantas 50% das quotas que detinha numa firma de importação de material de construção com sede em São Paulo e 25% das quotas de uma firma de exportação de café que acabava de fundar com Carlos Alberto Ferreira Albuquerque. Mas a assinatura do contrato não foi totalmente pacífica. Houve muita discussão em torno de uma exigência de Francisco. Queria ele fosse incluída uma cláusula na qual se estipulasse que aquele contrato seria automaticamente rescindido, ficando as partes exoneradas dos compromissos ali assumidos, caso o noivo constatasse a ausência de virgindade da noiva antes de vinte e quatro horas após a celebração das bodas, com consequente anulação do casamento. Nesse caso, Dantas pagaria a Francisco a multa de 10% sobre todos os valores e propriedades constantes do dote da noiva, segundo avaliação na data pretendida da transação. Helena achou humilhante essa pretensão. Era inegável o direito do noivo de anular o casamento diante da constatação da ausência de virgindade da noiva, mas como ficar a salvo de eventual trapaça de Francisco? E foi capaz de imaginar mil situações de fraude por parte do futuro genro, escandalizando sobremodo o marido, que confiava cegamente na integridade do moço. No fim, as coisas ficaram assentadas da seguinte maneira: incluía-se a cláusula de rescisão e multa exigida por Francisco, desde que a verificação da virgindade fosse feita dois dias antes das bodas, por exame médico. O laudo médico deveria ser aceito pelo noivo sem restrições, servindo de comprovação oficial da integridade moral de Immaculada. Francisco aceitou, com a ressalva de que o médico fosse indicado por ele.

Em abril Hastings voltava da Europa e ia visitar a família. Ficou perplexo, indignado mesmo quando soube das novidades.

E só foi feito para inglês não ver

Mas não demonstrou logo. Quando Dantas contou, ele ficou sério, passou o tempo todo calado, sisudo quase. E sabia que aquele amargor todo era mesmo pelo que lhe haviam contado, porque antes, na chegada, não estava com raiva, só estava pessimista. O almoço foi quase silencioso. Não era aquele o Hastings de sempre. Depois do almoço, continuou falando pouco, e no pouco que falou destilou fel contra o governo. E, enquanto falava, sabia que feria (e queria ferir) os amigos, porque eles estimavam e apoiavam aquele governo, eram em parte seus autores. Falou dos estoques altíssimos de café, do absurdo de manter aquela situação por tantos anos, criticou a política monetária, vaticinou os piores desastres. Falava com convicção, veemência, ira. Dantas discordava, mas era canhestro na argumentação e a certa altura já parecia contagiado pelo pessimismo do amigo. O clima estava pesado. Mesmo com Immaculada ele se mostrou fechado, quase amargo.

À tarde, quando Dantas se retirou, dizendo que estava com dor de cabeça, Helena conseguiu ficar sozinha com o amigo. Disse-lhe que tinha percebido sua contrariedade. Hastings então explodiu. Estavam na varanda, que dava para o jardim. Levantou-se com tanto ímpeto, que bateu a cabeça nas samambaias dependuradas acima de sua cadeira e, enquanto elas rodopiavam, ele saía para aspirar melhor a brisa da tarde no jardim. Parou no meio do gramado, com as mãos atrás das costas e depois voltou levantando os braços, gesticulando como o Cogliano que era nessas horas, dizendo:

– Eu estou com muita raiva!

Helena lhe disse que a coisa não era assim tão séria, que ele estava exagerando. Contou que tinha falado com Immaculada, que ela tinha reagido com naturalidade, participado até do encontro, que não sofreria. O amigo riu. Disse que aquilo era cômico, ofendeu Helena, dizendo que sempre a tinha achado inteligente, e que agora se decepcionava. Depois se arrependeu, pediu desculpas, sentou-se de novo e resolveu argumentar com voz mais doce:

– Helena, sua filha é planta delicada, das que só pegam em solo fértil. Esse rapaz é árido, ela vai definhar nas mãos dele. O húmus que fez Immaculada se chama Helena e Dantas. O que vai ser dela com aquele sujeito seco, de olhar inexpressivo, fala interesseira?

Helena parecia em choque. Seus olhos se encheram de lágrimas, ela não conseguia dizer palavra. Ele continuava, agora calmo, mas implacável:

– Como não percebeu que ela confia inteiramente em vocês? Que ela acha que qualquer coisa que vocês proponham é boa? Que para ela tudo o que lhe fazem é por amor. Ela foi traída! Vocês fizeram isso por interesse.

– Mas o meu próprio casamento foi assim, isso é normal. Você fala como se tivéssemos cometido um crime. Não há muita saída, as coisas são desse jeito... Não me trate como se eu fosse uma criminosa.

Ele se voltou e ficou olhando, calado. Havia entre eles um século de cumplicidade.

Introduzido na família por um primo de Helena, logo que se conheceram nasceu nele um sentimento que com o tempo foi ganhando forma híbrida, misto de amizade, paixão e conivência nos bons e maus sentimentos. Mas ela era fisicamente inatingível. Era assim que a via Robert Cogliano Hastings, nascido na Barra Funda de um irlandês errante e uma filha de imigrantes italianos. Um sujeito que tinha vindo ao mundo com tudo para não ser coisa nenhuma. Com o tempo, foi suprindo a fragilidade do berço com certa força de temperamento que não excluía agressividade nos gestos e nas palavras. Irreverente, quase insolente; cético, com vocação a cínico; sagaz, potencialmente finório, foi destinado a um convento, ajudado por uma madrinha que via nele um futuro teólogo. Mas não caberia numa cela de monge todo aquele cabedal.

Por isso, ele tratou de pular fora antes de se tornar hipócrita, único defeito que ainda não tinha. E de todas as suas qualidades, que se equilibravam entre si numa gangorra precária, saiu o comerciante. Depois da morte dos pais, Hastings vendeu a única propriedade que lhe deixaram, a casa onde morava, para entrar numa sociedade exportadora, onde começou a progredir como um Crusoe da Ilha de Vera Cruz.

Um dia, voltando de uma de suas viagens, vinha ensaiando frases no caminho, imaginando modos de convencer Helena a ficar com ele, mas, chegando, recebeu de chofre a notícia de que ela já estava noiva. E ficou naquele mesmo estado de quase fúria em que estava agora, com aquele sentimento impiedoso da contrariedade sem saída, da constatação impotente do desastre. Então deixou Helena guardada num sonho. Achava que aquela história ainda não tinha chegado ao desfecho. Helena era mais que uma amiga ou mulher sonhada: era uma ficção, e ele, o autor. Já quanto a Immaculada...

Ele continuou falando:

– Não me parece nada normal essa história de arranjar casamento de filhos, mas minha opinião não tem importância nenhuma. Eu não estaria tão zangado se o casamento dessa menina tivesse sido arranjado com um ser mais... mais... (e olhava para os lados à procura da palavra) mais humano. Esse sujeito é um interesseiro. Para ele, vocês representam um degrau na política; para o Dantas, ele representa um recurso nos apertos. E Immaculada é o instrumento.

– Chega! – Helena gritava.

E desatou num choro convulso, que assustou o amigo. Ele quis falar ainda, mas ela já não ouvia. Saiu correndo para dentro da casa, subiu as escadas e entrou no quarto de Immaculada. Queria abraçar a filha e pedir perdão. Mas ela não estava.

E quanto mais os membros se despedem... Em 1928 a fortuna dos Almeida e Silva acumulava o crescimento dos últimos dois anos. Primeiro, a produção das fazendas ia de vento em popa, e, como se sabe, o patrimônio de Evaristo sempre se associava ao do filho. Os dois eram faces de uma mesma moeda, e essa moeda, sempre de ouro, ganhava cada dia mais título. Depois, a própria atividade de Francisco como importador e empresário lhe rendia bons proventos. Além disso, sua atuação de advogado na defesa dos interesses de algumas grandes fortunas de São Paulo lhe rendia vantagens que iam muito além dos honorários, já bem altos. Em julho, Evaristo vendeu algumas fazendas: não tinha condições de cuidar de tudo sozinho, preferia concentrar esforços nas mais produtivas. Do dinheiro da venda, uma parte foi destinada à participação de Francisco como um dos acionistas fundadores de uma instituição financeira sólida, que atravessou os períodos de crise e entrou pela década de 30 gozando de ótima saúde. Somando-se os rendimentos da lavoura, os honorários de advogado e os lucros das empresas em que operava, o patrimônio pessoal de Francisco havia crescido muito desde a sua saída da fazenda.

Crescimento econômico, sentimento de poder, tudo isso serviu para dar mais alento a uma ambição política nascida nas Arcadas, adormecida nos tempos da fazenda, quando ele achava que seu destino era traçado em linha reta, com a régua das fileiras de café. Parecia claro que frequentar as reuniões promovidas por Humberto Souza Pontes, tio de Helena, seria um trunfo a mais em suas pretensões políticas. Acontece que o velho Pontes não abria as portas a qualquer um. Dantas precisou intervir e convencer a mulher a conseguir do tio o ingresso de Francisco naquele círculo seleto.

Pontes, figura importante do PRP, era homem astuto, político nato. Não desses que arrebatam multidões. Preferia os bastidores, os flancos, às vezes até a retaguarda.

Por exemplo, não era membro da direção do partido, apesar de pertencer à geração dos fundadores (jovem ainda, na época da convenção de Itu). Nunca participou de eleições; preferia postos de gabinetes, só aceitava cargos de confiança, discretos mas capitais. Via a política como guerra de vida ou morte; o fim, a vitória pela vitória. Por isso aceitava como normais o recuo e até a retirada estratégica. A negociação também, mesmo quando ela pouco se distinguia do conchavo, palavra, aliás, que sempre evitou. Deixava para quem tivesse temperamento apropriado a luta na frente de batalha, que exigia capacidade de amargar derrotas e retornar à refrega de cara lavada. Enquanto isso, articulava. Pontes, além de político astuto, tinha boa experiência militar. Com esse talento angariava grande respeito entre correligionários e adversários. A paixão pela filosofia era vista como uma excentricidade ornamental. Porque o Pontes não era um vulgar traficante de influências. Era um homem de pensamento.

Sua casa não era um comitê: era um grande caldeirão de onde muita gente conseguia arrancar seu angu. A quantidade e a qualidade dependiam do tamanho e da resistência da colher.

Havia dois tipos de frequentador. Um era o dos seus pares: homens que já tinham galgado altos postos e iam lá trocar ideias de igual para igual. Desses, uns lhe tinham verdadeira afeição; outros, veneração e temor; outros ainda, um estranho misto de respeito e malquerer. Outro tipo de frequentador era o dos iniciantes, só admitidos por indicação dos primeiros. Esses geralmente apareciam com cara de neófito, aprendiz em busca de orientação. Mas nem sempre. Porque havia os que, por serem donos de grandes fortunas, chegavam com desvergonha e presunção. Em comum, tinham todos a esperança de merecer proteção. Eram legião. Francisco entre eles.

As reuniões costumavam ser às quintas-feiras, a partir das oito. Mas não duravam muito. Pontes não se recolhia depois das dez e meia.

Francisco chegou intimidado. Sabia que ia encontrar figuras ilustres, não queria parecer inexperiente demais para aqueles que escrevem presente, passado e futuro como quem respira. Recebido na porta por um homem de fraque, disse o nome em timbre irresoluto e tom audaz. O homem ouviu com atenção, sacou um caderninho do bolso de dentro da casaca, abriu, leu e disse:

– Por aqui, cavalheiro.

E, atravessando um vestíbulo com piso de mármore branco coberto por um tapete persa de tons azulados, introduziu Francisco numa sala vasta, de largas portas abertas para sacadas espaçosas, voltadas para o leste, semeadas de cadeiras de vime, mesinhas e vasos de flores. Na imensidão da sala, viu três ou quatro grupos em conversa. Seu coração bateu mais forte quando reconheceu dois dos mais eminentes deputados perrepistas da Assembleia Legislativa. Aproximou-se de um dos grupos, cumprimentou-os, foi reconhecido por um dos deputados, que se levantou para abraçá-lo e apresentá-lo aos outros. Depois, todos se sentaram e, enquanto a conversa ia sendo reatada, Francisco observava o restante dos presentes.

Alguns fumavam, mas não havia bebidas (depois ele ficou sabendo que Pontes era abstêmio e não tolerava que se bebesse em sua casa). Garrafas de água cristalina e refrescos estavam lá para desalterar os sedentos. Canapés, biscoitinhos e petiscos diversos se espalhavam sobre um aparador. Francisco passeou o olhar pela sala. Não conhecia mais ninguém e não avistava ninguém que combinasse com a ideia que fazia de Pontes. De repente, sentiu-se aliviado quando reconheceu Paulo Souza Mello, que vinha em sua direção, sorrindo, com a mão estendida. Não sabia que ele frequentava aquelas reuniões. Paulo disse que aparecia de vez em quando. Não era político, mas gostava de estar a par de tudo, e, afinal, Pontes era quase parente. E onde estava Pontes? – perguntou Francisco.

Descansando, logo viria. Imagine que, naquela tarde, tinha aparecido lá, de improviso, o Dr. Júlio Prestes (informação que fez o coração de Francisco dar um salto). Os dois tinham conversado a sós durante muito tempo, por isso Pontes estava um tanto cansado. Francisco perguntou se o Dr. Júlio Prestes era figura assídua nas reuniões. Paulo disse que não, depois que se tornara presidente de São Paulo, mas que, durante a deputação, sim, era muito assíduo. Tinha grande estima pelo Dr. Pontes. A seguir, Paulo o apresentou a alguns dos presentes.

Às oito e meia parecia estarem todos lá, Francisco já se sentia mais familiarizado, quando pela porta central do fundo da sala entrou um senhor de cabelos brancos, de estatura mediana. Usava bengala (depois Francisco ficou sabendo que não a largava), a idade parecia avançada, mas ele não se mostrava alquebrado nem trêmulo. O que impressionava era a lucidez do olhar. Quando lhe diziam que seus olhos tinham a vivacidade da juventude, Pontes respondia que, quanto mais os membros se despedem da alma, mais os olhos a despedem. Não eram muitos os que entendiam; pelo menos não de início.

Assim que entrou, quase todos se levantaram para cumprimentá-lo. Depois das trocas de palavras afetuosas, Pontes sentou-se numa poltrona que até o momento não havia sido ocupada (só então Francisco reparou nesse detalhe) e, em torno dele, se acomodaram três ou quatro homens, tendo início uma troca de ideias cujo tom familiar não encobria o caráter político. Na verdade, todos queriam saber o que ninguém ousava perguntar: o motivo da visita do Dr. Júlio Prestes naquela tarde.

Mas o velho Pontes não parecia querer falar de política nacional. Para deixar bem claras as suas disposições, deu um jeito de enveredar por considerações filosóficas sobre a liberdade nos Estados liberais. Falava quase sozinho. O único que parecia disposto ao diálogo era um visitante que se mostrava bem à vontade, até no traje, terno de gabardine clara, desabotoado, sem gravata. Não funcionou a tática, porque os outros desinteressados aos poucos deram início a uma conversa paralela que nasceu esparsa e aos poucos se foi adensando, até que quase todos estavam nela, e não na de Pontes. Então o velho Pontes capitulou.

Falavam da política estadual, questões de correlações de forças na Assembleia Legislativa, aprovação de alguns projetos pendentes. E então a troca de ideias começou a correr frouxa, puro cavaco, solta parolagem. Quando se apresentou a ocasião, Paulo Souza Mello, que parecia conhecer todos os gostos daquele seu semiparente, aproveitou para apresentar Francisco. Com um sinal, convidou o sócio a se sentar numa cadeira que estava ao lado do patriarca. Francisco obedeceu, e Pontes ficou longos minutos a observá-lo, sem dizer nada. Do fundo dos olhos do político partia uma espécie de dardo ideal que golpeava com força de ferro. Era como se ele enfiasse na alma dos outros um daqueles estiletes que os egípcios usavam para esvaziar os cérebros de suas futuras múmias. Pontes não dizia nada, e um dos presentes, aproveitando aquele minuto de fraqueza, tocou finalmente no assunto que já estava agitando a política nacional e a mente de todos ali: as próximas eleições para presidente da República.

Francisco, que até então havia escutado em silêncio, resolveu falar, externar opiniões bem-informadas e conquistar a admiração do velho. Discorreu alguns minutos sobre as discordâncias entre o governo de Minas e o governo federal e arrematou com comentários inflamados sobre a oposição mineira à política de valorização do café de Washington Luiz. Disse que urgia neutralizar aquela força antagonista, antes que fosse tarde, no que foi apoiado por alguns comentários dos presentes. Pontes ouvia em silêncio, com a bengala na vertical, do lado direito da poltrona, como se estivesse para se levantar a qualquer momento. Não olhava para o interlocutor. Quando Francisco terminou, a conversa continuou girando em torno do assunto, e eram quase todos tão ardorosos, que pareciam outra vez esquecidos da presença do anfitrião. Afinal, tinham por certo que aquele grande defensor dos interesses paulistas só podia apoiar aquele ponto de vista.

O homem do terno claro, calado, guardava os lábios quietos num sorriso enquanto o pé direito balançava no ritmo de certa ansiedade. Quando os ânimos se acalmaram, ele perguntou ao Pontes se queria um refresco. Pontes disse que não. Então um velhote gorducho disse com voz ciciante, algumas cadeiras adiante:

— Nosso anfitrião hoje está economizando palavras, por isso não precisa adoçar a garganta.

Pontes pareceu inclinar mais a bengala, diminuindo a tensão do braço, e disse:

— Em vista de tanta unanimidade, não tenho o que dizer.

Um rapaz que devia andar lá pelos trinta anos, perguntou:

— Seria verdade o que se comenta por aí, de suas divergências com o governo federal?

— Não posso divergir de um governo pelo qual sempre lutei. Posso divergir de algumas posições tomadas pelo senhor Washington Luiz, ou melhor, pelos membros que compõem a sua administração.

Ninguém mais teve dúvidas de que o velho fugia do assunto.

O mesmo rapaz disse:

— Dr. Pontes, na época da revolta dos tenentes em São Paulo o senhor divergiu das atitudes adotadas...

— Eu não divergi das atitudes adotadas. (Pontes parecia irritado.) As minhas opiniões na época – o senhor não frequentava ainda esta casa, mas os que aqui vinham podem confirmar o que eu vou dizer –, as minhas opiniões na época – e ainda hoje – dizem respeito a questões mais profundas. Não se prendem a esta ou àquela medida contingente. O que eu disse então e repito agora, pois ainda não fui ouvido, é: quem quer se manter no poder precisa transigir no acessório para conservar o essencial. O que eu estou dizendo é uma banalidade. O difícil é saber o que é essencial e o que é acessório. Muitos erram na escolha. A história está cheia de exemplos disso. Mas como transigir no acessório quando não há acessório, quando só há essencial? Meus senhores (e levantou-se), estou exausto. Peço licença. Os senhores podem ficar, mas eu preciso me retirar. O dia hoje foi muito cansativo. Com licença.

Saiu. Para grande desalento de Francisco, que resolveu não aparecer mais lá. Afinal, esperava ser admirado por aquela figura mítica e só tinha conseguido ser dissecado.

Ou melhor, voltou. Dois anos depois, quando entendeu o verdadeiro sentido das palavras daquele ancião rebarbativo, que naquele momento lhe parecia estar em desgraça com o poder. Naquele momento, não entendia que utilidade poderia ter alguém nessa situação. Corria à boca pequena que o Dr. Júlio Prestes seria indicado candidato à sucessão presidencial. Francisco intuía que Pontes se opunha. Mas aquela indicação parecia tão indubitável e útil aos interesses paulistas, que quem se opusesse estava politicamente morto. Enfim, se aquele homem tinha sido poderoso, já não era.

E assim ia pensando enquanto descia a avenida Angélica, sorvendo a brisa escassa que roçava de leve a massa de calor em torno da cidade naquele mês de novembro. Então se lembrou de Immaculada. Por que mesmo tinha assinado aquele contrato de casamento? Sentiu um ensaio de angústia. Virou à esquerda e voltou a subir. Parou em frente à casa de Dantas. O portão principal estava aberto, Dantas teria acabado de chegar? As janelas escancaradas eram quadrados luminosos, fragmentados pelos rabiscos escuros do arvoredo do jardim. De dentro, escapava um som de piano. Não teriam jantado, ainda? A presença de Paulo naquela reunião teria sido gentileza de Helena? Podia também ter sido de Dantas. Tinha aprendido a gostar de Dantas.

É bom cuidar de arreios que se soltam

A visita foi no Natal. No dia 24, o moço chegou com o pai por volta das dez e meia, para irem todos à Missa do Galo e cearem juntos depois. Quando voltaram, antes de se sentarem à mesa, Francisco disse em tom solene que gostaria de oferecer a Immaculada um penhor de amizade e afeição. Entregou à menina um embrulhinho: dentro, uma corrente de ouro com um pingente de diamante em forma de coração, do tamanho de um grão-de-bico. Immaculada sorriu encabulada, disse um "obrigada" rouco, a mãe comentou com um "muito lindo mesmo", Dantas concordou, Mlle Durbec ofereceu-se para guardar o mimo, e todos se sentaram finalmente.

Durante a ceia, Dantas comunicou a Francisco que tinha decidido presentear mãe e filha com uma viagem a Paris em junho do ano seguinte. A notícia foi recebida pelos Almeida e Silva com frieza. Depois de breve pausa, Evaristo perguntou se Mlle Durbec também ia. Disseram que sim, claro, e aproveitaria para visitar os pais, que já estavam muito velhos. Não, não estavam em Paris. Estavam em Marselha.

Na volta, Evaristo comunicou ao filho a sua preocupação com a viagem das duas mulheres, sozinhas, a uma cidade como Paris. Achava que Dantas estava sendo imprudente. Sugeriu que o filho falasse com ele a respeito. O moço assentia, com a cabeça. Que algum homem da família viajasse com elas, se fosse o caso. Francisco deveria falar com tato, mas seria preciso de uma vez por todas dar a entender que a menina estava crescendo e não era bom confiar demais na sorte. Aliás, bom mesmo seria que as duas ficassem o máximo possível na fazenda até o casamento. Que viajasse quanto quisesse com o marido depois do casamento.

Francisco pouco falava, vacilando que estava nos desencontros entre o que o pai dizia e o que ele pensava. Concordava em princípio: Immaculada tinha crescido, suas formas femininas se definiam. Ele bem tinha reparado. Mas como é que Dantas se arriscava a largar uma mulher como Helena sozinha na França?

Helena não tinha conseguido deixar de se incomodar com Francisco. Era o jeito, o olhar, a presença toda que a molestava como espinho enfiado debaixo da unha. À noite disse a Dantas que o rapaz olhava a menina como o dono olha no estábulo o cavalo que vai ganhar a corrida para ele. Dantas sempre se divertia com a língua ferina da mulher, que instilava peçonha com a graça de um canário.

Immaculada olhava de viés para o moço. Pela primeira vez o via como homem, ser do feitio do pai, mas com função diferente em sua vida. Fazia algum tempo, andava com uma curiosidade palpitante por aquele sexo misterioso. Em São Paulo, tinha uma sensação estranha quando da janela do quarto, de trás das cortinas, via os carros passando na rua e enxergava os homens da cintura para baixo, com as coxas semiabertas, tensas no movimento dos pedais, modeladas pelo tecido da calça. Era um prazer misturado ao receio do mistério, por via das dúvidas fruído às escondidas.

Fazia uns dois meses, tinha chegado da França uma publicação ilustrada sobre arte grega. Fazia dois meses, Immaculada folheava o livrinho quase todos os dias. Era uma beleza ver como a menina se interessava por arte grega. Na verdade, estava fascinada. A estátua de Alexandre tinha provocado nela um abalo silencioso e titânico, como se as fendas do subsolo de sua natureza de mulher tivessem se aberto num movimento irreversível. Aquele herói musculoso, de rosto angelical, começou a povoar um tipo de sonho que ela só tinha acordada. E, quando era impedida de sonhar pelas obrigações da vida diurna, por mais que abrisse os olhos não conseguia enxergar ao redor nada que se comparasse aos atos e feitos daquele ser que tinha carreado a grandeza para o próprio nome. Por isso preferia as horas em que podia fechar os olhos, mas sem dormir. Esses eram os momentos de alinhavar histórias, bordar desfechos. À noite, nas horas do sossego, ouvindo Mlle Durbec ressonar no quarto ao lado, combatia o máximo possível o sono que chegava pontual, autoritário, tentando lhe roubar a coerência das fabulações. Porque aquelas eram as melhores horas do dia. Alexandre era o bem-amado guerreiro amante. Ela, a princesa prometida a um rei poderoso, que dominava o mundo e queria tudo para si. Um dia, Alexandre a raptava e a levava para um lugar deserto, longe de todos os perigos, onde só havia amigos, e lá os dois se casavam. Durante a festa, o pai, finalmente convencido da bondade do herói, aparecia para perdoar a filha e abraçar o genro. A mãe, feliz, ao lado, era a autora da reconciliação.

Durante a ceia de Natal, Immaculada procurava distinguir em si mesma os sentimentos que o noivo lhe inspirava, pois não via nele as luzes do herói de suas horas mais escuras. E percebia-se acanhada, desenxabida, com vontade de subir as escadas, deitar-se na cama e esconder-se por trás do escudo refulgente de Alexandre.

Francisco tinha medo de Paris porque nunca tinha sonhado.

Aviadora em solo remansoso

Era domingo, 19 de maio de 1929. Desde a véspera, Immaculada e a mãe se instalavam na fazenda para passar o inverno. Fim de almoço, sobre a mesa jaziam os restos mortais de um leitão. Sobrava a cabeça e, das orelhas, uma só, tendo sido a outra raptada de passagem pelo primo Lucas, numa de suas correrias pela casa. Depois da sobremesa, Helena conversava com a cunhada diante das xícaras esvaziadas do café, enquanto Dantas e o irmão se retiravam para as últimas conferências do dia. Todos pegariam o trem às quatro para São Paulo, menos Helena e Immaculada.

Chegava a hora de aprontar malas, e logo começou aquele vai e vem modorrento entre quartos. Não se tinha contado com muito tempo para a digestão da comida pesada, e tudo era feito na pressa da contravontade. Na sala agora vazia, uma varejeira soliloquiava sobrevoos em torno da mesa, e Immaculada era toda ouvidos para aquela presença findante do pai, início já de uma ausência desconsoladora, tristeza com hora marcada. Já fazia tempo que ela preferia os meses quentes de São Paulo, quando podia sair à tarde com Mlle Durbec, ir ver de perto as vitrines do centro e olhar de longe os cinematógrafos. Depois da partida do pai, o ócio das tardes de domingo era um tempo cheio de vazios lacrimosos, prenhe de solicitações ao desespero.

Os passos do primo Lucas, corredor-aquém, abafaram o zumbido da varejeira. Lá vinha aquele primo endiabrado que lhe pousava em cima uns olhos verdes e aguados, carregados de um olhar parado, pesado, remansoso, como o de ninguém mais que ela conhecesse. Olhar que desmentia o agitado dos gestos, o vivaz da fala, o precipitado dos passos. Por que o primo Lucas a olhava daquele jeito? Ela não sabia, mas não desgostava. E justamente quando estava lá, tramando manobras para fugir da angústia incontestável da ausência próxima, pensando em ir até o terraço, olhar montanhas, Lucas irrompeu na sala, convidando para um pegador. Immaculada disse que não, estava cansada. Mas ele insistia, e ela então achou que correndo talvez conseguisse escapar da dor que a perseguia.

Levantou-se e, correndo, saiu da casa, atravessou o jardim e começou a esconder-se atrás de uma árvore, depois de outra, a mostrar-se, a sumir-se, ardilosa; e parecia que, quanto menos fugia, mais Lucas gostava de não a alcançar, de tal modo que a brincadeira não acabava nunca. Foi aí que aquela canseira da alma voltou e se abateu sobre ela, engendrando um desânimo fundo, que só lhe deixou forças para gritar:

– Não estou brincando mais.

O primo, no entanto, fingindo-se surdo, correu para ela e a agarrou pela cintura. Immaculada protestou, não era direito pegar alguém que não estava para pegadores, mas Lucas a apertava pela cintura e a puxava para si, encostando-se cada vez mais ao corpo dela. Immaculada não entendia aquela aproximação insistente, aquele sentir-se estreitada, acochada, amassada, e ficou ali, imóvel e curiosa para saber o que viria depois, e o que veio foi a boca do primo, apertada contra a sua, num arremedo engessado de beijo, que fazia Immaculada sentir o hálito do tempero do leitão a emanar das ventas resfolegantes do garoto.

– Immaculada!

Era um grito de Helena. No terraço, lá em cima, Immaculada enxergou a mãe e, nos olhos dela, um brilho raivoso, assustado, alarmado, coisa nunca vista! Sentiu o arrocho da culpa no peito, mas não sabia do quê. Correu para dentro, passou chispando pela mãe e foi meter-se no quarto, com tempo ainda de ouvir a voz autoritária e rouca de raiva com que Helena mandava Lucas acabar de arrumar as coisas e ir embora de vez.

No quarto, Immaculada se deitou de bruços na cama e ficou lá, pensando em tudo aquilo, tentando descobrir que culpa era aquela que sentia, sem ter sido acusada, esquecida até da dor da partida do pai. Foi aí que o pai entrou para lhe dar o beijo de despedida. E a menina, despejando um beijo aflito na bochecha rosada de Dantas, agarrada ao pescoço dele, desandou num choro sentido, que ele não entendia. E de pouco adiantava ele perguntar por que aquele choro, pois ela não respondia. E, com isso, tudo se atrasava tanto, que Helena foi até a porta, apressar. Mas parou na soleira, vendo a filha chorar daquele jeito, enquanto o marido perguntava "O que foi? O que foi?" O que era ela não sabia! Até que parou de chorar, mas ficou ali, enganchada num aperto cerrado. O pai então, achando que o choro era por causa do adiamento da viagem a Paris, entrou a prometer que no ano seguinte ela iria, iria sim, e ele iria junto. Que ela esperasse só até março, depois do fim do inverno na Europa. Naquele ano não tinha sido possível, porque não queria que elas fossem sozinhas. Não era conveniente que fossem sozinhas. Até Mlle Durbec tinha sido obrigada a esperar e não estava chorando! E perguntava se era por isso mesmo que ela estava triste, mas ela fazia que não com a cabeça. Até que aos poucos se acalmou, e ele saiu.

Os passos foram minguando corredor afora e reapareceram surdos no jardim: todos subiam no carro, Helena ficava do lado de fora, conversando, despedindo-se. Immaculada afastou-se da janela e saiu do quarto, ainda querendo fugir daquela dor presa aos calcanhares. Foi para o terreiro. Ficou um tempo olhando o desenho das copas das árvores na tela do céu. Um pássaro-preto gorjeava em alguma delas. Mas qual? Não sabia. Esses pássaros danados se escondem, pulam de galho em galho. Ainda mais com aquele sol deitado, feito um balde ofuscante a despejar sombras na horizontal! E Immaculada, procurando, achando, perdendo de novo, esperando achar de vez, ia andando e perseguindo, esquecida já da dor que lhe ia atrás, até que topou com Joanita.

Joanita era um pretinha que usava duas tranças, uma de cada lado da cabeça, com as pontas presas na raiz por uma fita, de tal modo que formavam duas alças, lembrando um açucareiro. Na cara retinta, dois olhos vivos, puxados, de cílios recurvados, uma boca em forma de coração carnudo e uma fileira de dentes que nunca ficavam muito tempo escondidos. Tinha sempre um cheiro cítrico, como se só comesse laranjas. Era filha de uma empregada da fazenda, menina sem pai, que ajudava a mãe na lavoura. Um dia, Joanita, com uns quatro anos de idade, passava por debaixo da janela de Immaculada, que de lá de dentro, gritou:

— Pretinha! — com o *a* comprido de quem pede atenção... E Joanita respondeu na mesma melodia:

— Leitinho! — com o *o* comprido de quem tripudia.

Dantas, de dentro da sala, deu uma tremenda gargalhada. Immaculada ficou muito ressabiada. Mas um dia, até que enfim, ficaram amigas. E tanto, que a dupla era chamada de Tizio e Pardalzinho, mas com papéis trocados: tagarela ali era o tizio. Com Joanita Immaculada brincava quando ia para a fazenda. Agora ela estava de vestido novo, florido, sapatos brancos, meias brancas.

— Aonde você vai, Joanita?
— Vou até a cidade, ver a festa da igreja. Quer ir?
— Com quem você vai?
— Com o Tião. De carroça. Vamos?

Estava muito linda, mesmo, a Joanita. Immaculada não respondeu. A carroça de Tião vinha chegando, parando, e Joanita já ia dizendo que Immaculada ia junto. A mãe dela sabia, sim, tinha deixado. Tião relutava, dizia que não queria levar a menina sem falar com a mãe, mas enquanto resmungava com voz bamba, Joanita já subia, puxando a amiga pela mão, e a garotada que estava na carroça gritava de alegria, numa algazarra infindável. O caboclo olhou desconfiado, mas em certas horas é mais fácil acreditar no impossível.

A carroça partiu e Tião foi cantando:

Desprezo as ricas moradas
O luxo que a vila tem;

Ouvindo o canto das matas,
O caboclo vive bem.

E repetia a estrofe, como se não soubesse outra, até que, na terceira vez, Immaculada já acompanhava com os lábios as palavras que pareciam saírem de si mesma.

A festa estava linda. O pátio da igreja, cheio de bandeirolas, lembrava dia de São João. Eram cinco e meia quando chegaram. Pouco depois das seis apareceu um grupo de cantadores, que subiu num tablado e deu início ao fandango. As duas meninas tinham conseguido aboletar-se num pé de unha-de-vaca que havia nas imediações, e os três meninos de Tião se dependuravam em outro como podiam.

Às oito e meia, ainda em plena cantoria, que só tinha sido interrompida por sorteios e comilanças, enquanto um violeiro cantava

Nós cantemos nessa hora, ai, ai
Nós cantemos nessa hora, ai, ai
E nessa tão linda noite, ai, ai
O Divino Esprito Santo, ai, ai
O Divino Esprito Santo, ai, ai
Ele é o pai da pobreza, ai, ai

Immaculada sentiu um cutucão de Joanita. Olhou para a negrinha, que olhava assustada para a frente e dizia:

— Immá, a tua mãe!

Do outro lado do tablado, Helena, olhando do mesmo jeito que tinha olhado da varanda, à tarde. Fazia horas que procurava a filha. Tinha rodado muito até se lembrar da amiguinha. Ao lado dela, a mãe de Joanita. As duas meninas enxergaram a negra ao mesmo tempo. Joanita exclamou:

— A minha também!

E desceu voando da árvore, procurando abrir caminho na multidão e ir logo encontrar a mãe, na esperança de que toda aquela presteza valesse alguma clemência. Immaculada não conseguiu ser tão rápida, mas foi atrás, com a mesma esperança.

Chegando perto, olhou a mãe e, por trás dela, viu estrelas luzindo num céu maiusculamente profundo, um céu de sonho. Só faltavam gordos astros coloridos. Reparou nisso num relance, enquanto conjeturava que a mãe, como sempre, não diria nada. Mas as consequências viriam sem falta.

Helena de fato não falou. Tomou a filha pelo braço, num agarrão apertado e dolorido, e se meteu com ela, silenciosa, no banco de trás do automóvel, onde eram esperadas por um motorista neutro. A mãe de Joanita enfiou-se com a filha no da frente, mas não sem um acompanhamento vocal interminável, prometedor de uma eternidade infernal de cascudos e castigos. Não foram poupadas promessas ao próprio Tião. O carro começou a andar e finalmente o silêncio das vozes deu a palavra ao ronco do motor. Só de vez em quando se ouvia o choramingo baixinho de Joanita, lá na frente, em contraponto desafinado com as explosões do escapamento. Immaculada adormecia, cansada, no banco de trás, finalmente esquecida da dor. E Helena ia pensando em que medidas tomar para atender às recomendações de Dantas. Aquela menina precisava continuar pura como o nome que tinha, nome que era um sinal, uma predestinação. Assim a queria Francisco, assim precisava ela ser, porque aquele casamento haveria de se realizar, e o pai não queria se envergonhar algum dia de não ter conseguido preservar a filha.

O choramingo de Joanita finalmente tinha cessado. Só o motor chorava agora, e Helena, em silêncio, duvidava da própria capacidade de cumprir o excelso destino daquela aviadora condenada ao solo, que dormia com a cabeça em seu ombro.

Com alfinetes urde-se a enxovia

Os efeitos não se fizeram esperar. No dia seguinte, Helena proibiu Immaculada de brincar com Joanita, repreendeu Mlle Durbec pelas suas distrações (em português mesmo, porque não estava para mesuras) e, por conta própria, deu início à busca de uma outra pessoa para ajudar na difícil tarefa de conter os arroubos locomotores da filha. Para não magoar a francesa, disse que precisava contratar uma ótima bordadeira, de preferência uma especialista em monogramas, que já estava mesmo passando da hora de começar o enxoval. E não deixava de ser verdade. Já fazia algum tempo Helena matutava que, se aquele casamento precisava mesmo sair (durante muitos meses ela tinha feito de conta que ele não existia), era preciso que saísse como mandava o figurino. Foi a Campinas, deixou recado com uma costureira conhecida, mas não se esqueceu de recomendar que a pessoa, além de prendada, precisava ser séria e rígida, pois também deveria conviver com uma menina que era um tanto indisciplinada.

Aquela semana Immaculada passou recolhida e muda. Quantas vezes Helena desejou ter filha contestadora! A locomoção desenfreada, o ir andando sem olhar por onde, mas feito um tatuzinho que se embola quando colhido, enfim, aquela combinação de inércia da língua e frenesi das pernas era inútil e nociva. Nociva pelos perigos. Inútil porque parecia fuga, mas não era. Helena achava que os sumiços da filha mundo afora eram o sinal mudo da vontade de fugir do destino selado pelo pai, esquecida de que Immaculada sempre tinha sido assim. O anseio da menina por espaço era um traço de caráter que ninguém tinha achado importante por não ser agressivo como um acesso de raiva, por exemplo. Então perdurou, passou a fazer parte dela, ganhou status de rótulo, coisa estampada que virou costume e perdeu a cor. Só agora a mãe se dava conta do perigo. A menina já tinha corpo de mulher, e andar por aí sozinha era um convite à tragédia. O episódio com Lucas lhe abrira os olhos. E, exatamente no momento em que entrava em casa preocupada, para falar com a filha sobre a história do primo, onde estava ela?

O que entristeceu Immaculada de fato naquela semana foi a proibição de brincar com Joanita. Dor funda, inesquecível.

Dor pelo casamento forçado ela ainda não sentia. Se sentisse e se rebelasse, a mãe encontraria forças para lutar contra aquele contrato. Porque Helena de fato tinha pensado muito em se desfazer dele; não fosse o medo de prejudicar o marido, já tinha acabado com aquela comédia.

Na quinta-feira, Helena telegrafou a Dantas: partia para São Paulo no fim de semana.

Entre outras coisas, queria ir à modista.

As duas chegaram na sexta à noite e, depois que Immaculada e Mlle Durbec foram dormir, Helena ficou até altas horas contando episódios e expondo temores ao marido. Dantas concordava que era preciso contratar mais alguém para a fazenda. Ou então as duas ficariam de vez em São Paulo. Não – dizia Helena –, impossível. A procura em Campinas tinha sido inútil. Talvez achassem alguém em São Paulo. Mas essa pessoa precisaria estar disposta a ficar em Campinas, porque na fazenda estava o maior perigo: mais espaço, ausência de muros e portões, maior convite a andanças.

Na segunda à tarde, Helena foi à modista tirar as medidas de um vestido e disse que estava procurando uma pessoa assim, assim. Entre a terça e a quarta apareceram três moças, mas nenhuma convinha. Na quinta à tarde, Mme Henriette, a modista (nome real, Henriqueta Nunes), foi à casa dos Dantas fazer a primeira prova do vestido encomendado e levou consigo uma italiana de olhos arregalados por trás de uns óculos grossos, cabelos grisalhos e sorriso franco. Aparentava uns quarenta anos. Chamava-se Giulia Piovesan.

Mme Henriette, morena alta, magra, de cara angulosa, era daquelas mulheres que conseguem esconder a feiura por trás dos modos requintados e a origem tupiniquim debaixo de um arsenal de palavras estrangeiras. Depois dos devidos cumprimentos, pediu à italiana que desembrulhasse o vestido e foi dizendo que a tinha levado ali por duas razões: primeiro porque no momento era sua principal provadora e, segundo, porque, pelo que ela dizia, tinha conhecimento da pessoa mais indicada para as necessidades de Mme Dantas. Enquanto Mme Henriette dizia isso, a italiana sorria e acenava com a cabeça, mal olhando para o embrulho que ia desfazendo. E já foi logo dizendo, com seu sotaque vêneto:

– Sim, *signora*. É uma moça muito direita, uma moça *per bene*, como dizemos nós. É também italiana. Não sei se a *signora* se importa.

Helena fez que não. Mme Henriette, pressentindo que Giulia talvez falasse por um bom quarto de hora (como ela sempre dizia, em vez de quinze minutos), abreviou:

– Mme Dantas, ela é professora de Artes Domésticas, mora em Campinas e é solteira. *Cela vous suffit?*

Helena disse que sim, claro!

Giulia ainda queria falar:

– Ela é especialista em monograma. Fez o curso na Itália, com uma grande *maestra*. Ela dá aula de Artes Domésticas numa escola, mas acho que não vai se importar de sair se a *signora* paga bem...

Mme Henriette então pediu que Giulia estendesse o vestido sobre o sofá do *boudoir* de Mme Dantas. Seria preciso sair, para que Mme Dantas se vestisse. Depois ela a chamaria para os devidos ajustes.

Giulia disse um *va bene* entre dentes e saiu.

Mme Henriette então pediu desculpas pela italiana, muito boa pessoa, excelente costureira, mas um tanto tagarela. Fazia tempo que estava no Brasil. Antes era da roça, lá dos lados de Botucatu, agora o marido tinha um

açougue no Itaim Bibi. Aquela mania de já ir cobrando antes de acertar o serviço lhe parecia um tanto deselegante, ela pedia desculpas. Helena dizia que não se importava. Queria mesmo era o endereço daquela moça tão prendada...
– É solteira então? E séria?
– Sim, sim, solteira, *bien sûr*. Quanto a ser séria, diz a Giulia que é. *Je l'espère bien!* Posso chamar Giulia de volta?

Enquanto Giulia prendia a barra, Helena perguntou se ela tinha o endereço ali. Ela disse que, sim, sim, tinha trazido, estava na bolsa. Pegou um papelzinho e, acima de um endereço, Helena leu o nome Annunziata Fattori.

Na terça-feira seguinte, Annunziata apresentava-se para a entrevista.

Helena lhe deu de vinte e cinco a trinta anos. Era encorpada. Pela finura das canelas, o corpo parecia ter o dobro do peso que o esqueleto esperaria carregar. O rosto era até bonito, mas envelhecido pela expressão séria demais. Não sorriu o tempo todo. Terminava as falas com um franzir de lábios e um piscar demorado, uma espécie de cacoete: enquanto a pálpebra descia, o globo ocular tinha tempo de subir e esconder-se debaixo dela. A expressão facial em seu conjunto era um verdadeiro ponto final. Um ponto final categórico, de quem expressava verdades irretorquíveis. Helena não simpatizou. Intuía certo autoritarismo recalcado, inaceitável. Era como se a todo momento Annunziata quisesse dizer: "não discorde". Mas era prendadíssima. Foi contratada.

O motivo daquele exagero de seriedade, que Helena nunca chegou a saber, era compensar com boa conduta o que alguns diziam de seu passado.

Quando a família Fattori saiu de Nápoles, dizia-se no lugarejo onde moravam que Annunziata não era donzela desde os doze anos, e que a família saía da Itália para fugir à vergonha de um estupro, cuja autoria um filho de família rica não quis assumir. Outros, porém, não falavam em estupro, mas em relação consentida, o que piorava muito mais a situação. Havia uma terceira versão: não teria havido estupro nem relação consentida: tudo teria sido inventado pelo pai dela (namorico adiantado com moço de boa família que hesitava em assumir compromisso): se desse certo, casamento garantido. Os defensores desta última versão diziam que o golpe não tinha dado certo porque a família do rapaz fechara questão em torno da inocência dele e (com a trovejante voz do dinheiro) conseguira provar que Annunziata já não era virgem desde os nove anos.

Seja como for, o pai resolveu emigrar. Acontece que, depois de muito contada a história, ninguém mais sabia se a coisa de fato tinha acontecido, se o pai tinha inventado o não acontecido, ou se tinha inventado um plano que não aconteceu; em suma, não se sabia mais o verdadeiro sentido do verbo acontecer. Uma coisa é certa: havia um estupro, real ou forjado, na história de Annunziata, o que é suficiente para complicar a vida de qualquer boa moça. Entre ter uma relação forçada e ter uma relação forjada existe uma grande diferença: a de um hímen. Coisa bastante para espicaçar curiosidades. E era assim que Annunziata, parecendo querer desencorajar bisbilhotices, assumia poses de priora.

Aliás, a história de Annunziata tinha feições de mito: havia quem acreditasse porque queria, mesmo sem provas, e quem não desacreditasse por falta de provas. Na prática, entre uns e outros não se notava diferença: todos duvidavam. Até aquele momento não tinha surgido nenhum varão disposto a levantar o véu de Ísis. Ou a arrancá-lo.

A família era pequena: mãe, pai sapateiro e um irmão de 25 anos.

São manchas mochas, rolas desconjuntas

Francisco saiu de viagem preocupado com o clima. Depois de vários dias de chuva, o céu continuava nublado. Mas nas proximidades de Botucatu, o sol já brilhava. Quando desceu do trem, dava a mão a Geraldo e já perguntava se a estrada estava transitável.

– Dá, sim, para ir de automóvel.

– Então vamos para a fazenda já; quero chegar a tempo de pegar o jantar.

O carro avançava pela estrada e Francisco ia saboreando o cheiro da lenha queimada nos fogões: das chaminés saía a fumaça prenunciadora do feijão, do arroz, do frango de panela, da mandioquinha, da abobrinha... sinal de que voltava à terra. Cada lugar tem seu cheiro – pensava. O do interior é o cheiro da lenha queimando nos fogões. É uma espécie de alma que sobe com a fumaça.

– Está feia a crise, não, Dr. Francisco?

Francisco se sobressaltou.

– Ah... Com certeza se alastra. É uma crise profunda. Não vejo boas perspectivas imediatas. (Parou de falar para observar um anu-preto que atravessava a estrada em voo rasante.) Pobre de quem estiver sem capital. As exportações vão secar.

Embora tivesse ido lá para tratar de negócios com o pai, aquela conversa de Geraldo lhe parecia fora de hora, roubava-lhe das narinas o cheiro da infância num momento em que ele estava com vontade de senti-lo.

– Será que vão? – continuava Geraldo.

– O quê?

– Secar? As exportações?

– Ah... Vão. Vão, sim. O dinheiro não está circulando.

Queria parar, mas sabia que Geraldo não desistiria. Devia estar preocupado com o próprio emprego, e aquela era uma oportunidade rara de saber o que os patrões pen-

savam ou planejavam. Então Francisco resolveu discorrer sobre a economia em termos amplos, genéricos, para não dar tempo a perguntas de natureza individual.
— Estamos com superprodução de café, você sabe. Se o governo não der apoio ao setor cafeeiro, muita gente vai quebrar.
— Deus queira que isso não aconteça.
— Deus? Não sei o que Deus quer, não. Se é que quer alguma coisa.
Geraldo ficou em silêncio durante alguns minutos. Francisco percebeu que a frase tinha sido desastrada. Consertou:
— Vai quebrar quem estiver muito endividado, sem reservas, quem não puder contar com outras fontes de renda, além do café.
Com isso esperava que o outro entendesse que os Almeida e Silva não corriam riscos. Geraldo resolveu mudar de assunto, talvez por entender:
— O Dr. Júlio Prestes é uma grande esperança.
— A campanha vai de vento em popa. Ele ganha. Só pode ganhar. Estamos investindo tudo nessa campanha.
Geraldo sorriu, orgulhoso, e disse:
— O senhor ainda acaba ministro.
Francisco fez um gesto com a mão, para espantar a mosca impertinente da esperança, e disse com falsa modéstia:
— Que é isso? Tem muita gente boa por aí.
O carro foi estacionado ao lado da porta lateral coberta, por onde os patrões costumavam entrar quando chegavam à fazenda. Enquanto a mala ia sendo tirada do carro, Francisco já subia as escadas que davam no escritório, onde sabia que encontraria o pai. Este já o esperava no alto, com o abraço armado.
— Estava com saudade da fazenda — disse Francisco, esparramando-se no sofá do escritório, mas se levantando logo em seguida, só para estender a mão a Magdalena.

Durante o jantar, pai e filho falaram de negócios. Francisco disse que no dia anterior tinha havido uma reunião na empresa de construção. A situação de crise obrigava a dizer adeus à perspectiva de um grande contrato que só tinha dado os primeiros passos. De obras grandes iniciadas só restavam uma do governo e um hotel, em fase de acabamento. A grande dúvida agora era a solvência dos devedores. Alguns pagamentos já andavam atrasados. Dantas estava muito preocupado. Na reunião, Francisco tinha proposto a demissão de cinquenta por cento dos empregados e redução dos salários. Dantas resistia. Não tinha coragem de tomar uma medida tão drástica, que prejudicaria tantos trabalhadores. Francisco não via outra saída. Dantas propunha a emissão de debêntures, mas Francisco e Carlinhos se opunham: em caso de falência, os bens dos sócios capitalistas seriam arrolados (motivo que não havia sido explicitado, nem precisava). De qualquer modo, como a reunião não havia contado com a presença de Evaristo, essa não era ainda uma posição oficial, embora Paulo e Dantas soubessem que Evaristo diria amém às decisões do filho. Francisco propunha um empréstimo do banco em que era acionista. O valor do empréstimo dependeria das pretensões de Dantas quanto à manutenção da folha de pagamentos. As necessidades reais deveriam ser expostas pelos dois sócios-gerentes em próxima reunião, na semana seguinte. Francisco pedia como garantia o próprio prédio da empresa. Dantas hesitava.

Evaristo perguntou se Pontes continuava afastado da campanha política:

– Completamente – respondeu o filho.

– Apoia a Aliança Liberal? – Evaristo perguntou arregalando os olhos.

– Não, não, de jeito nenhum. Seria complicado explicar agora as posições dele. Ele diz que a candidatura foi um erro estratégico.

– Você concorda?
– Não, claro.
– Então se desligou dele?
– Até certo ponto, sim. Acho que ele é carta fora do baralho. Estou definitivamente comprometido com a campanha do Dr. Júlio Prestes. Pontes está isolado. E pensar que um dos objetivos da ligação com a família do Dantas era esse... A situação mudou muito de um ano e meio para cá. Na verdade, a minha posição em relação àquela família...

Interrompeu-se. O pai olhou de baixo para cima, como fazia quando queria estudar o filho, mas não perguntou nada. Em vez disso, afirmou:

– Francisco, nem tudo aquilo que a gente pensava na época deixou de valer. Vale uma coisa, por exemplo: você precisa se casar. Imagine o Dr. Júlio Prestes ganhando: você não haverá de receber um alto cargo de confiança se for solteirão convicto ou de estado civil duvidoso. Com a perspectiva de união com uma grande família, a coisa é diferente. E a família do Pontes, isolada ou não, é de grande peso. E tem outra: essa fazenda aí que a menina vai trazer de dote é estratégica para os nossos interesses. Depois que instalei a chave na estrada de ferro para o escoamento da produção, meus custos de transporte se reduziram pela metade, você sabe disso. Pense que essa fazenda vai ser sua um dia... Pense bem...

Magdalena entrou na sala para perguntar se os patrões já queriam a sobremesa. Francisco aproveitou para dizer que o frango ao molho pardo estava divino:

– O que é isso, Dr. Francisco? E eu não sei que o senhor está acostumado a comer *coq au vin* dos melhores *maîtres*? – respondeu Magdalena, caprichando no sotaque.

– Magdalena, você fala francês?

– Um pouchinho – respondeu a portuguesa e logo se ofereceu para mandar trazer os papos de anjo.

Depois que a portuguesa saiu, Evaristo disse em voz baixa:

– Eu fiz muito bem em vender aquelas três fazendas no ano passado. Velhice tem suas vantagens. Se eu não me sentisse incapaz de tocar tudo sozinho, estaria com aquelas terras agora aí, empatadas.

E baixando mais a voz:

– Escute, eu tenho aí algum ouro em barras. Entrego a você. Pode transformar em dinheiro ou me deixar como seu credor – e sorriu.

Depois completou:

– Amanhã cuidamos disso. Estou querendo sair agora, vou para a cidade. Volto amanhã cedo. Desculpe ter de sair assim, mas a sua chegada foi inesperada. Eu já tinha combinado outras coisas. Os próximos dois dias eu dedico só, só, a você. Se quiser aproveitar bem a noite, examine para mim uma minuta de contrato de arrendamento que está na última gaveta direita da escrivaninha. Amanhã me diga se vale a pena fazer o negócio.

Francisco sorriu, irônico.

Depois que se despediu do pai, foi até a escrivaninha e abriu a gaveta. A minuta estava bem visível. Pegou-a e, embaixo dela, percebeu o brilho de um objeto de metal. Era uma corrente. Puxou-a e com ela veio um crucifixo. Aproximou-o da luz: era o crucifixo de prata da mãe. Num gesto mecânico, olhou para o retrato da parede. Os círculos pretos das íris de Marília se destacavam do branco extremo que o pintor pusera na esclera. Lá estava ele, o crucifixo, também no quadro. Com um nó na garganta e lágrimas nos olhos, Francisco se sentou na poltrona.

Um filhote de rolinha estava no chão. Francisco o pegou, olhou para cima. Num dos galhos do pé de primavera, a rolinha-mãe olhava para baixo, com seu olho direito atento, redondo, fixo. Francisco queria repor o filhote no ninho, mas não alcançava. Olhou ao redor, em busca de inspiração. Viu o irmão, sentado num dormente:

– Quer ajuda?

Francisco fez que sim com a cabeça.

– Dá aqui isso aí que eu resolvo.

Francisco entregou o bichinho. Evaristo segurou o corpo com a mão esquerda, a cabeça com a direita e puxou. Atirando o corpo para um lado e a cabeça para o outro, saiu correndo, limpando as mãos nos calções e gritando:

– Viu? Resolvi!

E gargalhava.

Francisco ficou lá, estarrecido, com o grito apertando a garganta, como no dia em que o descobriu na capela. Mas naquela tarde gritava:

– Desgraçado! Desgraçado!

E tanto gritava e chorava, que Marília saiu para ver o que acontecia. Francisco não conseguia explicar, só dizia "desgraçado". Marília sentou-se no mesmo dormente onde o filho mais velho estivera antes, passeando o olhar pela paisagem, na tentativa de enxergá-lo, mas em vão. Puxou o filho mais novo para si, dizendo:

– Vocês dois vivem brigando! Será que não vão se entender nunca?

Francisco parou de gritar, mas continuou chorando, sentindo no peito a dor profunda que só a violência contra os indefesos é capaz de causar. Aquela dor ele agora tentava lembrar... Como era aquela dor, aquela pujança indomável? Por que não a sentia mais? Por que só na infância foi capaz de sentir aquilo?

A mãe o pôs no colo. Ele chorava ainda e chorou durante muito tempo. Ela o embalava. Aos poucos, a dor foi amainando, o choro diminuindo, e ele reparou que tinha molhado o crucifixo. Percebeu também que o peito da mãe era duro. O peito dela era uma massa abaulada e dura. Agora ele entendia que ela devia usar um corpete grosso para fundir os seios num conjunto disforme que não despertasse a cobiça masculina. Mas o crucifixo estava molhado. E ele começou a passar a mão no crucifixo para

secá-lo. Temia que a prata pretejasse. A mãe haveria de ralhar. E estava ali, preocupado em tirar aquele molhado que tinha posto, quando recebeu um tapa na mão. Marília o afastou de si e disse:
— O que está fazendo, menino?
O olhar dela naquele momento... Não, ele nunca mais esqueceu. Olhou de novo para o retrato: não era aquele olhar ideal que ali estava. Era outro: real, pesado, nublado.
O crucifixo escorregou. Ele se abaixou para apanhar. Só então notou a mancha riscada no assoalho, para além de uma ponta do tapete. Levantou o tapete e viu respingos velhos de tinta escura na madeira. Um tinteiro devia ter caído ali. Percebeu que aquela mancha havia sido muito, muito esfregada. Mas em vão.

Tu que esconjuras túmulo e tumulto

Francisco chegou ao escritório por volta das nove da manhã. Era um dia de outubro de 1930. A cabeça doía. Mais uns quinze minutos, chegariam dois clientes para uma reunião, assunto inadiável. À tarde, outra reunião, a do partido.

Enquanto punha o paletó no espaldar da cadeira, percorria com o olhar as manchetes dos dois jornais que tinham sido deixados na mesa. Em cima de um deles, uma folha de papel truncava uma frase que começava com a palavra Getúlio. Foi desviá-la para ler a frase e viu que era um bilhete de Carlinhos:

Aproveito o marasmo e saio de férias por um mês. Lamento não ter conseguido comunicar-te isso ontem. Apesar de nossas recentes discordâncias políticas, tua felicidade é o maior desejo deste
     Teu amigo
     Carlos

Carlinhos... Férias! Quem engolia essa? Um ano antes, tinha entrado para o Partido Democrático. Em março, depois do resultado das eleições, todos eufóricos no escritório – já se viam instalados no poder, porque o nome de Francisco era um dos cogitados para o Banco do Brasil –, Carlinhos protestava contra as fraudes nas eleições. A única voz dissonante – quem diria? – era do melhor amigo! Os dois tiveram uma discussão feia. Sentiram na própria pele que o alicerce das amizades resiste a muitos tremores, menos aos políticos. Que, passando para campos opostos, dois amigos geralmente entram no terreno acirrado do inimistoso, sem passar pela zona neutra do amistoso.

Carlinhos tinha mudado muito. Primeiro, veio a ideia de largar a mulher. Os laços com Laura tinham virado arreios. Era guiado por ela, as visões dela eram a viseira dele. Laura era uma mulher inteligente, tocava com dedos de fada as cordas masculinas. E era de fato muito bonita. Francisco se lembrava dela numa exposição de pintura, rodeada de críticos e artistas, com um vestido preto, muito decotado e uma mantilha espanhola de seda, estampada de cores vibrantes, com franjas longas, pretas, a lhe escorrerem pernas abaixo, quase até o chão. A mantilha jogada com displicência sobre o ombro nu deixava à mostra um pedaço bem apetitoso de carne. Para Francisco, a paixão de Carlinhos era compreensível; mas os efeitos, injustificáveis.

– Paixão não se põe à mesa – disse uma vez ao amigo.

– E quem precisa de mesa? – respondeu ele.

Opiniões conflitantes em questões amorosas, vá lá. Mas deixar que as questões amorosas influenciassem as políticas, isso era demais! Outra coisa que Francisco não engoliu foi o modo como o amigo se desfez de tudo: ficou dependendo só do ganho com o trabalho, perdeu as benesses da família (que não eram poucas!). Pois rompeu até com os pais, que não se conformavam. E perdeu o belíssimo dote de Leda!

Foi um escândalo. Até porque ele saiu de casa em meio a um destampatório vergonhoso, num sábado em que Leda cismou de impedir que ele sumisse, como vinha fazendo todos os sábados. Xingou Deus e todo o mundo. Destratou a mulher na frente dos empregados e até de uma prima dela, que estava lá com duas mocinhas. Disse horrores sobre casamentos arranjados e o casamento em geral. Montou seu Buick branco e sumiu também naquele sábado, mas para nunca mais voltar. Nem as roupas foi buscar.

Uma semana depois, os pais dele convidaram Francisco para um jantar. Imploraram intercessão. Ele prometeu interceder e se empenhou ao máximo. Mas não adiantou. Não havia argumento que Carlinhos ouvisse.

Agora, mesmo só tendo de seu os honorários do escritório e os lucros da empresa de construção (que andavam minguados com aquela crise), lá estava ele, tirando férias! E para onde iria em pleno estado de sítio?

A cabeça latejava.

– "João Pessoa mantinha romance secreto..." Que diabo, esses jornais não vão parar de falar disso!?

Quando ia abrir outro, abriu-se a porta e entrou Evaristo Almeida e Silva.

– Pai, o que está fazendo aqui?!

– Viajei à noite e fui direto para o Sanatório Santa Catarina. (Sentou-se na cadeira à frente de Francisco.) Estou chegando de lá. Seu irmão está internado, em estado gravíssimo.

– O que houve? O senhor podia ter telefonado!

– Eu quis vir falar pessoalmente. Algumas coisas, por telefone, não dão certo.

O pai, de fato, tinha certa birra com telefone. Mas como estava abatido! Abalado, desdormido, tristonho como nunca. Francisco chamou a copeira e pediu dois cafés. Evaristo disse:

— Eu evitava lhe dar notícias dele, porque elas não eram boas e também porque você não queria mais ouvir falar dele. Uma vez até disse que não queria ouvir o nome dele, esquecendo que o nome dele é o meu...

Fez uma pausa, puxou o lenço e assoou o nariz. Depois continuou:

— Acontece que faz uns tempos ele deu de beber muito. E fumar. Acendia um cigarro no outro, disse o Galvão. Ficou desterrado naquele fim de mundo esse tempo todo, sabe como é... De vez em quando dava uma escapada para ver a mulher e os filhos, depois voltava contrariado. De uns tempos para cá a mulher também já andava diferente com ele. Desprezando mesmo. Umas coisas meio desagradáveis de contar. E os negócios lá em Presidente Wenceslau não iam bem. Você sabe que eu arrendei aquelas terras, porque ele não cuidava. Aí ele foi morar na cidade, viver do dinheiro do arrendamento. Mas não cobrava. Era enganado o tempo todo. Vira e mexe eu precisava mandar lá o Geraldo, para cobrar os rendeiros, senão nem esse dinheiro o desmiolado tinha. Bom, como eu disse, deu de beber. Aí pegou febre amarela. Complicou. Mas eu não estava sabendo. Só quando começou o vômito, o Galvão desabalou de lá me avisar. Eu logo viajei. Faz dois dias que não durmo. Percebi que os médicos de lá não iam dar jeito. Providenciei a transferência para cá. Ele foi internado, eu vim aqui.

Fez uma pausa, pôs a mão direita sobre a mesa, olhou para a janela ao lado e disse:

— Ele quer te ver. Quer pedir perdão. Está dizendo que vai morrer.

Francisco ficou calado. Evaristo continuou:

— Está um farrapo, só vendo. Não é nem sombra do que era.

— E o senhor quer que eu vá.

— Quero, quero muito.

— O senhor sabe que eu não quero ir.

Olhou o pai. Sentiu pena e raiva ao mesmo tempo. Depois de tremendo esforço, disse:

— Só iria para fazer a sua vontade.
— Quando vai?
— Amanhã.
— Pode ser tarde.
— Olha, hoje não dá mesmo.

O pai levantou-se, resignado. Francisco disse:
— Papai, vá descansar. Vá dormir. Mando lá a Judith e o marido.

Evaristo abria a porta. Parou e, de costas mesmo, disse:
— Não. Não saio de lá.

Francisco se levantou e gritou:
— Espere o café!

Ele já estava no corredor.

Em cima da mesa, os jornais, à espera. Sentou-se de novo, a cabeça doía miseravelmente. Dona Ermínia entrou com dois cafés e anunciou a chegada dos dois clientes com quem ele tinha reunião às dez. Francisco não tinha vontade de tratar daqueles assuntos, mas não podia escapar. Antes que entrassem, queria um remédio para a dor de cabeça.

Passou o dia irritado, ansioso. No fim da tarde teve certeza de que as notícias eram bem piores do que os jornais diziam. Mas era preciso confiar na vitória da legalidade.

Foi dormir cansado, quase esquecido de que no dia seguinte precisaria visitar o irmão.

Às nove da manhã, na recepção do Sanatório Santa Catarina, pedia notícias de Evaristo Almeida e Silva Filho. Depois de lhe perguntarem se era parente, informaram:

— Seu irmão faleceu às três da madrugada. Neste momento está sendo velado.

O enterro seria às cinco.

Às onze chegaram a mulher de Evaristinho, Cinira, Geraldo e Magdalena. Vinham diretamente da estação. Francisco em momento nenhum se aproximou do caixão.

Ficou sentado a um canto, ao lado do pai, mas pouco conversaram. Via nele um olhar de censura: tinha chegado muito tarde. Mas de que adiantaria aquela bobagem de perdão fingido? Só para agradar o pai, não ia ele fazer o que não queria. Estava mesmo era espantado de ver o velho tão abatido por causa daquele canalha; decepcionado por perceber nele um amor paterno nada desalentado com tanta patifaria. Então se pôs ali no canto, macambúzio, e ficou recebendo abraços afetuosos de quem via dor numa cara que era só azedume. O cheiro das flores o enjoava.

Dos planos de ascensão política, nula era a sobra. O país estava para explodir e ele estava ali, sentado, de braços cruzados, enfadado com as exéquias do irmão e enfezado com o enterro de suas esperanças.

Às duas da tarde foi preciso aturar a missa de corpo presente. Dantas, Helena e Immaculada chegaram na metade. Vinham dar os pêsames e oferecer apoio naquele transe; que desculpassem o atrasado da hora, tinham recebido a notícia à uma da tarde.

Naquele momento Evaristo já parecia mais conformado, ou, quem sabe, confortado pelo zelo de Cinira. Mas como Francisco temia aquele encontro! Só esperava que o pai fosse bastante discreto para que a família Dantas não desconfiasse do verdadeiro papel daquela turca que parecia já aceita e até estimada em Botucatu.

Francisco já quase se esquecia dos tormentos políticos, quando, saindo da capela, viu assomar na porta a cara aflita de José Sampaio Mattoso. José era homem do PRP, um desses ativíssimos membros anônimos, massa que plasma o verdadeiro corpo dos partidos políticos. Logo que avistou Francisco, aproximou-se rápido e, aproveitando o abraço, cochichou:

– O governo caiu.

Francisco só respondeu:

– Era de esperar.
– Bom, vim aqui só para avisar...
A conversa precisava ser interrompida. O caixão se fechava. O Mattoso devia sair com urgência, fazer novos contatos. Só teve tempo de aconselhar o amigo a sair de São Paulo.
Evaristo chorava sentido e discreto; ia amparado por Cinira. Olga, a viúva, gritava esmurrando o ar e o peito. "Fingida!", pensou Francisco e olhou Helena; a cena lhe parecia grotesca. A família que ele tinha para apresentar era aquela, mais aquele irmão afundado no ataúde (graças a Deus!), autor vitalício e póstumo de todas as suas vergonhas. O pai, único estandarte glorioso da família, estava esfrangalhado. E por quem? Pelo ordinário que ali jazia, merecedor de vala comum, mas a caminho de um jazigo perpétuo, com mausoléu e tudo!
Enterro feito, hora das despedidas, Francisco pôs Dantas a par da situação política e o aconselhou a mandar as mulheres para a fazenda. Depois que os três se foram, Evaristo se aproximou do filho e disse:
– Geraldo e dona Magdalena vão com você para casa. Eu vou para um hotel com Cinira.
Francisco chegou a estender a mão para deter o pai. Depois achou que era a melhor ideia.

Se tudo dói, o pai dói mais que tudo

Azedo Francisco estava e azedo continuou por muitos dias. Para ele, dias marcados pelo desengano, pelo sentimento inconfesso da humilhação. Coroando tudo, a traição do amigo e o abandono do pai. Era assim que sentia.
Carlinhos, a par do que corria nos bastidores políticos, tinha tirado férias para ir ao Rio aplaudir Getúlio. Mas esse era um caso perdido.
O pai doía mais. Depois do enterro, andava banzeiro, indiferente, desinteressado das coisas todas de antes. Falava

pouco. Para o filho, aquele mutismo queria dizer: "Você deixou de cumprir a obrigação número um do cristão: perdoar." É verdade que o pai nunca tinha sido dado a cobrar obrigações cristãs. Mas Francisco, sentindo-se acusado, esquecia de examinar quem era o real acusador.

Depois do enterro, foi para a fazenda com o pai. Mas este pouco parava em casa. Vivia arranjando desculpa para ir visitar Cinira. E o filho achava-se tão sozinho quanto em São Paulo. A distração era ir quase todos os dias até a cidade, receber ou passar telegramas, comprar jornais etc.

Mas, novembro já avançado, cansou. Tinha negócios urgentes para tratar. Resolveu voltar, desse no que desse. Quando estava aprontando as malas, Evaristo abriu a porta do quarto e disse que tinha um assunto sério para tratar com ele antes da saída. Esperava no escritório.

Chegando ao escritório, viu que o pai não estava sentado à escrivaninha, como fazia sempre, mas no sofá. Francisco puxou uma cadeira de braço, sentou-se ao lado e ficou esperando a acusação, já matutando a defesa. Mas a acusação não veio. Porque o que Evaristo fez foi dizer com ar solene que naqueles dias tinha pensado muito, que queria comunicar uma decisão: andava cansado da solidão e se casava. Francisco, que esperava recriminações, levou certo tempo na avaliação do que tinha ouvido.

Enquanto isso, o velho desembuchava projetos. Continuava na direção das coisas lá em Botucatu, mas iria delegar algumas tarefas. Aconselhou Francisco a dividir as atribuições de Mathias e Geraldo. Ali mesmo, havia homens capazes de assumir várias atividades. E passou a desfiar nomes e tarefas, num palavrório infindável; no entretempo, Francisco cismarento meditava a inimaginável ventura de se casar com a amante.

O casamento foi em janeiro de 1931. Como Evaristo tinha 63 anos, o regime foi de separação de bens. Sim, havia bens para separar, que Cinira já tinha muitos em seu nome. Ela, por sua vez, sabia que não se casava com o mesmo homem de dez anos antes, mas, como aquele tinha sido o homem dos dez melhores anos de sua vida, que fosse também o dos piores.

Pois são amargos todos os desterros
Aqueles meses e os seguintes foram difíceis. Os negócios se arrastavam. Além do revés político, era preciso se acostumar com a deterioração das coisas. O país ficar pobre não era o pior. Pior mesmo era ficar plebeu. Francisco não tolerava a vulgarização das pessoas, a abjeção dos costumes, a popularização do consumo. Poucos continuavam requintados. De todos os conhecidos, muitos aviltavam o estilo de vida com uma facilidade impressionante. Para ele, verdadeira prostituição. Que se lembrasse, só Helena resistia. A casa de Dantas acabou sendo uma espécie de refúgio. Como era noivo da menina, tinha pretextos, se não motivações, para ir lá com frequência. Ali podia encontrar gente interessante, que unia modos requintados e gostos refinados. Se bem que na família já se podia detectar certa preocupação com a frugalidade. Claro, a viagem à Europa acabou não sendo feita. Outra coisa: os recitais que de vez em quando Helena promovia, com cantores e pianistas até que famosos do momento, esses sumiram. Além disso, Dantas vendeu a casa de Campinas. E, na fazenda, Helena (acatando os conselhos de Francisco) tinha dado preferência à contratação de temporários na época da colheita, ficando com poucos empregados fixos para as outras atividades. Assim mesmo, nos últimos meses, muitos haviam sido despedidos. Dos que ficaram, vários tiveram o salário cortado pela metade. Dantas sempre relutava em tomar essas decisões. Mas ela não. Ela era realista. Menos economia se fazia no enxoval de Immaculada. Mesmo assim, o que não se perdeu em quantidade perdeu-se em qualidade: os importados

foram suprimidos. A certa altura, Helena cogitou em dispensar Annunziata. Duas mulheres tomando conta de Immaculada! Era coisa demais. Mlle Durbec era indispensável: tinha transmitido princípios e comportamentos irrepreensíveis à menina e contava com a afeição de todos. Seu único defeito era a incapacidade de conter os ímpetos locomotores da pupila. Em primeiro lugar, porque não podia ficar vinte e quatro horas grudada a ela. Por exemplo, no dia do sumiço do Divino, no momento em que Immaculada saiu de casa, onde estava Mlle Durbec? No banheiro! Claro, também Mlle Durbec frequentava o banheiro. Em segundo lugar (Helena suspeitava), ela talvez não visse tantos perigos nas andanças. Dantas, dessa vez, não se opunha. Mas, como a moça estava incumbida do enxoval, só faltavam dois anos para o casamento, e tudo ainda estava meio atrasado, ele resolveu comunicar a intenção a Francisco. Este não se fez de rogado: disse que pagaria o salário da italiana e aproveitou para fazer umas perguntas de um modo que, por trás do cantado da interrogação, fosse possível desvendar o velado das recomendações.

Francisco só não entendia por que, entre as pessoas que Helena acolhia em casa, nunca faltava o desagradável Hastings. Laura agora também começava a ser bem assídua. O moço reconhecia que eram pessoas inesquiváveis. Hastings era amigo de infância; Laura, a mulher que Carlinhos impunha aos amigos. Esta pelo menos era bonita; o que matava era a arrogância. Mas era uma arrogância silenciosa, de subterfúgios. Hastings, ao contrário, era um arrogante falastrão e rebarbativo. O último almoço em casa do Dantas já tinha sido digerido fazia tempo, e Francisco ainda regurgitava sua lembrança. A certa altura Hastings e ele começaram uma discussãozinha besta, e o mestiço de irlandês com moura cismou de citar Platão: o maldito grego teria dito que o homem oligárquico é guiado pela cobiça e pela pusilanimidade. Hastings falava com aquele arzinho irônico inaceitável. Claro que o homem oligárquico era ele, Francisco! Ele, ganancioso e pusilânime! Para começar, Hastings tinha uma mania de filósofo que era intragável! Francisco respondeu que aquele grego ultrapassado nem devia ser mencionado em política, pois tinha condenado (imagine!) a democracia. E que, se ele, Hastings, queria atacar oligarquias, que falasse em termos políticos claros, e não em termos pessoais indiretos. Ao que Hastings retrucou que Platão tinha condenado a democracia porque a democracia, nos seus excessos, sempre acaba em tirania. Exemplo, o que acabava de acontecer, já que ele queria falar da atualidade. Carlinhos ria. Claro, às custas do amigo, ou ex-amigo (Francisco nem sabia mais). E, quando os dois largaram teorizações antigas e entraram a falar da prática atual, o bate-boca quase ia virando quebra-pau, não fosse a diplomacia do Dantas...

Aquela hostilidade do Hastings Francisco não entendia. Inventariando motivos, concluiu que só podia ser coisa pessoal. Ciúme? Hastings gostava demais da menina. E foi pensando assim que Francisco decidiu aparecer semanalmente em casa da noiva. E, não estando a família em São Paulo, ia ele até Campinas. Mesmo correndo o risco de topar com Hastings.

Também voltou a frequentar a casa de Pontes. Aqueles olhos que despediam alma só agora lhe pareciam clarividentes. Naquele momento em que se percebia ingênuo e era chamado de pusilânime, passou a recolher as palavras de Pontes como quem recolhe gotas de chuva no deserto. Antes, só tinha ouvido a voz dos interesses pessoais. Achava que seria fácil abrir caminho empenhando toda aquela dinheirama em personalidades que depois o reembolsariam com juros. Passado o período da melancolia mais profunda, voltou com a humildade de quem se confessava o muito que tinha para aprender.

Mais que aprender pensando, Francisco aprendia sentindo. Trazia em si o amargor do desterro. Quantas vezes, andando pelas ruas, teve a impressão de ver em certos rostos as feições de seu futuro assassino. Aliás, era como se já estivesse morto. Parecia transparente. Por qual sumidouro infernal tinha entrado sua vida? Quem a vivia? Ou de quem era a vida que ele vivia agora?

Nem depois da traição de Lucinha tinha sentido tamanho desalento.

Incomposta violência dos estúpidos

Finzinho de maio de 1931, Carlinhos entrou em sua sala e disse, em resumo, que tinha embarcado em bonde errado. Falou em democracia, constituição, o diabo. Francisco não sabia se aquilo era sincero, ou melhor, se ele era ingênuo mesmo. Ouviu em silêncio. Como toda amizade velha, aquela também perdoava fraquezas. No fim de uma conversa que incluiu frases de reconciliação e até um abraço apertado, Carlinhos o convidou para uma reunião, começo de junho, no escritório de um advogado do Partido Democrático, na praça da Sé. Então o desabafo tinha essa finalidade: um conchavo. Aquela gente toda, que se achava muito esperta bandeando-se para um getulismo oportunista, agora voltava desiludida, querendo desforra.

Foi, mas ruminando pensamentos desse tipo. Por isso não se deixou cooptar. Encerrou a reunião dizendo que precisava pensar. Esgueirou-se.

Estava escuro quando chegou ao térreo. Eram seis e meia da tarde de um dia que tinha sido luminoso. Mas já fazia frio. Lá embaixo, percebeu que a praça estava bem mais cheia que de costume. Havia um comício. Um homem, num palanque improvisado, deitava considerações políticas. Francisco parou para ouvir. O orador arrenegava o corte nos salários e o desemprego. Conclamava os trabalhadores à união e à greve. Era o que lhe bastava. Francisco já sabia quem falava em cima daquele palanque. Só não sabia quem escutava. Olhava os rostos. Alguns, atentos; outros, esquivos, ouviam de passagem, a caminho do ponto de bonde; a multidão não estava compacta, mas não era muito fácil abrir caminho. Enquanto rumava para a entrada da XV de Novembro, ouvia gritos esparsos de "Apoiado!". Chegando lá, tentou enveredar pela rua, mas não conseguiu. Algum pega-pega na esquina, um aglomerado denso impedia a passagem. Não enxergou direito o que acontecia. Percebendo aquela assuada masculina entremeada de gritos femininos, teve a ideia de desviar pela rua Direita. Também ali a multidão se aglomerava. Tinha andado uns trinta metros quando alguém gritou: "A força pública!" Começou o corre-corre: uns corriam da praça, outros para a praça. Francisco tentava não correr. Dez passos adiante levou uma trombada brutal e cambaleou para trás. Mas não caiu, porque antes levou um tranco nas costas, que o empurrou para o lado e, aí sim, lhe deu um tombo. Ele logo se levantou e, assustado, foi amparar-se na parede da direita. Encostado nela caminhou até a reentrância da primeira porta que apareceu e lá se refugiou.

Pensava em ficar ali até que o tumulto se acalmasse. Não via a Força Pública. Mas ouviu um tiro, e então um grupo mais grosso desembestou da praça. Foi quando a porta se abriu e por uma fresta assomou a cabeça de um homem que lhe disse com sotaque italiano:

– Entra, *dottore* Almeida e Silva.

Francisco olhou desconfiado, não conhecia o homem. Então ele disse:

– Entra logo! Preciso fechar! (Francisco hesitava.) Entra, eu conheço o *signor* Evaristo!

Francisco entrou. Uma escadaria penumbrosa ia da porta até um andar lá em cima, que estava bem iluminado. Do lado esquerdo, uma portinhola aberta dava para uma loja. Agora se lembrava da loja! O cheiro ótimo! O italiano o convidava a subir. E Francisco subia, tentando se lembrar de onde conhecia aquele homem.

Lá em cima, desembocaram num escritório. O italiano então lhe estendeu a mão, dizendo:

— Alfonso Molinaro.

Francisco apertou a mão e perguntou:

— Eu o conheço?

— De vista. Eu me lembro bem do senhor. Mas quem se lembra bem de mim é o seu pai. E o seu irmão. Naquele tempo, o senhor estudava aqui. Eu era colono lá em Botucatu.

— Ah, que mundo pequeno!

Francisco olhou para a esquerda. Lá duas portas davam para um varandim, de onde devia ser possível enxergar toda a rua. O italiano continuava:

— Esta cidade está ficando cada dia mais perigosa. Só faltava comunista!

Uma das portas estava fechada, a outra, aberta, apesar do frio. Francisco tinha vontade de ir até lá, ver como andava o tumulto, mas se conteve.

O italiano, obsequioso, convidou:

— Senta aqui, *dottore*.

Apontou para uma cadeira defronte a uma mesa próxima à porta fechada. Na mesa, coberta por uma toalha, um prato com queijos, salames e iguarias em conserva, pão, uma garrafa de vinho, um copo pela metade, um prato, garfo e faca. O jantar do italiano tinha sido interrompido. Mas não se interrompia o seu falar.

— Eu estava justo aqui comendo. Porque é muito difícil eu voltar para casa a essa hora, sempre volto mais tarde... (De repente, pareceu lembrar-se de alguma coisa.) Aposto que o senhor está com fome. (Enquanto dizia isso, tocava solícito o braço de Francisco com a mão esquerda, enquanto o indicador da direita apontava em riste.) Fica esperando aqui, vou buscar alguma coisa para o senhor comer. (E começou a andar em direção à escada, mas parou.) Olha, não repara, é tudo sem luxo. Mas é uma delícia! (E beijou as pontas dos dedos.)

Sumiu escada abaixo.

Francisco foi até o varandim. Lá embaixo, a coisa parecia mais calma, mas muitos homens ainda iam e vinham. Uns poucos passavam quase correndo. Achava que já podia ir embora. Voltou para dentro. O italiano ainda não tinha subido. O escritório era espaçoso. Além da mesa improvisada para o jantar, mais três mesas. Uma ao fundo e duas de cada lado, mas não encostadas à parede. Junto às paredes, muitos armários. Em cima das mesas laterais, máquinas de escrever. A do fundo era a maior. Atrás dela, um retrato de Mussolini, com a bandeira italiana à direita, e a brasileira, à esquerda. Um arremedo de embaixada. Aquela devia ser a mesa de Molinaro.

O italiano brotou da escada como por milagre, com uma travessa cheia de queijos, salames e outros embutidos que Francisco não identificou. Pôs tudo na mesa, abriu um armário junto à parede e retirou mais um prato e um copo. De uma gaveta, tirou um garfo e uma faca. Enquanto fazia isso, não parava de falar, explicando onde morava, o caminho que fazia etc. etc. etc.

Depois, fez um sinal com a palma da mão aberta, voltada para cima, num convite cômico a sentar-se. Francisco percebeu que seria difícil sair. Tirou o chapéu, pôs numa cadeira e sentou-se noutra. O italiano afirmou:

– Aposto que conhece bem os queijos franceses.

Francisco fez um gesto de assentimento humilde com a cabeça.

– Mas não conhece os italianos.

– De fato, muito pouco.

– Então prove este – e estendeu um pedaço de queijo na ponta de um garfo.

Francisco provou. Achou muito bom.

— Com este vinho — dizia o italiano, despejando um líquido dourado e nobre num dos copos mais ignóbeis que já circularam, rolaram e se espatifaram na Pauliceia. Suspeito de vários delitos contra a higiene, aliás.
— Que queijo é esse? — perguntou Francisco.
— Um *caciocavallo ragusano.* Que acha?
— Ótimo.
— Pão?
— Pode ser, sim.
A fome era grande. O italiano o olhava comer, calado. Francisco achou que devia puxar conversa.
— Quer dizer então que foi colono lá na fazenda?
— Sim, fui.
— Quando?
— Até 1923. Trabalhei lá só três anos.
— Só três?
— É. O senhor seu pai não deve gostar muito de mim. Mas já faz tanto tempo! A gente precisa esquecer as mágoas, não é? Eu de vez em quando vejo o senhor passar aí pela rua e fico pensando...
— É dono daqui?
— Não. O dono é um patrício meu, Fulvio Mazzarini. Já ouviu falar?
— Esse nome não me é estranho.
— Ele está ficando muito rico. Chegou pobre e ficou rico, eu não. (Sorriu.) Eu trabalho pra ele. Tomo conta das lojas de comestíveis importados e *uguarias* finas. O senhor pode se abastecer aqui quando quiser. É só pedir qualquer coisa, eu dou um jeito de trazer, de encomendar, de mandar fazer. (Levantou-se e foi até a mesa maior, pegou um cartão de visita e o pôs à frente de Francisco; sentou-se de novo.) Aqui é meu quartel-general. Antes eu ficava o tempo todo lá embaixo. Agora, dirijo tudo dali (e apontou a mesa, debaixo do retrato de Mussolini). Nestas duas mesas se sentam os meus secretários.

Francisco olhava, mastigando, procurando imaginar dois secretários em duas mesas, fazendo o quê, mesmo?
Molinaro continuava:
– Sim, porque agora eu não cuido só desta loja. Agora sou gerente comercial do senhor Mazzarini.
– Ah! – soltou Francisco, admirando o poder de adivinhar pensamentos do seu novo conhecido. – Então os negócios cresceram bastante!
– Cresceram. Porque o único negócio que não vai à falência é o de comida. Isso já dizia meu patrício Mazzarini quando veio para cá. E com quem ele aprendeu isso? Aprendeu com o pai, que tinha açougue na Itália.
– Ah, tinha açougue...
– Tinha, em Roma. Por isso ele não chegou aqui com uma mão na frente, outra atrás, que nem eu. Não, ele já chegou com um dinheirinho. Um dinheirinho. Mas ele não queria dinheirinho, queria dinheirão, por isso veio pra cá.
– Quando?
– Em 1912. Antes da guerra. Sorte dele. Veio fugindo do pai, que era um tirano. Mais queijo, *dottore*?
– Pode ser, sim.
Molinaro cortou um pedaço de outro queijo, pôs no prato de Francisco e voltou a despejar vinho no copo. Enquanto isso, falava.
– Sorte dele. Não era de roça, era de cidade. Não quero dizer que é azar ir pra roça, quero que o senhor me entenda. Mas ele já tinha parente aqui, lá na rua do Hipódromo, uns parentes em boa situação. A gente costuma falar que ele chegou com duas riquezas: o dinheiro e a mulher, e que a mulher valia muito mais que o dinheiro, porque foi ela que começou a fortuna dele aqui no Brasil.
– Não diga!
– Digo! Lá na rua do Hipódromo, ela pediu emprestada uma portinha do lado da casa dos parentes e começou a fabricar massas. Nos fundos, ele montou uma

salchicharia. A salchicharia tinha bastante freguês, mas a mulher tinha muito mais, com as coisas boas que ela fabricava. Cada pão que aquela mulher fazia! Às três horas da tarde ela soltava uma fornada. Aquele cheiro se espalhava pela redondeza, a loja se enchia. Ela vendia as massas, o pão, e ele aproveitava para vender as linguiças. Dizia que com aquele pão, nada como aquela salchicha, aquele salame... em suma, foi assim que começou. A receita do famoso *coteghino* do Mazzarini é da mulher dele! Mas isso ninguém sabe, só os íntimos – finalizava com expressão de orgulho.
– Interessante. Aí ele logo cresceu?
– Em 1920, ele já tinha capital para aumentar o negócio. Montou uma venda maior na rua da Mooca. Lá ele vendia tudo o que vendia antes, mais os queijos que ele começou a comprar do pessoal italiano do interior. Em 1926, ele abriu esta loja para uma freguesia mais fina, com os importados, os vinhos, essa coisa toda. Aí ele procurou um gerente, e me achou.
Francisco fez um gesto de interesse.
– Naquela época eu era gerente de uma padaria. Aí eu saí de lá... o salário era maior! A vida era muito difícil...
Francisco se calava. Molinaro ficou pensativo. Lembrava, mas não sabia se devia falar, da vida de cão sem dono que levou depois da fuga. Ele, a mulher e os três filhos (só a moça era maior). Do trabalho de mascate, dos três anos de miséria e fome num cortiço infecto da rua Caetano Pinto, quando ganhava para uma refeição por dia. Mas, mesmo sem ter espaço para horta e galinheiro, como na fazenda, não se arrependia: odiava fazendeiros. Tempos duros, finalmente acabados. Agora, filha casada, genro com trabalho (era excelente encanador), os dois meninos indo bem nos estudos, a família respirava. E aspirava. Um dia voltariam. Era só uma questão de tempo. Fazia quase dez anos as notícias da Itália eram boas: recuperação econômica, emprego para todos. E Molinaro

tinha uma grande paixão: a família. Raiva mesmo ele tinha da elite brasileira e dos comunistas de todas as raças.

– Por que diz que meu pai não gosta do senhor?

Molinaro quase se sobressaltou com a voz do outro. Mas respondeu depressa:

– Porque nós saímos fugidos da fazenda. Por causa do seu irmão

– Ah... Acho que ouvi uma história...

– É. Deve ter ouvido, sim. Com todo o respeito, sei que o senhor deve gostar do seu irmão, afinal é irmão, mas sabe como é... Moço faz coisa que depois se arrepende... Vai ver que até se arrependeu do que fez, né? (E fez uma reverência do outro lado da mesa.)

– Ele já morreu – disse Francisco.

Molinaro soltou um "ah", pensou e disse:

– Meus pêsames... Então, que Deus o tenha, como se diz... De que morreu?

– Febre amarela.

– Ah! – disse outra vez o italiano. – Mas... Desculpa, Dr. Francisco, como foi isso? Febre amarela não mata rico...

– Ele estava longe, trabalhando longe, para lá de Presidente Prudente, foi socorrido tarde...

– Ah...

– Como foi mesmo aquela história? Não me lembro bem.

– Da fuga? Olha, a gente não fez por mal. O pai do senhor sempre foi um homem justo no pagamento, verdade seja dita... A gente até gostava de lá. Mas o moço foi desrespeitoso com a minha filha. O Giovanni (que é meu genro agora, naquela época era noivo dela) se enfezou. Puxou o facão. Aí ficou tudo difícil. A gente foi falar com o Dr. Evaristo, mas ele disse que a moça não tinha sido desonrada. Desonrada, desonrada, não tinha sido mesmo, *grazie a Dio* (e olhou para o alto, fazendo um arremedo

de sinal da cruz), mas corria perigo. Ele queria entregar o Giovanni pra polícia, dizendo que o filho dele tinha sido atacado. O jeito foi fugir...
Francisco olhava, silencioso. O italiano falava:
– Mas... Águas passadas não movem moinho, né? Prova este outro queijo.
Francisco olhou para o varandim. Os ruídos que chegavam da rua já não alarmavam. Era preciso ir embora.
– Então esse comício era de comunistas? – perguntou para arranjar uma desculpa e ir olhar a rua.
– É. Dos comunistas. Querem derrubar o governo.
Francisco sorriu e disse:
– Não são os únicos.
Mas logo se arrependeu. O italiano disse:
– É, não são.
Francisco não sabia bem em que terreno estava pisando. Seria melhor deixar o homem falar. E ele falava.
– Doutor, aqui no Brasil existe muita desunião. Ninguém percebeu que o importante é se unir contra essa caterva comunista. Em vez disso, fica todo o mundo brigando, numa confusão danada. Tem muita gente criticando o Getúlio, dizendo que quer democracia, constituição. Importante agora é outra coisa. Esse é o primeiro governo decente que este país tem! O mundo inteiro sabe disso, principalmente o Duce (e olhou para o retrato). Olha só esses comunistas. Querem derrubar esse governo. Mas não têm força. A força está nas armas ou no dinheiro. Mais ainda nos dois juntos. Eles não têm nenhum dos dois. São uns loucos. Graças a Deus que não têm. Porque, se tivessem, *mamma mia*! Os comunistas fazem comício, comício, comício. Mas o povo nem ouve o que eles falam. Eles aproveitam a hora de saída dos trabalhadores, quando a praça da Sé está cheia, para fazer comícios. Aí dizem que tinha muita gente no comício deles. O povo escuta e vai embora pra casa, comer seu feijão com arroz. (Francisco notou que os italianos não diziam "arroz e

feijão".) Isso quando escuta! Escreve o que eu vou dizer, doutor: o Getúlio sim, esse vai transformar este país. Como o Duce transformou a Itália. Porque eles dois são fortes, inteligentes; e do lado deles estão os homens mais fortes e inteligentes. Usar violência é fácil. Difícil é usar violência inteligente, como diz o Duce. (E declamou, olhando para a foto): *La violenza, per essere risolutiva, deve essere chirurgica, intelligente, cavalleresca.*

E voltando-se para Francisco:

— O contrário disso é a força *incomposta, stupida*. Esses comunistas são *incomposti, stupidi*! Desculpe, o doutor entende italiano?

— Um pouco. Deu para perceber o que o senhor disse — respondeu Francisco, entre o susto e a diversão.

— Este país está separado (e fazia um gesto de separação com as duas mãos): de um lado, os que têm só dinheiro; do outro, os que têm só trabalho. Como no tempo da Revolução Francesa. O senhor já leu sobre a Revolução Francesa? (Francisco acenou que sim.) Claro, o senhor é um *dottore*. O Getúlio está no meio, juntando os dois. (Agora fazia um gesto de união com os dois indicadores, lado a lado.) Inteligente é ele... Faz tudo com inteligência. Mas aqui tem gente que acha que o dinheiro sozinho tem força, e tem gente que acha que só tem força o trabalhador; é a força *incomposta, stupida*. Nenhum deles vai ficar no poder. Só quem une os dois. Mais vinho?

Francisco não respondeu. O italiano encheu-lhe o copo, esvaziando a garrafa. Francisco seguia pensando naquele discurso estapafúrdio, tentando ver nele um fio condutor que levasse a algum dos velhos caminhos trilhados pelo pensamento ocidental.

Quando Molinaro abriu a boca para continuar falando ouviu-se uma voz feminina lá embaixo:

— Molinaro, abre pra mim!

— Ah, a Natália – disse Alfonso, indo até o varandim.

Francisco aproveitou e foi atrás, para ver se as coisas estavam mais calmas. Tudo parecia normal. Começou a pensar em pegar o chapéu e despedir-se enquanto o italiano descesse. Mas ele não desceu. Foi até o topo da escada e puxou uma cordinha, que abriu a porta lá embaixo. Ouviram-se passos na madeira da escada e daí a pouco brotou uma morena alta, bonita, bem vestida. Assim que despontou no escritório, inclinou-se, deu um beijinho no rosto do italiano, dizendo:

– Como vai, meu italianinho? Ainda bem que você está aqui. O Dr. Fornari mandou avisar que quer o vinho para hoje. O motorista dele me deixou aí na frente, foi entregar uma encomenda na rua São Bento e volta daqui a quinze minutos. Você apronta a caixa, lindinho?

Só então viu Francisco. Olhou interessada.

– Ah, está com um amigo?

– Esse é o Dr. Francisco Moura de Almeida e Silva, famoso advogado. Vinha passando aí na hora da confusão, eu disse para ele entrar. Como vão as coisas aí nas redondezas?

A moça falava com Molinaro, mas olhava para Francisco:

– Muita confusão na XV de Novembro. Diz que um homem morreu.

Francisco ficou preocupado. Tinha deixado o automóvel na XV de Novembro. Disse que precisava ir andando, pegou o chapéu, o cartão de visita e começou a despedir-se, mas a moça disse:

– Melhor esperar mais um pouco. A coisa não está muito calma lá, não.

– Sim, sim, espera mais um pouco, Dr. Francisco. Mais uns quinze minutos pelo menos. Natália, vou precisar então aprontar a caixa de vinho. Vamos lá embaixo?

– Espera, Molinarinho! Enquanto você apronta a caixa eu quero comer um pedacinho desse queijo. Não vai me oferecer, não? Só para o amiguinho?

– Natália, esse senhor é um moço de respeito, advogado famoso e acho que casado...
– Viúvo... – emendou Francisco.
– Também sua mulher morreu? Oh! – admirava-se Molinaro.
Natália tomou o lugar do chapéu na cadeira. Francisco, em pé, de chapéu na mão, não sabia bem o que fazer.
Ela apontou a outra cadeira e disse:
– Sente aí.
Ele obedeceu.
Natália lembrava um pouco Helena no tipo físico. Estava com um vestido preto, cinturado, de decote quadrado e um casaco preto por cima. Quando se sentou, desabotoou o casaco para deixar à mostra, de propósito, o colo bonito, com dois pequenos montes forcejando a saída decote afora. Cruzou as pernas. Francisco sentiu ligeira pressão contra sua perna direita e, olhando para baixo, viu, sobre o fundo do soalho lavado, um pé bem calçado num sapatinho preto de camurça com presilha e botãozinho do lado. Um pé de boneca. Molinaro, sem saber muito bem o que fazer, disse que ia descer para pôr as garrafas na caixa. Quando desceu, Natália meteu na bolsa a mão direita sem luva e tirou de dentro um cartão de visita. Dobrou uma ponta e o estendeu a Francisco, dizendo:
– Estarei às suas ordens, quando quiser. Ligue antes.
Francisco pegou o cartão e enfiou no bolsinho do paletó. Com um sorriso sem jeito disse:
– Devo ligar, sim.
E estava sendo sincero. Natália parecia ser mulher discreta e requintada. Ele já sentia falta de alguém assim. Além disso, era bem atraente.
Levantou-se, improvisando uma fuga:
– Vou até ali ver se a coisa está mais calma.

E foi para o varandim. Ela foi atrás. Lá embaixo, a rua estava quase deserta. Na calçada do outro lado, um homem de capa escura acendia um cigarro, enquanto conversava com outro, vestido apenas de paletó, encolhido de frio. Natália olhava interessada, quase esquecida da presença de Francisco. Ele também começou a observar. O rapaz encolhido se afastou em direção à praça da Sé, e o da capa atravessou a rua. Nesse momento, um carro parou; dois homens desceram e agarraram o rapaz. Enquanto um lhe tapava a boca, o outro o imobilizava. Enfiaram o rapaz no carro e zarparam.

O homem de capa bateu na porta embaixo. A porta foi aberta, ele entrou. Natália caminhou para o escritório, dizendo a Francisco:

– Está tudo calmo. É melhor ir embora mesmo.

Molinaro subiu, ele se despediu, agradecendo. Desceu acompanhado pelo italiano (por que ele não puxava a cordinha de lá de cima?), mas não viu o homem da capa. A portinhola que dava para a loja estava fechada.

Saiu. O ar gelado começou a atravessar o pano do paletó. Lembrou-se do rapaz, encolhido. Na XV de Novembro, encontrou o carro em ordem. Dentro, o capote. Ficou mais tranquilo. Abriu a porta, vestiu o capote, meteu-se no carro e suspirou aliviado. Que espécie de mundinho grotesco tinha conhecido naquele dia? Saiu dirigindo devagar, pensando em tudo o que havia acontecido. Precisava falar com o Pontes. Os ex-amigos preparavam uma insurreição. O que diria deles o Molinaro? Que eram *incomposti, stupidi*? Eles, que não se conformavam? Francisco, o cobiçoso pusilânime, estava conformado. Esmurrou a direção.

– Irlandês de meia-tigela! Espere só para ver quem é Francisco Moura de Almeida e Silva!

E a mala ainda espera Benjamin   Os faróis do carro atravessaram as grades do portão, invadiram o jardim e transformaram o vulto escuro num corpo luzidio e agitado de olhos diamantinos: Rubião saudava o dono. Francisco desceu, abriu o portão, o cachorro saiu saltitando e se instalou no assento. Entraram juntos na casa.

Eram nove e quinze. Francisco queria dormir cedo, o dia tinha sido cheio. Fechou a porta, tirou o chapéu, esticou a mão para o cabide e se lembrou do sonho daquela noite. Davam-lhe um conto para ler. O nome do conto: *Benjamin antes da mala*. Era a história de um porteiro que um dia teve um sonho. Sonhou que alguém chegou até a portaria, abriu uma mala, tirou uma arma e lhe deu um tiro. A partir de então, todos os que chegavam à portaria e faziam menção de abrir a mala levavam um tiro do porteiro. Certo dia, chegou lá um homem chamado Benjamin. Sua mala se extraviara. Por isso, estava nu. E, esperando a chegada da mala, girava nu pela portaria. Não levou nenhum tiro porque não tinha mala. Mas, por não ter mala, não entrava. E quando a mala chegasse? Francisco acordou.

Sutil veneno a alma me enregela   Deitou-se eram dez. Não tinha soado meia-noite quando acordou molhado de suor. Tiritava. Uma angústia inexprimível lhe gelava o peito. Não sabia o que tinha, só sabia que passava mal. Pulou da cama e desabalou em busca do banheiro. Não teve tempo de chegar lá. Foi o chão do corredor que recebeu a primeira golfada do vômito fétido. A segunda foi para o chão do banheiro. Do vaso sanitário foram as outras: uma, duas, três... Era como se o seu tórax estivesse sendo comprimido e distendido por mãos gigantescas, poderosas, estranhas à sua vontade. E a força desses movimentos opostos ia ficando mais intensa à medida que as golfadas se repetiam. Na quinta, Francisco percebeu que a mesma força irreprimível de expulsão agia também nos intestinos, e, mal tinha acabado de baixar as calças já enodoadas, de seu ânus jorrou um jato pútrido que foi rebentar contra a borda do vaso sanitário, poluindo suas paredes e espalhando um cheiro abominável por grande parte da casa. Depois do primeiro jato veio um segundo e, enquanto o intestino amotinado saraivava merda sanguinolenta para dentro do vaso, o estômago enfuriado tratava de expelir onde quer que fosse tudo o que ainda restasse dentro de si, como se a tal situação fosse impelido pela real intenção de se enxotar de dentro daquele corpo que ofegava, gemia, quase chorava de consunção e de dor.

Terminada a primeira arremetida daquela subversão orgânica, Francisco, do assento do vaso a que parecia condenado, viu Rubião sentado à porta, expressando, com a simples posição das orelhas, toda a sua profunda consternação canina. O nariz, funcionando irrequieto, buscava explicação para toda aquela gama de odores que percorria os ares habitualmente tão inequívocos daquela casa.

Francisco levantou-se, arrancou a roupa, abriu o chuveiro e enfiou-se embaixo, na tentativa de se livrar daquela podrura toda que persistia pelo chão e pelo ar. Mas, quando ainda nem se achava limpo, uma nova golfada precipitou-se da boca ao chão, como que num arremessão suicida. Ao mesmo tempo, um novo jato de material asqueroso e tépido lhe escorria pernas abaixo.

Durou no máximo sete minutos toda aquela revolução: o suficiente para se criar um descalabro indescritível naqueles recintos. Depois de furiosamente assaltado, Francisco não tinha forças para limpar a porcaria. Embrulhado no roupão de seda, só pôde limitar-se a não pisar nela, a caminho do quarto, no que foi habilmente imitado por Rubião. Chegando lá, atirou-se na cama. Mas não conseguia ficar. Com uma dor infernal de estômago, virava-se e revirava-se. Achou que ia morrer. Certeza tinha de envenenamento. Como podia ter sido tão ingênuo? Aceitar convite de desconhecido para entrar num lugar suspeito daqueles! Aquilo não passava de um envenenador. Confirmava-se a fama que tinham todos os italianos. Mas por que diabos aquele ali queria matá-lo? Por causa do irmão, claro! Lembrou-se do sonho da noite anterior. Tudo se encaixava. Ele era Benjamin, o irmão mais novo. O porteiro era Molinaro. O que abriu a porta. Lógico! Ele bem reconhecia aquele monete, aquele couro cabeludo reluzente, moreno, debaixo de poucas dúzias de fios. Era ele, o porteiro que não atirava. Não atirava nele, que estava nu. Não atirava, mas envenenava. Era a sua *vendetta*. Dez anos depois, das profundezas do passado, surgia um vingador de mais uma afronta daquele miserável! Tudo era coerente: ele ia morrer.

Mais uma contração do tórax, e subia mais uma golfada que, na ânsia de sair, se arrojava ali mesmo, no tapete: pura bile agora, que Rubião cheirava de longe, ressabiado.

Na certeza de que ia morrer, Francisco correu até a cozinha, abriu a porta. O ar da noite envolveu seu corpo numa couraça de gelo. Fechou a porta: daquele jeito ainda pegava um resfriado. Foi até o vitrô e de lá gritou com voz rouca, de soldado ferido em campo de batalha:

– Judith!

Judith deu um pulo na cama. Tomé acordou.

– Alguém me chamou – disse ela.

– Que nada. Foi sonho.

Judith prestou atenção. Silêncio. Quase se deitava de novo, quando ouviu:

– Juditeee!

– O Dr. Francisco está chamando!

Quando Judith entrou na cozinha, Francisco, mal embrulhado no roupão, gemia baixinho, sentado numa cadeira, com os cotovelos na mesa. Mas não teve tempo de explicar o que tinha. Precisou sair correndo de novo pelo corredor, com Rubião nos calcanhares. Dessa vez nenhum dos dois evitou pisar nos vestígios do mais sutil dos envenenamentos de que se tem notícia: o da alma.

Judith deu-lhe um chá santo, limpou santamente toda aquela imundície e esperou com paciência de Jó que o dia clareasse para chamar o Dr. Barcellos. Quando o médico chegou, Francisco dormia angelicalmente. Rubião ressonava ao pé da cama.

E tinha as orlas cheias de cerejas

Entre a redonda e a gótica, preferiram a inglesa. Os monogramas obedeceriam ao esquema de um triângulo invertido: das letras A e S quase unidas, no alto, penderia o D de Dantas, num entrelaçado harmonioso que devia traduzir a união feliz de duas famílias. Toda a roupa de cama e mesa receberia esse monograma. As combinações de cores seriam discretas: sépia e rosa sobre marrom e bege, tons claros de lilás sobre marinho, cinzento e prata sobre branco. Duas das toalhas de mesa eram agraciadas com ouro. Tudo foi planejado com a precisão da engenharia doméstica. Helena ditava números, estilos, cores. Annunziata apresentava técnicas, métodos, soluções. Procedia-se com calma e disciplina: dois anos havia ainda pela frente. Immaculada participava. Era aluna atenta, não muito mais que isso. Chave do enlace, fazia as coisas como quem cumpre um ritual criado desde toda a eternidade por algum deus insondável. Com paciência, Annunziata praticava e ensinava minúcias e truques para a perfeição dos pontos. Todas as tardes, assumia seu posto na sala de costura. Às quartas-feiras, era acompanhada por Immaculada, que nos outros dias tinha aulas com Mlle Durbec e com o professor de latim e português que vinha da cidade. Mais um ano, e seus estudos seriam dados por findos. A menina já tinha bons conhecimentos de matemática: chegara à regra de três e a rudimentos de álgebra; conhecia o teorema de Pitágoras e suas aplicações e fazia de cabeça contas de porcentagem. Escrevia bem em português e francês. Graças à simpatia de Hastings, tinha logo tomado gosto pelo inglês. Sabia latim bastante para se enlear melhor nos meandros da religião cujos murmúrios tinham servido de pano de fundo a seu batismo e um dia urdiriam sua extrema-unção. O trabalho subterrâneo dos pais, a assistência paciente da francesa tinham sido inestimáveis para a construção de uma cultura que poderia surpreender quem não conhecesse o hábito que a mocinha cultivava desde a infância: ler, ler e ler até que os olhos se fechassem, todas as noites.

As tardes que Immaculada passava na sala de costuras, com Annunziata, podiam até ser honradas pela presença de Mlle Durbec, que, se solicitada, lia alguma coisa em voz alta para as duas. Não era incomum a presença de Helena. Duas vezes por semana, o grupo era embalado pelo *prestissimo* de uma máquina de costura que ponteava a um canto.

A sala não fazia parte do corpo da casa. Era uma espécie de anexo que, para quem olhasse dos fundos, se situava entre a porta da cozinha e as dependências da lavanderia. Salão grande, envidraçado, cercado de trepadeiras, estava voltado para a face oeste, portanto era banhado pelos raios intensos do sol desde uma hora até as seis da tarde, no mínimo. Agasalhava no inverno, sufocava no verão. As seções de trabalho começavam por volta das duas e terminavam pouco depois das cinco, quando não por volta das seis.

Se Immaculada sentia prazer no trabalho? Preferia a pintura. E pintava até muito bem. Numa das visitas de Carlinhos à família, em São Paulo, Laura viu alguns quadros. Interessou-se. Disse que a menina merecia um bom professor de pintura. Era preciso desenvolver aquele talento.

Dantas ponderou que seria melhor uma professora. Laura pensou e disse que tentaria encontrar alguma. Immaculada esperava. Que o inverno passasse. Mas ainda era maio. Enquanto não tinha professora, exercitava-se copiando figuras humanas, usando elementos básicos de desenho, aprendidos com Mlle Durbec.

Na tarde em que Francisco conheceu Molinaro, Immaculada bordava uma toalha de mesa. Não uma toalha para grandes ocasiões; as importantes ficavam a cargo de Annunziata. Bordava uma toalha singela, para a intimidade de todos os dias; aquela tinha orlas semeadas de cerejas. Bordava com aplicação de boa aluna. Aliás, gostava de bordar porque, enquanto ia passando a agulha pelo tecido, pensava, cismava, ensimesmava-se, e ninguém notava. Naquele momento, por exemplo, pensava num modo de desenhar melhor os membros humanos, a mão principalmente. Lembrou-se do antigo álbum de arte grega, presente do pai. Onde estaria mesmo? Fazia tempo que não se entregava à admiração do semideus Alexandre. Enquanto bordava a ponta de uma folha, sorria, lembrada dos sonhos que tinha com o guerreiro. Mas onde teria deixado o álbum? Disse a Annunziata que precisava ir até a biblioteca pegar um livro de desenho. E saiu. "Algum livro de riscos de bordado", pensou a italiana.

Tinha quase certeza de que estava lá. Percorreu as prateleiras: o livro era esguio e alto, devia destacar-se dos outros. Mas não se achava. Immaculada precisava voltar ao bordado. Não tinha vontade. Chegou até a janela e olhou. De lá se via uma aleia empedrada: à esquerda, o amarelo deslumbrante das giesteiras sobre um tapete vermelho de capuchinhas, um tanto desbotado naquela época do ano. À direita, uma renque entrelaçada de branco, vermelho, púrpura, maravilha e ouro: eram as primaveras debruçadas na cerca. Mais um mês, e seria a vez do lilás, do branco e do róseo das azaleias, ao redor da casa. Depois, só depois, em setembro, o amarelo e o roxo dos ipês. Uma semana de ipê e depois... Depois São Paulo.

No fim da renque de primaveras, a casa do administrador, o escritório, onde ficava a contabilidade. Uma negra saía de lá com uma vassoura, varria a calçada em volta. Era Joanita. Immaculada encostou a cabeça ao vidro. Tinha saudade de Joanita. Não daquela que varria a calçada. Da outra, da menina atrevida e alegre, com uma trança de cada lado da cabeça, como um açucareiro com cheiro de laranja. A Joanita que varria a calçada era a moça conformada, bem-mandada, domada. Era a Joanita que já não se dava o trabalho de cruzar o fosso cavado entre as duas. Queria matar a saudade da amiga. Foi até a porta da biblioteca, olhou o corredor: de lá da ponta, vinha entrando a figura esguia de Mlle Durbec. Esperou que ela chegasse, pondo-se a vasculhar livros. A francesa entrou e perguntou se ela tinha achado o que procurava. Immaculada disse que sim, que logo voltaria aos bordados. A francesa deu meia-volta e enveredou pelo corredor. Immaculada saiu de casa.

Percorreu a aleia com pressa. No fim, parou. Mas a amiga não parou de varrer. Continuava. Só levantou os olhos. Immaculada disse:

– Joanita, você está boa?
– Sim.

Continuou varrendo. Que mais perguntar? Como dizer da saudade, do sentimento terno que persistia? Não havia como. Só o ruído da vassoura na calçada e a palração dos cambacicas nas árvores: nenhuma palavra.

De repente, Immaculada teve a ideia de perguntar:
– Está precisando de alguma coisa?

Joanita parou, olhou a amiga como quem não entende a pergunta. Até que enfim uma pausa naquele varre-varre. Mas o olhar era de chumbo. A negra parecia perguntar: "Está achando que preciso de você para viver?" Como um relâmpago, voltou-lhe a antiga imagem: "Leitinhooo." Mas antes que Joanita dissesse qualquer coisa, um vulto humano surgiu na porta da sala da contabilidade. Era um rapaz. Na mão, um cigarro. Parou na soleira, olhou o céu, o chão e finalmente pressentiu os dois vultos femininos. Olhou para as duas, mas seu olhar parou em Immaculada.

Immaculada também olhava. No rosto, a expressão serena de sempre. No olhar imenso, a amenidade das emoções comedidas. Na boca pequena, sombra alguma de sorriso, desgosto ou surpresa, nenhuma fagulha do calor intenso que medrava por dentro. Foi uma contemplação de poucos segundos, daqueles que acendem paixões com peso de pedra e consistência de fogo.

Dentro da casa, alguém disse alguma coisa. O moço, sempre olhando para Immaculada, deu a última tragada, jogou o cigarro e entrou. Só então ela olhou de novo para Joanita, que, meio sustentada pelo pau da vassoura, observava a amiga.

– Quem é? – perguntou Immaculada.

A negra recomeçou a varrição e respondeu:

– O irmão de dona Annunziata. Não conhecia, não? Mas moça noiva não deve ficar por aí, olhando e sendo olhada.

Sentiu-se em pecado. Arrependida de ter ido, começou a voltar, sem nem perceber que voltava. Na lembrança, só a intensidade daquele olhar que nunca tinha visto em homem nenhum. No primo talvez. Um pouco. Porque no primo pulsava o brilho febril da cobiça servil e desesperada, enquanto naquele ali vibrava a cintilação fria da certeza da posse. Aquele olhar era um garrote.

Entrou na biblioteca e sentou-se na cadeira do pai. Fechou os olhos e lá ficou alguns minutos, tentando entender. Quando abriu os olhos, viu-se diante da figura de Annunziata. Não tinha percebido a sua entrada. Annunziata perguntou se ela estava bem.

— Acho que vou ficar resfriada.

A italiana aproximou-se, pôs a mão na testa da menina.

— Não tem febre. Quer ir deitar?

Immaculada foi para o quarto. Fugia, achava. Lá dentro, começou a imaginar o que faria para saber mais sobre aquele homem. Perguntar a Annunziata? Difícil: seria confessar o crime de ter saído de casa desacompanhada. Tentar arrancar alguma coisa de Joanita? Impossível: a moça parecia arredia. Esquecida do livro de arte grega, ali deitada, de repente deu com o olhar naquela forma esguia, no alto de uma prateleira. Foi pegá-lo e começou a folhear. Parou em Alexandre. Agora não passava de estátua fria. Pegou um lápis, abriu o caderno de desenho e começou a traçar um rosto masculino: cabelos em desalinho, olhos não muito grandes, um tanto fundos, nariz afilado, narinas abertas, lábios carnudos, barba rala, por fazer... Tentou dezenas de vezes. Sentiu sono. Alguém bateu, ela fechou o caderno. Helena entrou, perguntando-lhe se estava bem. Immaculada disse que não muito. Não queria jantar. A mãe veio ver se ela estava com febre. Não, não estava. Insistiu mais um pouco, acabou desistindo, saiu. Immaculada acabou dormindo sobre o caderno de desenho.

Não tinha soado meia-noite quando acordou morta de fome. Saiu pé ante pé (Mlle Durbec tinha sono leve) e foi até a cozinha. No fundo de um bule, leite fervido. Misturou café. Comeu pão, banana, biscoitos. Voltou ao quarto, sentou-se de novo à mesa, abriu o caderno e continuou tentando. Eram quatro da manhã quando lhe pareceu ter conseguido o rosto que queria. Mas ainda haveria de aperfeiçoar os traços. Depois que tivesse aulas de desenho e pintura, conseguiria um retrato de verdade. Assinou embaixo e pôs a data: maio de 1931.

Às oito e meia, Helena entrou no quarto. Immaculada dormia profundamente.

Víeis na aleia giestas e esperáveis

O tempo passado na biblioteca aumentou a partir daí. A aleia era contemplada, esquadrinhada, desenhada. Mas só flores havia nos desenhos. A figura humana esperada não aparecia. A porta do escritório da administração não era visível daquele ponto de vista. E as pessoas que frequentavam o local não pareciam dignas de figurar naqueles quadros. Joanita varrendo a calçada, em outras circunstâncias, talvez tivesse sido um ótimo motivo. Mas agora tinha perdido o colorido.

Uma semana se passou sem o resultado esperado. Parecia até que aquele homem não existia. Na quarta-feira, lá pelas nove da manhã, Immaculada viu Annunziata chegar pela aleia. Vinha com o irmão. Lá na extremidade, os dois pararam e, depois de conversarem alguns minutos, ela se ergueu nas pontas dos pés, tomou o rosto dele nas mãos e deu-lhe um beijo de despedida. Immaculada observava atenta, ofegante. Na primeira vez tinha parecido um pouco mais alto. Os cabelos ela achava que eram um pouco mais escuros. Talvez efeito do sol da manhã. A impressão era de que a barba dessa vez estava feita. Mas os detalhes do rosto se perdiam.

Annunziata entrou e ia passando pela frente da porta da biblioteca, quando Immaculada se adiantou para recebê-la. Disse bom-dia e já foi perguntando:

– Você tem namorado?

Annunziata olhou intrigada, testa franzida. Immaculada completou:

– É que eu vi um moço chegando ali com você.

A italiana riu curto e seco, depois disse:

– É meu irmão, Paolo. Faz um mês que está trabalhando com o seu Crispim, que vai sair na semana que vem.

Entrou na biblioteca, pousou no chão a sacola que trazia e perguntou se podia sentar-se para conversarem um pouco. Tomou assento e, olhando para a janela que dava para a aleia, sem encarar Immaculada, disse pausadamente:

– Por que você perguntou se ele é meu namorado, se sabe que é meu irmão?

Immaculada não respondeu. A italiana desviou devagar os olhos da janela e fitou a menina. Não recebendo resposta, continuou:

– Eu fiquei sabendo que na semana passada você esteve lá (e apontou para a extremidade da aleia), conversando com a Joanita. Meu irmão te viu. Eu sei, porque naquele dia ele me disse: "Conheci a filha do patrão." Immaculada, você sabe que está proibida de sair andando por aí sem companhia. Eu não contei nada porque não quis comprometer meu irmão. Mas agora, que você vem me perguntar se ele é meu namorado, eu me sinto no direito de perguntar: "Por que fez essa pergunta?" Está aí uma coisa que eu não consigo entender.

Immaculada abaixou a cabeça e disse:

– Eu não reconheci...

Annunziata demorou uns segundos para dizer:

– Então está explicado. Mas, por favor, não saia mais sem avisar, porque então eu vou ser obrigada a contar tudo à sua mãe.

Immaculada intuía todas as ambiguidades de Annunziata. Empregada da casa, tinha poderes sobre ela. Falava com autoridade, mas também com cumplicidade. Agia com submissão e atrevimento ao mesmo tempo. Parecia desconfiada, procurando atrás do dito o não dito. Podia ser até respeitosa, mas nunca reverente. Não silenciava discordâncias, mas, percebendo que não seria ouvida, fechava-se em copas, num silêncio cheio de subentendidos. Daquela vez não tinha deixado escapar a oportunidade de insinuar que Immaculada era mentirosa e desobediente. Tinha até dado a entender que ela teria motivos ocultos para fazer de conta que não conhecia um homem que de fato conhecia. Mas nada disso pesou. O que pesou para Immaculada foi uma conclusão aparentemente lógica: "se Paolo contou à irmã que me conheceu, foi porque gostou de mim". Essa ideia brilhou como um relâmpago e ofuscou todo o resto. Immaculada sorriu, abraçou Annunziata e disse:

– Prometo que não faço mais.

E, dizendo isso, aguçava o olfato, tentando sentir na irmã o cheiro do irmão.

Os sentimentos de Annunziata por aquela família não eram inequívocos. Helena, para ela, imperava com mansidão inflexível, solicitava sem aceitar não, sorria sem desejar retribuição, nunca censurava, mas não lisonjeava, era cordial, mas impessoal. Annunziata, acostumada à franqueza, à agressividade ou à carícia, sempre sem rodeios, era peixe fora d'água. Mas nunca pensou em imitar os modos da patroa. Fechava-se, para não causar má impressão e não perder o emprego.

O que ela não contou a Immaculada foram os comentários do irmão. Disse ele que saiu da sala para fumar e deu com uma mocinha tão bem vestida, bonitinha, fina e elegante, que logo se via: era a filha do patrão. Coisa que Joanita depois confirmou. Aí o moço perguntou com malícia, à irmã, se a filha do patrão, afinal, não estava proibida de sair sozinha.

No dia seguinte, a caminho da fazenda, Annunziata ia pensando se devia ou não contar aquela andança à patroa. No fim, resolveu que não. Não para evitar pôr o irmão em maus lençóis, mas por sentir que aquela informação, usada na hora certa, lhe daria alguma forma de poder. Além disso, contar uma coisa daquelas a Helena era prestar um serviço que ninguém havia pedido. Tinha ar de reverência, de salamaleque servil. E talvez houvesse na italiana uma indisposição básica para colaborar com Helena, uma prevenção tão onipresente, que invisível.

Com o tempo, Annunziata tinha adivinhado em Immaculada um ser diferente da mãe. Mas nem por isso se afeiçoou. Percebia na menina uma vulnerabilidade que lhe inspirava certo desprezo. Não foi sem satisfação que ficou sabendo da desobediência: aquele ato punha em xeque a autoridade imperial de Helena.

Um dia, enquanto bordavam, Annunziata perguntou a Immaculada se sabia o que os maridos fazem com as mulheres quando os dois estão sozinhos no quarto. Immaculada deu de ombros, gesticulando um "não sei bem". Pergunta inesperada, de fazer perder o prumo. Annunziata então disse:

– Qualquer dia eu conto. Mas você não pode dizer nada a ninguém. Só quando eu tiver certeza de que vai guardar segredo, eu conto.

Serviu de feitiço. Immaculada ficou pendente dos beiços de Annunziata. Deles, qualquer dia, sairia uma revelação emocionante. Mas não saía. A italiana resistia, e assim se criava entre as duas uma espécie de intimidade com que Helena nem sonhava. Quando as mulheres todas se juntavam, Annunziata era austera, rígida até. Fora daquele círculo, sozinha com a menina, era um poço de malícia. Immaculada a cortejava. Por tudo isso e também por ser a irmã do homem que, sem saber, tinha desfeito aquele fastio de vida dos últimos tempos. Immaculada agora já não esperava ansiosa a chegada de setembro, a volta para São Paulo, as aulas de desenho. Desejava ficar lá, ao pé da janela, na biblioteca. Qualquer vulto lhe parecia Paolo. Mas nem sonhava ir até lá. Em vez disso, aproximava-se de Annunziata cada vez mais. Só dos lábios dela podiam brotar as informações mais importantes da vida

A mosca fixa presas de iguarias

– Princês!

Era o Carlinhos abrindo a porta e ressuscitando um velho apelido de escola.

– Trouxe o jornal. Melhorou?

Rubião foi receber o amigo, abanando o rabo.
— Ô, Rubião camarada, como vai o seu cachorro?
E atirou o jornal na cama. Francisco o abriu. Carlinhos, afagando Rubião, perguntou:
— Melhorou, Princês?
— Estou melhor, sim.
— Mas o que aconteceu? Diz a Judith que você vomitou as tripas.
— Que exagero!
— Está procurando o quê no jornal?
— Notícias da confusão de ontem na XV de Novembro. Dizem que um homem morreu, mas eu não estou vendo nada aqui. Quando você atravessou ontem a praça da Sé, não viu nada?
— Não atravessei, subi a avenida da Liberdade. Está esquecido? Agora eu moro na Chácara Quebra-Bunda!
— É verdade, eu sempre me esqueço.
— Mas, afinal, por que passou tão mal? Bebeu?
Francisco contou o episódio da entrada na loja de Molinaro. Carlinhos demonstrou surpresa. Disse que o italiano vendia produtos excelentes, que Leda sempre havia sido e decerto continuava sendo freguesa dele (não tinha certeza, porque não conversava com a ex-mulher), que ele era ótimo comerciante, fazia entregas em casa etc. Que Francisco experimentasse comprar dele, não iria se arrepender. Francisco disse que tinha até acreditado em envenenamento. Carlinhos ria.
— O que é isso? O Molinaro não é assim tão perverso. Você deve ter misturado muita coisa. Foi ou não foi?
— Eu comi muito. Misturei mesmo. Uns queijos fortes, uns embutidos estranhos. Estava morto de fome. Mas alguma coisa me impressionou mal naquele lugar. Quando eu saí de lá, me senti aliviado.
Então contou a história do rapto e do sujeito que entrou na loja, omitindo Natália.
Carlinhos ouviu interessado. Depois disse:

– Será possível...
– O quê?
– Existe uma briga de italianos, fascistas e antifascistas. O Molinaro é fascista roxo. O Fulano que entrou na loja era italiano?
– Não vi, não ouvi nada. O tal rapaz conversava confiante com aquele sujeito, depois se afastou sem pressa. Parecia um encontro marcado. Talvez por estar havendo um comício de comunistas, eu tive a impressão de que o rapaz era comunista.
– E o da capa um agente infiltrado?
– Como saber?
– E o Molinaro um alcaguete?
– Você acha possível?
– Não sei. Seja como for, a briga é lá deles e eu não me meto. Pensou na história de ontem?
– Não deu. Você está vendo que nem sequer comi hoje.

Carlinhos abaixou a cabeça pensativo, parecia frustrado.
– Está precisando de alguma coisa?
– Não, não, obrigado. Amanhã não devo ir ao escritório. Nos vemos depois de amanhã.
– Entendido, Princês. Qualquer coisa, avise. Estimo as melhoras.

Bateu continência e saiu.

Na noite seguinte, Francisco foi à casa de Pontes. Conseguiu conversar em particular com o velho, para lhe perguntar se ele tinha conhecimento de algum possível levante em São Paulo. Justificou a pergunta dizendo que tinha ouvido conversa de passagem. Comentou que uma campanha constitucionalista enérgica seria mais do que justa e oportuna. Pontes respondeu que não sabia de levante algum. (Estaria mentindo o Pontes?) Francisco perguntou qual seria a sua opinião, se a coisa fosse além de simples boato. Ele respondeu, no seu costumeiro estilo sinuoso:

— Em primeiro lugar, muito me admira o fato de alguém ter lançado ao ar conversa tão importante, que jamais deveria ser ventilada. Mas, como o senhor é homem honrado, acredito que assim tenha sido e só posso tachar de levianos aqueles que ventilaram coisa tão grave, expondo muita gente a grande perigo.

Francisco atalhou:

— Eu não falei em trama, complô, nada disso. Conversas esparsas, um certo desejo no ar...

— O senhor só viria falar comigo se esse desejo espalhado pelo ar já o tivesse contaminado...

— Não, não, em hipótese nenhuma. Quero dizer, nenhum desejo me contaminou. Muito pelo contrário.

— De qualquer modo, o senhor está querendo saber o que eu acho da possível concretização de um desejo diáfano que paira pelo ar da Pauliceia.

Francisco sorriu. Pontes continuou:

— Eu não aconselharia a concretização dessa veleidade. O equilíbrio de forças políticas e militares nos é desfavorável neste momento. Não discuto a justeza dos motivos, que, evidentemente, não sei quais seriam, visto estarmos falando de vagos desejos. Mas, como em todas as lutas políticas, é bem possível que as alegações sejam sublimes, e a realidade, mesquinha. Entre a defesa de ideais e a vingança de interesses frustrados, a linha divisória costuma ser mais diáfana do que os desejos de que estamos falando. Mas isso no momento não tem muita importância. O importante é que agora não teríamos condições de alcançar vitória em nenhum confronto militar.

Francisco voltou, pensando se a atitude do velho Pontes naquele momento não era a reação ressentida de quem um dia deixou de ser ouvido.

No dia seguinte, estava recolhido à biblioteca do escritório, estudando um caso, quando Carlinhos entrou. Sentou-se ao lado, quieto, abriu o Código Civil e ficou absorto, parecendo esquecido do amigo. Mas não lia. Fixava uma mosca. Via o bicho pastar na mesa iguarias invisíveis, limpar as asas com as patas de trás, coisas assim deslumbrantes. Ao lado dela, uma migalha de pão. Decerto deixada pelo Andrade, que lia comendo. Estava cada dia mais gordo. Andava meio desleixada a dona Ermínia, aquela migalha ali, mesa mal asseada. Francisco pigarreou. Carlinhos voltou ao Código Civil. Não queria ficar o tempo todo perguntando ao amigo se queria ou não colaborar com o esforço constitucionalista. Detestava impertinentes, não queria ser um. Mas fazia dias que não conseguia trabalhar. Andava ansioso, com comichão, como quem tem encontro marcado com a primeira namorada. Tinha matutado muito sobre o temperamento de Francisco. Não, ele nunca se empenharia em luta nenhuma. Paixão era palavra que não conhecia.

Levantou-se e foi saindo. Francisco chamou.

Carlinhos voltou e se sentou de novo. O amigo disse:

– Olhe, eu estive pensando... naquilo... Não aconselharia participação em nenhuma aventura militar neste momento.

– Aventura militar?!

– É, nós estamos em desvantagem.

– Palavras do Pontes.

Francisco ficou calado. Carlinhos continuou:

– Você não entendeu. Não estamos falando em levante militar. Estamos falando em revolta popular.

Nos olhos de Francisco, um misto de ironia e incredulidade. Carlinhos se arrependeu de ter falado. Sentiu-se apóstolo pregando a pagão. O sorriso que Francisco guardava nos olhos logo estalou na boca. Dizia:

– Popular? De que povo você está falando? De dona Eulália, dona Ermínia, do Zé eletricista, Judith, Tomé... – e continuou arrolando todos os subalternos que conhecia, num rosário irritante que parecia sem fim. Até que sentenciou:

– Esse povo não entende abstrações políticas.

— Você está falando como o Molinaro.
— Então conhece bem o Molinaro?
— Francisco (quando Carlinhos dizia "Francisco", a amizade estava por um fio), nunca ouvi aquele italiano dizer essa frase, mas posso jurar que ele assinaria embaixo. E não fuja do assunto. Você está falando como um fascista alcaguete.

Francisco, que oscilava entre o abespinhado e o irônico, resolveu falar com calma e seriedade:

— Carlinhos, eu estou falando como amigo: não haverá apoio popular, não há sensibilidade para questões como constitucionalismo e legalidade. O interesse do povo é outro. É muito mais concreto. Vocês vão embarcar numa aventura perigosa...

— Pois eu lhe garanto que o povo se sensibiliza, sim. E há de pegar em armas pela volta da legalidade.

— O povo pegar em armas?

Nesse momento, entrava dona Ermínia, com um bule, duas xícaras e um açucareiro numa bandeja de prata. Francisco gritou:

— Dona Ermínia, a senhora vai pegar em armas contra o governo?

— Senhor?!

E, enquanto Carlinhos corria fechar a porta, aterrorizado, Francisco perguntava:

— Está vendo, Carlinhos?

A copeira, parada entre a porta e a mesa, olhava ressabiada. Carlinhos esmurrou a mesa e gritou:

— Chega de brincadeira!

E, saindo, disse de passagem à mulher:

— E a senhora faça o favor de passar um pano nessa mesa. Está imunda.

Durbec dura vai e não retorna   Mlle Durbec, vigia da infância e da adolescência de Immaculada, andava triste. Chegavam péssimas notícias sobre a saúde do pai. Louise (seu nome de batismo) era filha de um modesto vinhateiro das redondezas de Marselha. Professora aos vinte e cinco anos, teria passado a vida lecionando na cidade, não tivesse um dia aparecido por lá um padre brasileiro, falando da necessidade de preceptoras para as filhas de famílias ricas de São Paulo e do Rio de Janeiro. Contou o padre que a remuneração costumava ser boa, que a preceptora, passando anos sem pagar casa e comida, decerto conseguiria formar um bom pé-de-meia e voltar à terra natal para recomeçar a vida, fazer bom casamento. Os olhos de Mlle Durbec cintilavam. Depois que o padre saiu, ela pediu permissão ao pai e, uma semana depois, foi comunicar ao padre sua decisão de viajar ao Brasil. O padre ficou de lhe escrever assim que voltasse à terra e soubesse de uma boa oportunidade. Dito e feito: em 1921, Mlle Durbec recebia uma carta do padre, dizendo que estava tudo acertado. Bastava arrumar os documentos e vir.

Fazia, portanto, quase dez anos que a francesa convivia com a família Dantas. O pé-de-meia, de fato, existia, mas ela não sentia vontade de voltar, muito menos de se casar, pois casar e voltar eram duas ações que se pressupunham.

No entanto, Immaculada logo se casaria, sua missão estaria terminada. Não desgostava da ideia de ser preceptora de alguma outra menina brasileira, se as notícias que chegavam da França não fossem tão alarmantes. Mlle Durbec precisava viajar, essa decisão já tinha sido adiada demais.

As coisas ficaram nesse vai não vai um mês, até que o destino decidiu: morreu o pai Durbec, em Marselha. Louise verteu um mar de lágrimas sobre a carta. E não sabia o que doía mais: a morte do pai, a saudade da mãe ou a vontade de não ir embora. Mas não havia como não ir. E lá se foi Mlle Durbec, num belo dia de agosto de 1931, a bordo de um transatlântico branco como um copo-de-leite. Immaculada fez questão de ir até Santos, despedir-se da amiga. O último abraço foi comovido. Todos estavam lacrimantes, até Dantas. A menina só concordou em sair do porto depois que o navio zarpou. No tempo que se passou entre o embarque e a desatracação, Immaculada acenava incansavelmente um lencinho alvo, rodeado de renda. Voltou chorosa e chorosa ficou uma semana. Sentia que tinha perdido uma grande amiga, talvez a maior de toda a vida.

Mlle Durbec, portanto, se foi. E não voltou. Chegando a Marselha, vendeu a vinha do pai e foi morar com a mãe na cidade, onde começou a trabalhar como professora. Sabia que não veria mais o Brasil enquanto a mãe estivesse viva. Em 1939, com o início da guerra, pensou muito em voltar, mas não deu. A mãe não tinha saúde para enfrentar a viagem. Havia outro motivo para ficarem: Louise não achava justo abandonar os compatriotas num momento daqueles. Seria uma vergonha viver as doçuras brasileiras enquanto amigos e parentes amargassem a guerra. O altruísmo de Louise era imenso. Ficaram. Em 1941, a mãe morreu do coração e Louise começou a trabalhar como voluntária da Cruz Vermelha. Mas não viu o fim da guerra. Morreu em 1944, no bombardeio dos aliados, trabalhando num bairro pobre, na assistência aos órfãos de guerra. Enquanto os americanos percorriam triunfantes as ruelas da cidade no alto de seus jipões, o corpo de Mlle Durbec jazia sob os escombros de uma creche.

Dores ao cubo enfim se decompõem

De Santos a família rumou para São Paulo, onde ficou. Conforme prometido, Immaculada começou a ter aulas de pintura. Carlinhos e Laura frequentavam a casa. Para

Helena, Laura era uma ótima companheira de conversa. Às vezes, a moça passava pela casa dos Dantas sozinha, a caminho de algum ateliê, e as três ficavam horas juntas. Immaculada progredia. Laura a iniciou nos modernistas, que ela aprendeu a apreciar. A família começou a frequentar exposições, sob a orientação da moça.

Para Immaculada, Paolo agora era um ponto na extremidade de uma linha. Mas ainda palpitava. Entre maio e agosto, ela tinha visto o moço de relance uma meia dúzia de vezes. As informações colhidas com Annunziata eram poucas: uma escolhia perguntas, a outra economizava respostas. O som da voz do moço ela nunca tinha ouvido.

No Natal, foram visitados por Francisco, que, como fazia todos os anos, levou uma joia para a noiva. Daquela vez, um lindo relógio de ouro. Lá estavam também Carlinhos e Laura. A convivência foi amena. Aliás, os dois amigos nunca mais falaram de política. A tão sonhada revolta popular, afinal, não tinha saído, e Francisco, diante do inevitável, já começava a pensar em colaborar com o novo governo. Mas não declarava. Como membro de um partido que tinha visto o poder lhe ser arrancado das mãos, Francisco precisava conhecer bem o terreno em que pisava.

Andava já adiantada a ceia quando Laura resolveu comentar as recentes produções de Immaculada. Discorria como conhecedora de arte que era, apontando qualidades e deficiências que – tinha certeza! – logo seriam superadas. Francisco se surpreendeu. Não sabia que Immaculada estava recebendo aulas de pintura. Laura pediu à mocinha que fosse buscar dois quadros: um que havia pintado na fazenda, o da aleia de giesteiras, segundo princípios acadêmicos, e um outro, pintado nos últimos dias, retrato da mãe, coisa muito criativa, que transgredia o academicismo. Queria que Francisco visse a evolução com seus próprios olhos. Queria que o noivo soubesse que tinha uma noiva talentosa. Immaculada hesitava. Na verdade, não queria buscar os quadros. Mostrar suas obras àquele homem era como mostrar-lhe a alma. Relutava, calada. Mas Dantas insistia, e ela foi.

    Francisco mirava sem entusiasmo. A aleia de giesteiras lhe parecia sem atrativos especiais. Uma paisagem, só. O retrato de Helena tinha um encanto que ele não sabia discernir. Não sabia se tinha gostado do quadro porque era retrato de Helena, ou porque de fato era bom. Demorou-se na contemplação. Olhava a pintura e o modelo. Lá estava o formato do rosto, as maçãs salientes, os olhos grandes, o queixo quase quadrado, os lábios perfeitos. A pintora tinha conseguido captar em formas quase geométricas...

    – A alma da mãe. Ela conseguiu captar a alma da mãe. Elaborou os traços – nos dois sentidos! – de acordo com a visão que tem da mãe. Utilizou princípios cubistas, que a professora lhe ensinou, e ela amou. Não foi, Immá? É como ela sente a mãe.

    Francisco olhava ainda, em silêncio. Por dentro, uma batalha de sentimentos. Ficava imaginando se não seria arriscado deixar a menina sob a influência de uma mulher como Laura. Aquele desabrochar de um talento não fazia parte dos planos. A mulher planejada saía dos trilhos, e ele entrava em pânico. Não podia proibir que ela pintasse, num meio como o daquela família! Intromissão desse tipo Dantas talvez aceitasse, mas não Helena. E nesses assuntos a opinião dela pesava. Coisa que ele poderia fazer era obrigar aquela produção artística a ficar restrita ao âmbito familiar. Pensava tudo isso olhando os dois quadros. O retrato ele bem que apreciava. Mas como elogiar justamente o melhor e dar o braço a torcer? Esses pensamentos o deixavam rijo, parado ali sem falar. No fim, sabendo que precisava dizer alguma coisa, elogiou mais o quadro da aleia que o retrato de Helena.

    Quando terminou de falar, Laura perguntou:

— Qual dos dois prefere, afinal? Sua língua elogiou este (e apontou a paisagem), mas os seus olhos elogiam aquele.

Aquela mulher era matreira demais! Francisco sorriu:
— Se me perguntassem qual dos dois eu penduraria numa parede, eu diria este (e apontou a aleia).

Laura disse:
— Então, Immá, por que não presenteia seu noivo com o retrato?

Carlinhos e Dantas gargalharam. Helena olhava para a filha, que se calava.

Laura insistia. Immaculada, contrariando o costume, não concordou:
— Esse eu guardei para o meu pai. Posso presentear o outro. Ou outro. Esse não.

Dantas abriu os braços e disse em voz alta:
— Minha menina adorada! E o meu, quando vai fazer, danadinha? Só a mãe tem retrato? — e estalou um beijo na bochecha de Immaculada, que tinha vontade de chorar.

Francisco desconversou. Ou melhor, passou a conversar sobre arte, a comentar modernismo e cubismo com Laura, olhando para Immaculada, pedindo sua aprovação. Foi a primeira vez que pareceu incluir a menina no rol dos existentes. E assim teve início uma discussão que durou quase uma hora. Mas Immaculada não falou. A aleia de giesteiras ficou esquecida a um canto, atrás do retrato de Helena.

Passava da uma e meia quando os convidados saíram, Immaculada recolheu os dois quadros e foi para o quarto. Helena entrou para se despedir, ela estava sentada na cama, dobrada, olhando os próprios pés. A mãe disse boa-noite, a filha olhou para ela e desatou a chorar, ali sentada mesmo, com os braços cruzados, como se lhe doesse o estômago. Helena, em pé, disse:
— Você não quer se casar com ele!

A resposta foram vários acenos de cabeça, demorados, entremeados de soluços.

Amainada a tempestade, a mãe sussurrou:

– No que depender de mim, esse casamento não sai. Juro.

E da tesoura ao biombo vai-se o rumo

Annunziata gargalhava com os braços na mesa. O pano que tinha nas mãos se amarfanhava debaixo de seus punhos. Tudo ao redor se esquecia naquela hilaridade, uma goela aberta para o teto, um casquinar sem fim. Immaculada continuava:

– Tem olho de azeitona miúda e bigode de escova de engraxate. A única coisa que se salva um pouco é o nariz. O cabelo ele corta rente até aqui. (E, para mostrar, esticou quatro dedos nuca acima.) Odeio cabelo rente. Uma escova na frente, outra escova atrás. (E punha os dedos abertos de uma das mãos debaixo do nariz e os da outra, na nuca.) Ele se senta reto na poltrona, cruza a perna e fica balançando o pé assim, o tempo todo. De vez em quando dobra o calcanhar, como se fosse dar um pontapé. O sapato é sempre preto, bem lustroso. Quando entra em casa, tira o chapéu com a mão esquerda e já vai estendendo a direita para o meu pai, depois para minha mãe, depois para mim. Aí me olha rindo e pergunta: "Como tem passado?" (E arreganhava os dentes para imitar.) Eu digo "Bem". Se dissesse "Mal", dava na mesma, porque ele nem ouve a resposta. Começa a conversar com meu pai com aquela voz monótona (e prolongava o *ó*) e nem percebe mais que eu existo. Isso é meu noivo.

Quando terminou, estava muito séria. Annunziata parou de rir.

Com a ausência da francesa, as duas andavam mais chegadas. A italiana agora dormia no quarto que tinha sido da preceptora, vizinho ao da menina. Morava na fazenda desde abril. Naquele ano, mãe e filha tinham ido antes do inverno para o interior porque a situação política em São Paulo andava muito conturbada.

Francisco, "o noivo", desde maio do ano anterior, frequentava a casa de Natália. No começo, as visitas eram espaçadas, uma a cada quinze dias; depois, semanais. A moça lhe caía como luva, num momento em que ele já começava a sentir o peso de um celibato cultivado por convicção e bisonhice. Queria amante estável, mas que fosse confiável. Natália era bem-humorada e viva. Cultivava um erotismo cheio de puerilidades que, além de divertir, conseguia ressuscitar em Francisco o gosto pelos requintes já perdidos nas brumas das farras estudantis. Tinha no quarto um biombo de tecido estampado com armação de madeira bordô, que lhe servia de diversão: pedia ao amante que se deitasse, apagasse a luz e só a acendesse quando ela pedisse. Acesa a luz, ela saía de trás do biombo seminua, com alguma peça de *lingerie* provocativa. Fazia lá umas contorções, uns requebros, o amante se entusiasmava. Então ela pedia que ele apagasse a luz de novo. E, acesa outra vez a luz, ela saía de trás do biombo com outra roupa, mas as mesmas contorções, os mesmos requebros. E a brincadeira se repetia duas ou três vezes, para divertimento e excitação do espectador. E sempre terminava de alguma maneira inesperada, quando a luz se acendesse pela terceira ou quarta vez: com ela nua ao lado dele, com ela completamente vestida em outro canto do quarto, com ela desaparecida do quarto e escondida em algum lugar inesperado... Francisco, enquanto se divertia com aquela ingenuidade patética, ficava imaginando quantos teriam rido aquele mesmo riso, diante daquele mesmo biombo. Uns meses depois, preocupado com os perigos que aquela promiscuidade poderia representar para a sua saúde, perguntou à moça quanto lhe custaria a exclusividade. Ela disse que precisava de casa mobiliada, mesada e tudo o que fosse preciso para manter um luxo que, afinal, reverteria para ele mesmo. Francisco, acostumado com barganhas e negócios, achou que a moça era inteligente. Ficou sabendo que aquele sobradinho onde ela morava, na rua da Glória, era alugado por Furnari, que não lhe dava mais nada. O sustento ela precisava ganhar por outros meios, como ele bem via. Ouviu dela também uma declaração de amor e a informação de que estava disposta a lhe dar exclusividade. Pelo resto da vida, se ele quisesse.

Francisco não respondeu. Mas comprou um apartamento num pequeno prédio da avenida Barão de Limeira e deu-lhe a chave. Passava lá pelo menos uma noite por semana. A mobília era de luxo.

Quem perde o rumo sempre perde o prumo

Quanto a Immaculada, pela época das gargalhadas à custa do noivo, fazia um ano que tinha visto Paolo pela primeira vez. A impressão forte era agora sensação atenuada, lembrança puída, fiapos de nuvens em céu azul.

Na sala de costura, terminadas as risadas, ouviu-se uma batida na vidraça. As duas se voltaram ao mesmo tempo: do lado de fora, Paolo chamava a irmã. Annunziata foi atender. Dentro, uma Immaculada petrificada olhava: renascia duplicado o sentimento de um ano antes. Da intensidade do olhar dela ele, conversando com a irmã, se dependurava receoso, mas imantado, e tanto, que a certa altura a irmã se voltou e deu com os olhos de Immaculada fixos nele. Foi justamente aí que Helena chegou. Ignorando os dois irmãos, entrou na sala, onde encontrou Immaculada a sentar-se de novo em sua cadeira, atenta a um bordado que nem enxergava. Perguntou à filha:

– Há quanto tempo esse moço está aí?

– Pouco – respondeu a moça, mas quase não ouviu a própria voz.

Quando Annunziata voltou, Helena se sentou do outro lado da mesa e disse as seguintes palavras de aço embrulhadas em timbre de veludo:

— Eu gostaria de lhe lembrar que este é seu local de trabalho. Do jardim eu ouvia suas gargalhadas. Vim até aqui tentar descobrir qual era a graça e encontro a senhora conversando com seu irmão ali na porta. Isso é muito inconveniente. Gostaria que não se repetisse.

Levantou-se e saiu.

Aquela convivência era, fazia tempo, um eterno roçar de espinhos que não perfuravam, mas iam arranhando, numa abrasão que perigava arruinar-se.

Annunziata agarrou o pano de cima da mesa e recomeçou a bordar, espetando a agulha com mão trêmula. Immaculada disse:

— Desculpe minha mãe, Annunziata, ela anda nervosa, mas gosta de você.

A italiana não respondeu.

Helena andava angustiada. A promessa de desfazer o compromisso, feita quatro meses antes à filha, não tinha sido cumprida. E Immaculada, sabendo disso, desatou a falar mal do noivo, como vingança. No começo do ano, Helena tinha criado coragem para conversar com o marido. Abriu o coração. Disse de seus sentimentos e dos da filha. Começou mansa, quase aliciante, depois modulou a voz para se tornar quase didática, mas, vendo que nada funcionava, emocionou-se, zangou-se, chorou. Não adiantou. Dantas tinha motivo forte para não ceder. A empresa tinha precisado recorrer a um empréstimo. Devia uma fortuna ao banco de Francisco. O prédio estava hipotecado.

Helena não se conformava. Por que ele não havia recorrido à família dela? Bobagem essa pergunta. Ela sabia que Dantas nunca faria isso. Era uma teimosia que tinha suas razões. Antigas, aliás. Quando o casamento com Helena foi acertado, ela tinha onze anos. Dantas, vinte e cinco. E os dois se conheceram só cinco anos depois. Por sorte se apaixonaram. Ocorre que, no momento do acerto do casamento, acreditava-se que Ecumenácio era um excelente partido. Porque Dantas pai, apesar de não ter toda a fortuna que lhe atribuíam (com base no antigo poderio da família), ainda era rico. Entre a época do acerto e a data prevista para o casório, porém, ficou claro que a imensa fortuna deixada pelos antepassados mineradores tinha sido aos poucos devorada por gente urbana demais para fazer da agricultura fonte de riqueza. O pai de Ecumenácio era um perdulário, mau negociante, cria do conhecido voltairiano, que passava a vida a filosofar entre Campinas e São Paulo. Depois dessas duas gerações, os bens da família só não foram pulverizados por causa da intervenção de Ecumenácio. Conhecedores da situação dos Dantas, os pais de Helena quiseram desfazer o compromisso. Mas Helena estava apaixonada e disse que enfrentaria qualquer situação, até a miséria, para se casar com ele. Em memorável discussão, ela ouviu dos pais a profecia de que no futuro ainda iria precisar da ajuda deles. Por isso Dantas não admitia pedir ajuda.

– Mas a situação não poderia ser resolvida de outro modo? – ela tentava argumentar.

– Os valores em jogo são altos demais. Paulo propôs a transformação da firma em sociedade anônima; com a emissão de ações, uma parte da dívida poderia ser amortizada. Se isso acontecer, eu fico como sócio minoritário, o Francisco e o Paulo ficam com participação idêntica. Carlinhos sai. Mas nem isso resolveria o problema. A questão não é só socorrer, mas também tornar a empresa mais dinâmica. Tudo muito complexo.

Os acontecimentos, na vida, chegam sem pedir licença, abrindo caminho aos empurrões. Nesse entrevero, alguns são derrubados. Dantas cambaleava. Todas essas medidas estavam sendo discutidas e, fosse como fosse, Ecumenácio não estava em situação de dispensar um noivo daquele quilate e, ainda por cima, pagar 10% dos valores arrolados no contrato de casamento. Não havia possibilidade de discussão.

Helena, então, jogou o último trunfo:

– Por que não recorre ao Hastings?

Nem tinha acabado de falar já estava arrependida. Dantas, de hábito tão gentil, elegante, refinado mesmo, mostrou num repente sua face ríspida. Estava sentado diante da escrivaninha, com um lápis na mão. Até aquele momento tinha feito contas, argumentado com ela, mas assim que ouviu a pergunta atirou longe o lápis, levantou-se, caminhou até a mulher com o dedo em riste e disse com olhos congestionados:

– Nunca mais me sugira pedido de ajuda ao Hastings. Ou pensa que não sei da paixão dele por você? Se acha que sou bobo, está enganada. E, entre negociar a filha e a mulher, eu prefiro negociar a filha.

Saiu da sala. Ficaram sem conversar vários dias. Desde então, Helena andava mal-humorada e pela primeira vez não sabia o que fazer da vida.

Mas ainda não tinha perdido as esperanças. Procurava alguma inspiração, pensava em falar com o tio Pontes. Se nada desse certo, ainda restava a possibilidade de que, com o tempo, Immaculada aprendesse a gostar do futuro marido. Quem sabe, se adiassem o casamento uns seis meses, e os dois tivessem mais tempo de conviver...
– era a única concessão que Dantas concordava em fazer.

Foi uma briga, enfim. Helena contou à filha o fracasso. Pediu desculpas. Abriu-se, confessou o arrependimento de ter concordado com aquele contrato. Immaculada, sabendo que precisaria se submeter, vingava-se na maledicência. Helena achava a filha mudada. Já não era calada como antes. Tinha uns novos modos, uma mistura espúria de Laura e Annunziata. Estava-se longe do refinamento de Mlle Durbec.

A maiúsculo pai, homem miúdo

Dos lábios crispados do velho Fattori se abria um leque de tachinhas. Sobre a tala, um solado ia sendo montado, tacha a tacha. Era segunda-feira. Fattori trabalhava entre atento e distraído, caprichado e cismado. A patroa não gosta da filha, a filha quer sair do emprego. Mas não está na hora, ele não quer. Quer juntar mais dinheiro. A família, que tinha vindo não querendo ficar, agora voltaria. Para vir, a mulher chorava, ele insistia, os filhos assistiam. Porque, acabada a guerra, desfeito o sonho de arranjar bom casamento para a filha, ele desejava paz e prosperidade. Mas a prosperidade não veio no Brasil. Pelo menos para ele. Enquanto isso, quem prosperava era o irmão, na Itália. Fattori se sentia caçador sem pontaria. Acertava a mira e errava o alvo. Tiro pela culatra, aquela migração.

Naquela segunda, depois de receber do grande amigo Pasquale o último número da *Domenica del Corriere*, tinha ficado meia hora admirando as ilustrações de Achille Beltrame sobre a nova Itália. Sentia no peito um brio inflado, daqueles de estourar. Mostrava o jornal à mulher, os dois sentados à mesa do café. De lá se levantando, foi direto à bancada, animado e ativo. Com as economias que já tinham, mais um ano de salários de Annunziata, ele comprava as passagens. Mas talvez nem comprasse. Paolo estava disposto a pedir alistamento no exército italiano. Daí à repatriação, um pulo. Iriam de qualquer jeito. De terceira, como tinham vindo... no porão, se preciso... Mas iriam. O fruto do trabalho dos filhos eram as economias guardadas. Giacomo trabalhava para o sustento. Comida farta não tinham. Às vezes simplesmente não tinham. Mas no dinheiro guardado não se tocava. Que a filha aguentasse mais um pouco, e tudo se resolvia. Discutiram. Ela balançava a cabeça de um lado para outro, num arco longo que depois foi diminuindo. Bufava, erguia os olhos para o céu. Ele argumentava. Afinal, morando ela na fazenda, ele não gastava com comida. Além disso, Paolo também almoçava por lá. Migalhas a mais, migalhas a menos, o cofre se enchia. E a mãe já voltava a sorrir.

E, pregando tachinhas, ia pensando naquela conversa, havida logo no dia anterior, depois do almoço. Paolo fora de casa, a mãe lavando a louça, os dois começaram a trocar ideias e, conversa vai, conversa vem, quase brigaram por causa da patroa. No fim da conversa, Annunziata já mais calma, disse que tinha pena mesmo da filha, obrigada a se casar com quem não gostava. Então se inclinou na mesa com jeito de quem tem segredo importante para contar e cochichou que (desconfiava!) ela estava apaixonada por Paolo. Fattori arregalou os olhos, alarmado. Quem? A *signora*? Que perigo! Não, a *signorina* – explicou Annunziata. Mesmo assim, era perigoso, talvez o filho precisasse sair do emprego.

Tirou a última tachinha da boca, mas não fincou no solado. Ficou lá, meditando naquele caso sério. O filho corria perigo. Mas não iria querer sair de lá. Dizia Annunziata, com ar de segredo, que já tinha falado com o irmão a respeito. Que o pai não se preocupasse: a moça era vigiada o tempo todo. Ela não podendo sair, ele não podendo entrar... Nunca se encontrariam.

Fattori retomou o trabalho.

No sábado seguinte, quando Annunziata foi visitar a família, o pai avisou que tinha feito um sapato para a *signora*. Não era coisa tão inesperada. Na semana anterior, ele tinha perguntado que número a patroa calçava. Annunziata quis ver. Foi com o velho até a oficina. Lá, do alto de uma estante, ele puxou um volume envolto em papel de embrulho, abriu com todo o cuidado e exibiu o conteúdo, com jeito de quem expõe uma obra-prima. Era um sapato preto, fechado, salto grosso, de altura média, pala alta com uma fivela redonda, dourada, no meio. Pelica, couro macio. Mas sem forro. Annunziata informou que a patroa não usava sapato sem forro. O velho disse que não tinha máquina apropriada. Então que fizesse à mão – argumentava Annunziata. E tentava dizer ao pai que aquele não era bem o estilo de dona Helena, mas o velho não queria ouvir. Só falava. Com aquele presente, a patroa ficaria mais satisfeita, as duas passariam a conviver bem, Annunziata poderia continuar no emprego até a compra das passagens. Aliás, naquela semana tinha chegado carta do tio Gennaro: o irmão, agora em Roma, dono de uma loja de tecidos, dizia que tudo ia muito bem. Tinha dois quartos vazios em casa, podia acolher a família toda. Lá, Giacomo faria sapatos, que o irmão venderia na loja. Paolo poderia ser contador da firma, caso não entrasse para o exército. E, desse no que desse, recorreriam ao Duce. Sim, sim, Annunziata sabia de tudo aquilo, mas o ponto agora era outro. Em primeiro lugar, nunca daria coisa nenhuma à patroa. O velho interrompeu de novo, dizendo que ele mesmo daria. A discussão durou a tarde toda. Annunziata sabia que teria apoio do irmão, mas ele não estava. Ele nunca estava.

Antes de sair de casa, naquele domingo, fez o pai jurar que venderia aquele par de sapatos a uma freguesa qualquer e assim lucraria mais. Ele, cansado de discutir, concordou.

Eram duas da tarde do dia seguinte, Annunziata estava na varanda com Immaculada, folheando riscos de bordado, quando avistou uma figura que na pequenez da lonjura já se mostrava curvada, andar desmanchado, passadas de pés abertos: naquela deselegância de quem traz no físico, de nascença, as marcas da humilhação, Annunziata reconheceu o pai. A figura vinha, vinha e, vindo, ganhava corpo e intumescia o pavor que já medrava na moça desde o dia anterior... No calor das duas da tarde, de perto, podia a filha já identificar as gotas de suor borbulhantes, como brotoejas naquela calva bronzeada pelo sol tropical... Quase ao pé da primeira escada de baixo

Fattori avistou a filha. Estacou, olhou para cima e sorriu feliz! Não precisaria chamar ninguém para se anunciar. As feições ingênuas, lá de baixo, irradiavam uma inocência íntegra e inatacável de quem não desconfia daquela segunda natureza das pessoas, aquela que elas recebem do berço, com os cueiros: a classe. O velho Fattori não entendia esse tipo de coisa, não tinha entendido na Itália, continuava a não entender no Brasil e haveria de morrer sem entender. Lá estava ele, parado, sem coragem de pisar o primeiro degrau da varanda dos Dantas, mas sorrindo mesmo assim, à espera do convite para entrar.

Annunziata levantou-se e desceu as escadas. Conversou um pouco com ele (Immaculada olhava do alto) e voltou. Disse à moça que aquele era o pai dela, que ele tinha ido ali levar um presente para dona Helena. Immaculada foi recebê-lo lá embaixo. Fattori encantou-se com a menina. Pensou de raspão na bênção de tê-la por nora. Ela o convidou a entrar. Na porta da sala, o italiano não fez questão de esconder o pasmo diante do luxo e da beleza que via talvez pela primeira vez na vida. Olhava tudo, ali parado, acenando com a cabeça, fazendo com os lábios um U invertido, tradução da interjeição que calava e subentendia. Immaculada pediu que ele se sentasse e disse que chamaria a mãe. Perguntou se queria algum refresco. Não, obrigado, ele só queria água.

Helena apareceu cinco minutos depois. O copo de água já estava vazio. Assim que entrou, Annunziata lhe disse que o pai estava lá porque fazia questão de lhe oferecer um presente, era coisa feita por ele mesmo. Enquanto isso Fattori se levantava e, com uma espécie de reverência, estendia o embrulho, dizendo:

– Bom dia, dona Helena. É uma coisinha modesta, mas feita de coração.

Pensou um pouco em alguma fórmula cortês em português e arrematou com um:

– Não repare...

Helena não dizia nada. Não retribuiu o cumprimento, não pediu ao velho que se sentasse. Abriu o embrulho, e seus lábios se esticaram numa espécie de sorriso sem dentes. Satisfeito, o italiano sorriu de volta, mostrando todos os seus. Helena, desmanchando o sorriso, examinou os sapatos, o rosto do homem e afinal disse:
— Obrigada. Pode sentar-se. Immá, peça um refresco ou um café para o senhor...
— Giacomo Fattori.
— Esteja à vontade.
E saiu, levando o embrulho.

Giacomo ficou como estava, meio curvado, olhando sem sorrir a figura que desaparecia por uma das portas, talvez esperando que ela voltasse, com os sapatos nos pés, elogiando o feitio. O refresco, que chegou logo, desceu-lhe pela goela dividido nos mesmos três goles que haviam recepcionado o copo de água. Era um maio distraído, esquecido de esfriar, maio que de maio só tinha a secura. Ele enxugava a testa, comentando o tempo, enquanto Annunziata, olhando fixo o vazio, relembrava todos os desjeitos com que aquele pai sempre tentava ajeitar a vida de sua cria. Era um pai-mãe, acudindo sempre com um exagero de afeição, suprindo o que a mulher omitia por tacanhez, bonomia e certa dose de burrice. Quinze minutos se passaram. Immaculada conversava, perguntava os modos de se fazer um sapato, e ele ia explicando como podia, naquela língua bastarda, feita de retalhos de andanças, língua de emigrados, insubmissa, nômade, errática.

Quando perdeu a esperança, Fattori levantou-se e despediu-se. Annunziata foi com ele. Caminharam juntos até certa distância da casa, pararam para conversar, trocaram beijos, e ele se foi. Immaculada observava. A italiana voltava, entrava cabisbaixa, sentava-se na mesma cadeira em que estava antes, pegava de novo a revista, abria na mesma página em que a tinha deixado. A menina sentava-se ao lado, e tudo recomeçava como se não tivesse parado.

Como Dantès que saia não destinta   Na sexta chegou Dantas, carregado de bombons e saudades. As de Dantas não eram chegadas, eram chegganças, sempre prolongadas e agitadas, como danças. A sobriedade da casa só se recompunha no dia seguinte. Assim mesmo, com certa feição de ressaca. Sábado de manhã, Helena ainda tomava café com o marido às dez; Immaculada lia na varanda; Annunziata, desesperando o fim do café (Helena precisava lhe dar instruções para umas compras), resolveu matar o tempo e buscou assento numa saleta que ficava entre a copa e a sala de jantar. Lá, retomou a leitura de *O conde de Monte Cristo*, que tinha começado uns dias antes e só largava a custo. Estava Dantès em pleno colóquio com o abade Faria, quando à palavra *tesouro* do texto se sobrepôs, da outra sala, a palavra
– Sapatranca!
dita pela voz de Dantas. Não foi uma palavra que voou e se desvaneceu como a maioria das que soam todos os dias, palavras sem peso que sustentam as paredes das ideias como alicerces sem identidade. Aquela palavra, que ela nunca tinha ouvido, revoava no ar, ressoava no cérebro, reverberava sentidos suspeitos. Segundos foram aqueles de reflexão e reflexos, que fizeram Annunziata se levantar e ir para mais perto da porta, ouvir a conversa.
– Mas de onde você tirou essa palavra? – Dantas ria.
– Ora, você não conhece? Meu avô usava muito. Ele tinha um empregado que usava sapatos com biqueira e ferradura. Pisava duro, como um cavalo. Quando ia lá em casa, falar com meu avô, até o curral sabia. Meu avô dizia: "Lá vem o João Sapatranca."
Dantas ria.

Annunziata já voltava para seu assento, quando ouviu:

— Pois é, ele veio até aqui, coitado, debaixo de sol, suado, uma figura lastimável, só vendo. Veio só para me trazer a tal sapatranca. Não sei o que deu na veneta do carcamano de me dar um presente. (Abaixou a voz.) Só pode ter sido ideia da filha. Devem achar que me vendo por um par de sapatos.

— De sapatrancas! — emendou Dantas, rindo.

— Depois te mostro. Você sabe aqueles retratos do século XVIII? Igualzinho.

Dantas gargalhava.

Annunziata, ali, impercebida, sentiu uma dor que só conhecem as crianças e os que se lembram da infância: a dor de ouvir falar mal do pai. Dor profunda e profusa, que se expandindo e divergindo para o ambiente convergia de volta para o coração, numa circunvolução asfixiosa. Para tais dores só dois remédios: choro ou vingança.

Há sempre uma Julieta na janela

Meu coração desmaia pensativo,
Cismando em tua rosa predileta.
Sou teu pálido amante vaporoso,
Sou teu Romeu... teu lânguido poeta!...
Sonho-te às vezes virgem... seminua...
Roubo-te um casto beijo à luz da lua...
— E tu és Julieta

Castro Alves

Immaculada lia trêmula a última carta trazida por Annunziata. Fazia mais de um mês, todas as semanas chegavam mensagens de Paolo. Vinham escritas em papel pautado, de correspondência, letra inclinada para a direita, um tanto graúda, maiúsculas trabalhadas. Um primor de caligrafia. Que não grafava declarações originais. Por aquela escrita só falava a voz dos grandes poetas. Decerto Paolo tinha medo de errar o português, afinal era estrangeiro. Mas demonstrava cultura e gosto poético. Era o que bastava.

Tudo tinha começado no dia do aniversário de Immaculada. 22 de maio de 1932, domingo: 15 anos. A festa imaginada em São Paulo não houve. A razão principal era a demasiada agitação da capital. A comemoração foi discreta: um almoço em família. Francisco e o pai compareceram. O noivo levava um anel de brilhantes. O noivado oficial ficou marcado para dezembro. Às cinco da tarde, Dantas se foi com os dois, de malas prontas. De São Paulo, partiria no dia seguinte para o Rio de Janeiro, onde passaria pelo menos dois meses, cuidando de uma nova obra por lá contratada.

Para Immaculada, as saídas do pai eram sempre angustiosas. Por volta das seis, entrou no quarto e percebeu a janela aberta. A brisa de maio esfriava o aposento. Foi até lá fechar e olhando para baixo viu, mal iluminado pelas luzes do andar térreo, um vulto de homem, encostado a um tronco. Olhava para cima. Avistando a aparição da moça lá no alto, o vulto se afastou da árvore para se tornar mais visível. Paolo! Na surpresa de ver o moço ali, Immaculada imaginava que desculpa ele teria dado para estar na fazenda num momento em que nunca deveria estar! Mas essa pergunta não tinha muita importância. Mais importante era a resposta a esta outra: por que ele estava lá? Na alegria intensa da descoberta, Immaculada se esqueceu do frio e ficou olhando para baixo, enquanto ele, de baixo, olhava para o alto. E muito alto olhava, porque a casa, atrás, tinha três andares, empilhados, uma verdadeira fortaleza, e as janelas de cima mais pareciam luas quadradas, plantadas no céu fosco e amarelado das paredes. De Immaculada, ele só via um vulto escuro a recortar a lua quadrada. Até que as folhas da janela se fecharam.

No fim de semana seguinte, ela recebeu os primeiros versos. Eram de Álvares de Azevedo. Diziam:

Ai! quando de noite, sozinha à janela
Co'a face na mão te vejo ao luar,
Por que, suspirando, tu sonhas, donzela?
A noite vai bela,
E a vista desmaia
Ao longe na praia
Do mar!

Donzela sombria, na brisa não sentes
A dor que um suspiro em meus lábios tremeu?
E a noite, que inspira no seio dos entes
Os sonhos ardentes,
Não diz-te que a voz
Que fala-te a sós
Sou eu?

É bem verdade que ali não havia praia nem mar. Mas, para compensar, na semana seguinte mandou ele *Adormecida*, de Castro Alves, que terminava assim:

Eu, fitando esta cena, repetia
Naquela noite lânguida e sentida:
"Ó flor! – tu és a virgem das campinas!
"Virgem! – tu és a flor de minha vida!...

Esse segundo bilhete, promessa indecisa do primeiro, foi recebido com palpitação aliviada. O primeiro tinha sido um sobressalto. Annunziata o entregou trêmula. Tomou a mão direita da menina, enfiou nela o envelope dobrado e disse:

– Estou fazendo isso porque meu irmão não me dá paz. Se eu não entregasse este bilhete, ele era capaz de aparecer aqui e criar uma confusão. Você deve obediência aos seus pais... Tenha juízo e não se deixe levar pela paixão... Não estou gostando nada disso. Se ele não parar

com essa loucura, converso com o meu pai, e ele sai do emprego, se for preciso.
Immaculada não ouvia. Sorvia a voz do poeta.
E assim continuaram chegando as vozes dos poetas pelas mãos de uma Annunziata inconformada. Vozes entrecortadas, é certo, e sempre embargadas. Paolo tinha o capricho de escolher estrofes que se moldavam ao momento vivido. Depois da alusão à janela e da visão da adormecida, o ciclo continuou com uma declaração de paixão. Apareceu Gonçalves Dias, e Immaculada leu cheia de anseios e felicidade os seguintes versos:

Esta oculta paixão, que mal suspeitas,
Que não vês, não supões, nem te eu revelo,
Só pode no silêncio achar consolo,
Na dor aumento, intérprete nas lágrimas.

E por aí seguiam as coisas, já adentrando o terreno do desespero. Enquanto isso, Annunziata ia ficando a par dos sentimentos da pupila. Immaculada confessou-se apaixonada por Paolo desde a primeira vista... ("Você se lembra, quando saí sem avisar?") Fazia já um ano! E não parava de pensar nele! Ficou a italiana sabendo que ela estava disposta a abandonar tudo por aquele amor. Disse a menina que não podia pensar no casamento arranjado sem um calafrio de morte. Falou do contrato, da multa que o pai pagaria se o casamento fosse desfeito. E jurou que, caso se encontrasse um dia com Paolo, tudo ficaria em segredo.
A italiana, que das primeiras demonstrações de escrúpulos já andava longe e agora se mostrava condoída com sina tão injusta, perguntou:
– Mas como se encontrariam?
Não houve resposta.
Todas as noites Immaculada ia até a janela. Nunca mais sentiu frio. Também nunca mais viu Paolo, que não

devia ter arranjado outros pretextos para ficar na fazenda depois das seis, mas, em compensação, começou a se mostrar na ponta da aleia de giesteiras durante alguns minutos todos os dias. Em horas certas, ela ia até a janela da biblioteca, e os dois, um lá outro cá, ficavam breve tempo em muda e sobressaltada contemplação mútua de vultos.

Aos poucos os poemas iam sugerindo mais proximidade física. Um mesmo autor, um mesmo poema, podia ser dividido em trechos convenientes para ocasiões diferentes. Por exemplo, Álvares de Azevedo foi retomado quinze dias depois com estes versos:

Acorda! Não durmas da cisma no véu!
Amemos, vivamos, que amor é sonhar!
Um beijo, donzela! Não ouves? no céu
A brisa gemeu...
As vagas murmuraram...
As folhas sussurram:
Amar!

E na janela, ecoavam nos ouvidos da donzela: *As folhas sussurram: Amar!*

Neste último poema que ela tinha agora nas mãos, porém, vibravam as notas derradeiras de um grande concerto, uma cadência inesquecível que ela carregou dias a fio na memória aflita:

Sonho-te às vezes virgem... seminua...
Roubo-te um casto beijo à luz da lua...
– E tu és Julieta

A partir daí, os sonhos de Immaculada, depois de urdidas peripécias, terminavam sempre com essa imagem: *Virgem seminua, trocando beijos castos à luz da lua.* Mas o peso da veridicidade dos sonhos estava na frase: *E tu és Julieta.* Porque ali nada faltava para a repetição da velha trama: ela, Julieta; ele, Romeu; Annunziata, a aia; Dantas e Helena, os pais ciosos da posição social; Francisco, o noivo prometido. Faltava o padre. Um padre que os casasse. Mas que soubesse tecer artimanhas sem desencontros, para que da velha trama não se repetisse o drama.

Alguns dias depois, Immaculada disse a Annunziata que estava disposta a sair de casa para se encontrar com Paolo. Annunziata ponderou que isso seria impossível: ele trabalhava o dia inteiro, ali mesmo, sua ausência seria percebida. A de Immaculada, não menos. Na sexta-feira seguinte, Annunziata, logo depois do café da manhã, disse à moça:

– Eu estive pensando num jeito de vocês se encontrarem.

Disse isso arrumando toalhas na gaveta de uma grande cômoda que ia abrigando os frutos acabados do lavor das duas. Disse e calou. Immaculada precisou perguntar:

– Que jeito?
– Ele subir até seu quarto. É a única maneira.

Fechou a gaveta e se encostou na cômoda. Cruzou os braços e ficou observando a reação da moça.

Immaculada, que estava sentada na cama, levantou-se com as duas mãos no rosto, sem saber se agradecia a "aia" pela coragem de realizar os seus sonhos ou se ficava zangada diante das dimensões da indecência.

O que Annunziata maquinou tinha a inconveniência de colocar os três numa posição arriscadíssima, mas a virtude (suficiente e necessária) de macular Immaculada. Paolo, em certos dias bem estudados, terminado o expediente, se despediria de todos e fingiria ir para os estábulos (todos sabiam que ele gostava de cavalos e andava até falando em comprar um). Ficaria por lá até que, a um sinal de Annunziata, pudesse voltar e entrar pela lavanderia, escondendo-se num dos grandes armários embutidos na alvenaria (o do material do enxoval, cuja chave só as duas tinham). Lá ficaria até que todos fossem dormir. Noite avançada, Annunziata desceria, abriria a porta dos fundos e traria o irmão pelos recessos que havia entre a lavanderia e a sala de costura. Os dois subiriam pelas escadas dos fundos, que, de um vestíbulo entre a cozinha e a copa, desembocavam diretamente no corredor dos quartos que davam para os fundos. O dormitório de Helena e Dantas ficava em outra ala da casa e dava para outro corredor, que cruzava com aquele uns quatro metros adiante da boca da escada. E a saída? Pelo mesmo caminho – explicou Annunziata. Ele voltaria ao armário e lá ficaria até pouco antes do amanhecer: ela já tinha tudo pensado.

Immaculada disse que precisava pensar. Passou a sexta e o sábado enfiada no quarto. Não quis comer. A mãe foi até lá: ela estava reservada, esquiva. Helena achou que era falta do pai. Aquelas tristezas inconsoláveis eram vezeiras, depois das viagens de Dantas. Já ia saindo, quando Immaculada perguntou:

– A história do casamento... Tudo na mesma?

– Tudo. Não consegui convencer seu pai. Está triste por isso?

– Não – disse Immaculada. Ficou calada, deixando a mãe com a mão na maçaneta, entre a porta e o batente, sem saber se entrava ou saía. No fim saiu, percebendo que a filha não se abriria. Já estava quase acostumada com aquela nova Immaculada.

Immaculada precisava trancar a boca para calar o tumulto interior que não podia explodir. O tumulto da traição ao pai. Helena não sabia, mas para Immaculada a frase "Não consegui convencer seu pai" era um álibi. A renitência de um pai que sempre tinha sido cordial justificava um desejo intenso, culpado, de se entregar ao homem proibido. Ao homem desconhecido, ao homem sem voz, que falava por escrito palavras alheias. A obstinação do pai era a causa de um ato que devia ser cometido o mais depressa possível. Se Paolo a amava tanto quanto diziam seus poetas, os dois poderiam combinar uma fuga. Annunziata estava lá, disposta a ajudar em tudo. Com a fuga, a única solução para a desonra seria o casamento consentido pelos pais. Muitos casais tinham resolvido assim paixões difíceis. Mas... e se Dantas não se dobrasse e renegasse a filha, se a deserdasse? E se Paolo a abandonasse? Pobreza e prostituição, dizia-se, era o fim das rebeldes, das perdidas. Mas ela não se prostituiria. Porque tinha sua arte, haveria de se tornar uma grande pintora. Quantas mulheres já viviam libertas, mesmo neste país atrasado! Laura era um exemplo. E entre raciocínios e pavores passou Immaculada dois dias, em que ora se via Minerva destemida, ora Danaide condenada. Paolo agora era Alexandre libertador, daqui a pouco Don Juan sedutor. (E não tinha ele omitido a terceira estrofe dos *Três amores*?) Mas, como de costume, venceu o desejo. Immaculada concluiu que a realidade se aprochegava de seus sonhos, buscando um abraço final que só dela dependia.

No sábado, anunciou a decisão a Annunziata. A italiana já se arrumava para sair, quando ouviu o consentimento: sim, que ele subisse. Mas só uma vez. Porque depois seria combinada alguma outra maneira de se encontrarem. Não falou em fuga, nem falaria por enquanto. Achava prematuro. Uma proposta dessas poderia assustar um homem. Principalmente um homem sem voz. E assim Immaculada demonstrava conhecer mais a alma humana do que desconfiava, porque não sabia, mas sentia, que a voz é o eco do ego.

Que vai do rouxinol à cotovia

A porta se abriu devagar sem ranger. Annunziata já tinha tomado o cuidado de olear todas as dobradiças para evitar chiados. Paolo entrou na quase-escuridão. Depois dele, a irmã. Só então Immaculada acendeu a lamparina que costumava luzir noite e dia diante de uma imagem de Nossa Senhora de Lourdes. Encostada ao móvel, viu o rapaz no outro extremo do quarto, emoldurado pela porta escura. O olhar dele percorreu rapidamente o aposento para depois se fixar em Immaculada, que, ao lado da cômoda, vivia a estranha situação de quem tem fogo nas entranhas e gelo nos membros.

Paolo se voltou para a irmã e pediu, em napolitano, que os deixassem sós. A voz, enfim. Voz grave. Voz forte, que começava baixa, mas em certas sílabas se alteava, rebelada contra a imposição de silenciar.

Annunziata saiu. Ele se aproximou de Immaculada e tomou-lhe as mãos. O toque gelado de quem chegava da noite invernosa provocou na moça um calafrio que a percorreu inteira, com modulações de quente-frio à medida que atingia o coração e o ventre. Não houve palavras. Ele a puxou para si. Era o beijo. Immaculada previa. Mas não foi um beijo de segundos, como os dos sonhos. Foi um enrodilhar de lábios e línguas, uma grudadura úmida, ansiosa e interminável, regida por uma bolinação cada vez mais agressiva, um arroubo que trazia à memória a lembrança enjoada de um primo, numa tarde de domingo, após um almoço de leitão. Immaculada percebeu então que o beijo nunca é um ato inodoro. O hálito de Paolo recendia a cigarro e cerração. Não chegava a ser desagradável. Espantoso era o contraste entre declamação romântica e assalto realista, o salto brusco da alusão poética à asserção prosaica. Daquele jeito, sem preâmbulo, a coisa começou a ficar intimidante. Immaculada sentia-se mais que dominada: usurpada. Na boca, uma língua estranha; no corpo, mãos que buscavam reentrâncias sem pedido de permissão. Repeliu o moço.

Ele ficou sem ação alguns segundos, depois baixou os olhos e, com os braços pendentes, disse em contrição:

– Desculpe. É que eu estou muito *inamorado*... Foi mais forte que eu...

O sotaque italiano causou certo mal-estar em Immaculada. Ele falava como a irmã! Lá estava um homem que seria abominado pela sua família, e ela se entregando! Mas a voz era bonita, e seria estúpido imaginar que ele haveria de chegar falando o português dos poetas que copiava. Além disso, o estúrdio *inamorado*, soando *apaixonado* na tradução das emoções, bastou para que ela lhe tomasse de novo as mãos, deitasse a cabeça em seu peito e perguntasse:

– Você gosta mesmo de mim?
– Gosto muito, muito – foi a resposta.

A partir de então ele foi discreto e carinhoso. Immaculada reconhecia finalmente o contato físico de seus sonhos. E Paolo descobria que o caminho seria mais longo do que o previsto.

Pasma o herói que dorme num armário

Annunziata não sabia, Paolo tinha planos. Depois da segunda visita noturna, ele resolveu segredar à irmã que, fazia um mês, tinha procurado o Consulado Italiano para pedir repatriação. Companheiro nessa aventura era certo Nicola, que contava como trunfo um cunhado oficial do exército italiano. Este prometia apoio e condições de reintegração quando os dois chegassem lá. A intenção da dupla era apresentar-se para o serviço militar e tentar carreira na Marinha. Os velhos só deveriam ser informados às vésperas da partida. Se reclamassem, não haveria de falhar o argumento final de que, quando voltassem à pátria, encontrariam o filho lá no porto, de braços abertos e dinheiro no bolso. A resposta italiana não demoraria. Em agosto, Paolo e Nicola partiriam do Rio de Janeiro.

Annunziata ouviu o segredo com lágrimas nos olhos. Saber desses planos heroicos e – principalmente – da saída oportuna do irmão decuplicava a coragem, enobrecia a audácia, dourava a vingança.

    Durante o mês de junho Paolo subiu duas vezes ao quarto de Immaculada. Do estábulo, esperava até avistar o pano vermelho estendido na janela da lavanderia, ainda de luzes acesas. Era sinal de que não havia ninguém. Por trás da cerca do pomar, escuro e deserto àquela hora, em pleno inverno, seguia esgueirando-se de árvore em árvore até a beira do caminho que circundava as áreas de serviço da casa; ali parava, olhava para os dois lados e, não avistando ninguém, atravessava correndo e penetrava na lavanderia, onde encontrava o armário aberto. Enfiava-se nele e Annunziata logo aparecia para trancá-lo. E lá dentro ficava Paolo, às vezes duas, três horas, até que a irmã fosse libertá-lo. A saída não era menos complicada. Se saísse da casa, seria avistado pelos dois guardas. Então se instalava de novo no armário. Por volta das cinco, Annunziata destrancava a porta do armário e ia inspecionar o caminho. Quando via tudo livre, assobiava uns compassos de *Va pensiero*, ele saía, enveredava pelo pomar e, com cuidado, chegava ao escritório. Quem o visse abrindo a porta, por volta das cinco e meia, achava que tinha chegado mais cedo. Lá, comia a merenda que a irmã sempre lhe dava e, quando o guarda-livros chegava, entre seis e seis e meia, já o encontrava a postos, aplicado no trabalho.

    O objetivo era o defloramento. Consumado este, chegada a hora, as visitas acabavam, ele pedia demissão e sumia. Só quando ele estivesse no Rio de Janeiro, Immaculada ficaria sabendo da partida. A moça se consumiria de paixão. O que faria? Ficaria calada e aceitaria o casamento, até ser desmascarada pelo exame médico? Era pouco provável. Fugiria de casa, do casório, de tudo? Era uma possibilidade. Confessaria a aventura aos pais e denunciaria o sedutor? Talvez. Mas Annunziata negaria até o fim. Ficaria para negar, ficaria para ter o prazer de assistir à desintegração dos sonhos dos Dantas, ao prejuízo da família, à vergonha da mãe.

E ante a porta aberta do levante...

No dia 8 de julho, Helena fez uma viagem a São Paulo com a filha. Foram visitar o tio Pontes, era aniversário dele. Dantas ainda andava pelo Rio. As duas ficaram três dias com os Pontes. No sábado à tarde, Helena chamou o tio para uma prosa na sacada. O velho aceitou o convite com prazer quase ruidoso: era uma boa ocasião para recordarem a infância da sobrinha naquela casa. E nesse tom começou a conversa, que Helena cortou passado um tempo: perguntava o que o tio achava do noivo de Immaculada.

– Um bom moço, de grande futuro, seu marido escolheu bem.

A resposta vinha na fórmula prevista. Helena ficou calada, empurrando com a unha do polegar direito a cutícula do polegar esquerdo, como quem cumpre tarefa improrrogável.

– Por que pergunta? – precisou dizer o velho.
Helena se sobressaltou.

– Porque Immá não quer. Titio, não diga isso a ninguém, por favor. Eu pensei em recorrer ao senhor. Ela anda muito mudada, rebelde, não é mais a menina de antes.

O tio pensou um pouco, esticou as pernas cruzadas, ficou olhando para as pontas dos pés, depois encarou a sobrinha e disse:

– Minha bela Helena, quando esse moço apareceu aqui também não gostei dele. Chegou com pose de sabido, querendo impressionar, disse umas bobagens e, quando saiu, pensei: "Esse não volta mais." Ficou mais de ano desaparecido. Depois voltou e voltou maduro. Hoje é um dos moços politicamente mais lúcidos que conheço...

— Lucidez política não é condição para felicidade conjugal...
— Espere, não me interrompa. O que eu quero dizer é que ele não é inflexível, não é arrogante...

Helena abaixou os olhos e demorou uns segundos para criar a coragem de revidar ou revirar o argumento do tio como bala em ricochete:

— Se ele é flexível e humilde, significa que haverá de entender nossas razões e desfazer o compromisso...

Pontes disse, sorrindo:

— Que talento político perdido numa fazenda de Campinas! Você sabe que eu só quis apontar uma qualidade do rapaz, para desfazer a má impressão que você parece ter dele. Esse é o primeiro ponto. O segundo é: não ser inflexível nem arrogante não significa, necessariamente, ser sempre flexível e humilde. A natureza humana não é lógica. E, em terceiro lugar, acho que essas qualidades ele não tem em grau suficiente para concordar em desfazer uma união tão vantajosa.

— Por que tão vantajosa?

— Para ele, a união com nossa família vai abrir caminhos. Mesmo depois dos últimos acontecimentos. Não foi por acaso que eu nunca fiz política de alarde, você sabe disso. O prestígio mais sólido é o silencioso. Os contatos que temos no poder ainda são importantes, e eu diria que os mais importantes nem são de gente ostensivamente alinhada conosco. Nada disso é novidade para você. Esse moço, apesar de rico, chegou ontem do interior. É de uma família que se remediou vendendo jegues e depois enriqueceu plantando café. Uma família que nunca fez política de verdade. Passou o tempo todo juntando dinheiro. Com muita competência, aliás. Para as ambições dele, a ligação com a nossa família é importante.

Helena fez um sinal de desacordo.

— Eu sei o que você está pensando: que ele apostou na candidatura do Dr. Júlio Prestes e agora está desprestigiado perante o novo governo. Engano seu. Veja bem, estamos vivendo um momento difícil, de agitação, estamos às portas de um levante. Aliás, não querendo cortar a conversa, eu acho melhor vocês duas saírem daqui amanhã logo depois do almoço. São Paulo não vai ser um lugar muito salubre. Continuando: ele me consultou há um ano, eu disse que uma aventura militar não daria certo, ele acatou minha opinião e – apesar de ser um legalista, de desejar a constitucionalização do país – decidiu não apoiar o levante. Abertamente! Abertamente! (Pontes dizia isso em tom de ressalva, com o dedo em riste.) E fez isso contrariando uma grande amizade. Porque o Carlinhos Albuquerque está por aí, é agitador notório, homem de grande espírito democrático, mas um sonhador. Não tem os pés no chão. Enquanto isso, o senhor Francisco Moura de Almeida e Silva, moço que você tanto abomina...

– Eu não abomino, titio, o senhor não está entendendo...

– Você não gosta dele. Não é só sua filha que não gosta. Você não gosta. Mas disso tratamos depois. Continuando: enquanto isso, esse moço, com minha orientação, foi abrindo caminho junto ao poder e arranjando ótimos negócios para a empresa que seu marido fundou (disse "seu marido" com ênfase) e que estava cambaleante até a entrada em cena desse rapaz. Aliás, não é por acaso que o Ecumenácio está no Rio agora. E esses caminhos, repito, ele abriu com a minha ajuda, do Júlio, do Afonso... desse pessoal todo que você conhece. Enfim, uma mão lava a outra. Assim, o Ecumenácio, que tão orgulhoso se mostra em relação à nossa família (não deveria ser tão orgulhoso comigo, que apoiei o casamento...), acaba recebendo de nós, por via indireta, aquilo que ele acredita vir somente do Francisco. E, enquanto isso, o Francisco vai mostrando que tem enormes qualidades de administrador e político. Isso não se pode negar.

– Por que o senhor disse que ele não apoia o movimento abertamente? Apoia de outra maneira?

– Sim, magnanimamente, ele está contribuindo também para a causa constitucionalista com algumas subvenções até que generosas...

– Enfim, é um aventureiro que joga em duas frentes...

– Não seja tão extremada, minha filha. Você sempre foi tão lúcida! Alguém que nasceu no seu berço, que sempre conheceu de perto a política deste país, dizer uma coisa dessas! Isso só pode estar sendo ditado por paixão irracional. De que jeito você acha que nós, como outras famílias, nos mantivemos dentro ou nos arredores do poder desde os tempos do Império? Entenda que o verdadeiro político sabe fazer isso, mesmo sem manchar as mãos com a infâmia, a corrupção, o crime... Com esse seu julgamento, você está pondo em xeque tudo o que nossa família fez e defendeu até agora. O importante...

– Está bem, titio. Desculpe. Eu devia saber desde suas primeiras palavras que, se o senhor decidiu tutelar esse homem, vai defendê-lo com unhas e dentes de qualquer um, até de sua própria família.

Helena já tinha a voz embargada. Pontes abrandou o tom:

– Minha querida sobrinha, minha sobrinha predileta (e deu-lhe um beijo na testa), ele é um bom rapaz. Immá acabará gostando dele.

– Rapaz, modo de dizer. É homem feito e viúvo. Recentemente, fiquei sabendo que a mulher dele morreu em circunstâncias misteriosas. Até hoje se desconfia de assassinato.

– Quem contou isso?

– Não vem ao caso, o senhor não conhece. Mas é gente que morava na fazenda dele na época.

– Boatos.

– E os sentimentos de Immá? Não pesam?...

— Immaculada é um assunto à parte. Helena, aqueles olhos imensos só miram o céu...

— Ela queria ser aviadora, lembra? — Helena disse entre comovida e risonha.

— Essa menina, entregue à própria sorte, perde-se no ar, evapora-se.

— Como?!

— Perde-se, Helena. Essa menina é só sentimentos, é só boa-fé. Não tem a sua força, o seu caráter. Se a sua filha fosse como você, eu pagaria todos os prejuízos que a rescisão desse contrato significasse. Veja como a vida é irônica. Quando o seu casamento estava para ser marcado, seus pais descobriram a situação difícil da família Dantas e quiseram desfazer o trato. Você resistiu. E eu apoiei. Lembra?

Helena assentiu com a cabeça.

— Por quê?

— ...

— Porque sabia que você queria aquele homem pelas qualidades que ele tinha, qualidades que eu também via. Mas o desejo de Immá eu não posso acolher.

— Titio, eu lutava pela manutenção de um trato. Immaculada está lutando por uma rescisão...

— Você está querendo dizer que eu não apoio porque é mais fácil apoiar a manutenção de um trato do que lutar pelo seu rompimento?

— Não foi isso...

— Foi. Mas você continua cega. Sabe que eu lutaria pelo rompimento, se achasse justo e necessário. Agora, dizer que a Immá está "lutando" pelo rompimento é força de expressão, hem? Quer ver uma coisa? Quem está falando comigo agora? Você. Por que não veio ela? Porque ela não tem vontade, tem veleidades... No máximo, vagos desejos.

— Ela não tem com o senhor a intimidade que eu tenho.

– Que seja. Mesmo assim, não sinto nela a força de quem sabe o que quer, mas a fraqueza de quem só sabe o que não quer. Immá é uma alma frágil, perde-se no ar, se não tiver chão...
Pontes parou. Helena chorava.

Perdido o véu, arranja-se um escudo
A viagem de volta foi melancólica. Chegadas, na estação o motorista já foi dizendo que Dantas estava na fazenda, preocupado com os perigos novos de São Paulo. Alertado por Francisco, tinha ido direto do Rio para Campinas. Chegava pressuroso, queria arranjar coisas, dar mais segurança à família.

As visitas de Paolo não tinham rendido tudo o que a irmã esperava. Grande parte do tempo passado lá em cima, da segunda vez, foi perdida em conversas e declarações. Immaculada sonhava promessas, ele prometia sonhos. Às carícias acentuadas ela se entregava a custo. E só devagar se rendia à carga pesada das sensações que iam esmagando o edifício da pudicícia ensinada. Algumas vestes já caíam. Na terceira visita, ele chegou, ela estava de camisola. A interpretação de Paolo foi equivocada. Ele traduziu camisola por intimidade, quando na verdade aquilo não passava de escudo de cetim contra as desconfianças da mãe: por que já eram nove e ela não estava vestida para dormir? No dormitório ao lado, Annunziata esperava aflita, entre o medo da descoberta e a ânsia da vingança, caçando pelo ar ruídos eloquentes. Mas pouco ouvia. No fim de semana, Paolo explicava que precisava agir com cautela, que a menina resistia.

Resistia. Mas os dois irmãos erravam na interpretação dos motivos. Não havia propósito na resistência, não era intuito de defender a virgindade, palavra de significado vago para Immaculada. Ela resistia porque – Paolo não sabia – era uma criança que ainda não entendia muito bem o que ele queria. E, resistindo, se entregava porque – isso Paolo sabia – era mulher, e a natureza lhe ditava atos que ela ia cumprindo sem perceber. As carícias do moço a deixavam num estado de excitação nervosa que ela mesma não percebia bem. Mas a mãe sim, sem explicar.

Dantas na fazenda durou uma semana. Nesta, Annunziata e Paolo decidiram não arriscar nenhuma subida. Passada a semana, voltou Dantas à capital. Ali ficaria quinze dias.

Assim que ele partiu, Paolo subiu de novo ao quarto de Immaculada. A moça naquela noite mostrou-se mais receptiva. Estava com saudade. Deixou-se despir, deitou-se ao lado do amado, também despido, e recebeu um tipo de aprendizado que nunca esqueceria. Ele lhe ensinou as virtudes do sexo oral e das carícias bem plantadas e dosadas. Tudo regado, amortecido e aromatizado por uma essência oleosa surgida não se sabe de onde, em cujo rótulo, entre arabescos indianos, lia-se *Love s...* porque uma parte do rótulo já estava descolada.

Depois que o moço saiu, a lembrança daquela irrupção de prazer consumiu-lhe a noite. Às onze da manhã, Helena entrou no quarto e encontrou a filha em sono profundo. Foi perguntar a Annunziata a que horas, afinal, a menina tinha dormido. A italiana disse que tarde, por causa de uma dor de cabeça.

Apesar de toda aquela cumplicidade, Annunziata não sabia bem o que se passava no quarto ao lado. Paolo era esquivo, omisso. Da penúltima vez, havia confessado que a moça continuava tão virgem como no primeiro dia. Annunziata não entendia aquela falta de competência do irmão. Não conseguia arrancar muita coisa dele; nem por isso abordava Immaculada. Era sagaz, mas não alcoviteira nata. Carecia de descaramento. Percebia que a reserva da moça, para ser vencida, precisava de uma impudência que ela não conseguia ter. A reserva de Immaculada não era premeditada; era um misto de modéstia, inocência e inconsciência. Difícil definir. Immaculada vivia aquele amor como quem vive o inevitável, fazendo dele uma experiência íntima natural, das que não podem ser compartilhadas.

No sábado, Annunziata foi para casa e não encontrou o irmão. À noite, finalmente, ele apareceu. Para jantar. Engolição rápida: terminou antes de todos, levantou-se e foi saindo, dizendo que tinha um encontro com amigos. Annunziata saiu atrás. Quando enveredava no corredor, o irmão já fechava a porta da rua. Ela correu e o alcançou na calçada. Perguntando:
– *Ce l'hai fatta?*
Paolo continuava andando, Annunziata atrás, nos calcanhares. Uns dez metros assim andaram, Paolo sem responder. Annunziata não largava mão:
– *Ce l'hai fatta, sì o no?*
– *Sì, sì, sì, ce l'ho fatta!!!* – respondeu ele em voz alta, sem parar, gesticulando brusco, nervoso, desabrido.

Annunziata voltou aliviada. Finalmente a coisa tinha sido consumada.

Quem busca a escuridão só foge à luz

Dantas deveria voltar no dia 30, mas não conseguiu. O agravamento da doença de uma irmã o reteve em São Paulo. No dia 3 de agosto, Paolo quis visitar Immaculada. Disse isso à irmã, na saída do escritório. Discutiram. Ela não entendia. Perguntava se ele já tinha pedido demissão, conforme combinado. Não, não tinha. A irmã resistia, ele insistia. O desejo de uma nova visita, assim tão próxima da anterior, despertou nela a suspeita de que ele se apaixonava. Em rápidos segundos, raciocinou que, se a paixão fosse inevitável, o remédio seria uma fuga e um casamento forçado. Não estava nos planos, mas não era de desprezar. Os riscos eram enormes, ele insistia demais.

Como de costume, meteu-se no armário e, quando tudo se acalmou, quando o silêncio de uma noite de breu abafou a azoada diurna, entre nove e meia e dez, a irmã foi abrir a porta, ele subiu.

Passava das duas, Helena, não conseguindo dormir, decidiu descer para comer alguma coisa. Ia pelo corredor que levava aos fundos com um castiçal na mão quando, um pouco antes da porta da filha, teve a impressão de ouvir voz masculina. Estacou ali mesmo, apagou a vela e se encostou à parede, atenta. Passou alguns minutos em dúvida, não ouvia mais nada. Assim mesmo, entraria. Esticou a mão para girar a maçaneta, mas um ruído de chave na fechadura anunciou que alguém saía. A porta se abriu e, contra a claridade fraca do quarto, ela adivinhou a figura de Annunziata. Perguntou:
– O que está acontecendo? – e foi entrando.

Não enxergou muita coisa. Só viu na frente da lamparina um vulto de homem: a luz fraca, às suas costas, acentuava os contornos e velava a fisionomia. Helena gritou. Paolo, passado o primeiro susto, empurrou a irmã e desabalou corredor afora, sumindo-se pela escada.

Helena correu atrás dele. Quando viu que não alcançava, ensaiou gritar o nome de Adonias, o guarda, mas não terminou. Foi agarrada por trás: um braço forte lhe circundava a cintura, uma mão lhe tapava a boca: era Annunziata.

As duas mulheres entraram em luta. Helena tentava gritar, Annunziata lhe prendia a cabeça com as duas mãos, uma na nuca, outra na boca. Da porta do quarto, Immaculada assistia imóvel, dobrada pelo tremor do susto. Finalmente, Helena se desvencilhou e correu para a ponta do corredor. Annunziata gritou:
– Vai denunciar que sua filha não é mais virgem?

Helena parou no alto da escada. Apesar do escuro, percebia que não havia ninguém ali. Paolo tinha conseguido fugir.

Annunziata chegou perto dela, com o indicador nos lábios, pedindo silêncio, irônica:
— Quieta! Não vai ser burra de fazer escândalo, né? Não vai querer que todo o mundo saiba que sua filha perdeu a virgindade!

Helena assentou-lhe uma bofetada, Annunziata cambaleou, mas logo se recompôs e devolveu a ofensa com um bofetão de revés que lhe arrancou sangue do nariz. Immaculada veio correndo em defesa da mãe. Abraçou-se a ela e começou a pedir que a italiana fosse embora. Mas ela não ia. Em vez disso, falava desvairada:
— Pode bater. Pode até mandar chamar a polícia. Eu fico aqui esperando. Mas você não vai. Você tem muito para perder. Só se quiser casar a menina com o meu irmão. Quer? Quer? Esse é o único jeito de salvar a honra dela agora... mas não a riqueza! Immaculada, diz pra tua mãe que quer desmanchar o noivado porque gosta do Paolo. Diz, diz.

Immaculada continuava trêmula, abraçada à mãe. Dos olhos imensos, fechados, corria um filete silencioso de lágrima. Não por aquela cena vulgar, não pela mãe, mas pela fuga de Paolo. Fuga ignóbil, canalha. Um guerreiro em debandada pela escuridão do corredor, sem peito para olhar uma mulher de frente.

Helena, estarrecida, dava a impressão de ter perdido a fala.
— Só falta perguntar para o meu irmão se ele quer casar. (Acentuava o *ele*.) Ou se só veio aqui para se vingar. Para mostrar quem é carcamano. Sapatranca? Repita o que disse do meu pai. Repita!

Nos olhos de Annunziata o ódio era um rio na escuridão, entrebrilhando na luz que a lamparina conseguia projetar no corredor. Ela continuava:
— Quanto orgulho! Por quê? Porque chegou antes de nós nesta merda de país? (Já falava mais alto.) Mas como foi que chegaram os vossos ancestrais, madame? De caravela

(e dizia "caravela" com o braço erguido, num gesto irônico). Degredados de caravela! Degredados de caravela eram os teus avós. A gente não. A gente veio de terceira classe, lá embaixo, no sujo, mas de cara limpa. (E dava tapas no próprio rosto.) De mão calejada, mas limpa. A gente veio fazer o que vocês não fazem por preguiça. Mas quem é dono da terra, quem manda e desmanda? Quem ri da gente? Vocês! Bandidos, degredados, nojentos.

Helena virou-lhe outra bofetada, e as duas mulheres se engalfinharam de novo. Immaculada, mal abraçada à mãe, gritava, pedindo a Annunziata que fosse embora.

Lá fora, um disparo... só Immaculada ouviu. Dois... as duas mulheres pararam. Três... Annunziata gritou:

– Paolo! – e ia desaparecendo pela escada quando as luzes de baixo se acenderam. Três degraus antes de chegar ao andar de baixo, caiu nos braços de Adonias. Helena, de cima, ouvia o negro dizer:

– Vai sair, não, dona Anunciada. Se sair leva tiro.

Annunziata se contorcia, tentando libertar-se dos braços fortes do homem, chutava-lhe as canelas, gritava "me larga, me larga", até que ele se enfezou e sentenciou malcriado:

– Essa intaliana tá encapetada.

E, dando-lhe um empuxão dolorido no braço, gritou:
– Fica quieta aí!

Ela se calou e ficou quieta, curvada, chorando baixinho, com uma expressão tão miserável, tão desalentada, que deixou o preto cheio de dó, quase sem saber o que fazer.

– Dona Helena, o que aconteceu aqui? – gritou ele lá para o alto da escada.

Helena descia de camisola, com os braços em cruz sobre o peito, para ocultar as formas, e parou na metade da escada, aonde a claridade de baixo ainda não chegava. Atrás dela, Immaculada vinha devagar, trêmula, com o rosto banhado em lágrimas. Em vez de responder, Helena perguntou:

— Que tiros foram esses, Adonias?
— Eu e o Juvenal viu um homem sair na carreira de lá da lavanderia, sim senhora. O Juvenal saiu correndo atrás dele, atirando. Ele se enfiou no pomar; de lá não sei. O Juvenal foi atrás, mais o Zé. Eu vim pra cá, vi a porta de trás aberta e entrei pra saber que diacho que tá acontecendo. Seu Dantas disse pra gente não arredar da casa, mó de proteger vosmecês.
— Adonias, faça um favor. Leve a Annunziata até o quarto dela. Pode subir. Tranque a porta por fora e vá vigiar o terreiro. Pode subir. Eu vou me vestir. Agora aqui está tudo calmo. Vamos, Immaculada, suba, suba.

A menina subia a custo. Annunziata tentava de novo se desvencilhar de Adonias. Helena, que ia subindo, virou só parte do tórax e disse com voz calma e grave:

— Use a força se for preciso.

Mesmo de camisola, com os cabelos em desalinho, depois de esbofeteada por uma empregada, do alto da escada o olhar de Helena irradiava a vontade incontroversa da soberana. O sangue tinha sumido do nariz.

Levou Immaculada consigo. Entrou no quarto com a filha, trancou a porta e ficou com a chave. Foi para a sala de vestir, abriu o armário e puxou um cabide: dependurado, um vestido de flanelinha estampada. Arrancou a camisola em silêncio e em silêncio se vestiu. Desentocou um xale preto de uma gaveta, de outra desentranhou um par de meias, que enfiou com pressa. Calçou-se, foi até a penteadeira e, ajeitando os cabelos, viu no espelho a filha parada junto à soleira, observando seus movimentos.

— Immá, vá dormir. Nós temos muito que conversar, mas só amanhã. Deite ali na minha cama.

Saiu, trancando a porta.

Ao chegar lá embaixo, Juvenal estava à espera para dizer:

— Eu atirei, mas acho que o homem escapou. Não escutei gemido nem tombo. O safado entrou no cafezal e sumiu na escuridão. Vou acordar uns homens para sair por aí de lanterna. Quem sabe se a gente acha.

– Pode chamar. E, se acharem esse homem, atirem sem piedade. Que sirva de exemplo para quem queira entrar nesta casa com más intenções.

Mandou chamar Adonias e foi esperá-lo na biblioteca. Quando o negro chegou, Helena estava sentada na cadeira de Dantas. Uma luz fraca, na mesa, mal iluminava seu rosto. Adonias foi convidado a sentar-se à sua frente. Helena disse:

– Adonias, o que eu vou dizer agora só pode ficar entre nós. Não me faça perguntas, porque há coisas que eu não posso dizer. Sei da sua dedicação, da sua coragem, do seu passado (o negro abaixou os olhos). Quero que você vá até a casa dessa italiana e arranje um jeito de ficar vigiando sem ser visto. O irmão dela você conhece, não?

– Conheço bem, sim senhora.

– Eu quero esse homem morto. E você vai cuidar disso.

O negro arregalou os olhos. Na semiescuridão em que estavam, sua esclera pareceu desmesurada.

– Eu sei que essa não seria a sua primeira vez. E comigo você está garantido para a vida. Comigo e com meu pai, você sabe. Mas não pode ser apanhado. Se fizer tudo direitinho, vai ser muito bem recompensado. Daqui por diante você vai ter o tempo e o dinheiro de que precisar para isso.

O negro pensou um pouco. Pelo silêncio ralo do ambiente vazava um assobio de ventania. A voz dele soou abafada:

– Desculpa perguntar, dona Helena. O Dr. Dantas não vai saber disso?

– Não. Isso é coisa minha. É uma questão de honra de mulher. Pegue o melhor cavalo do estábulo. A galope, você chega lá em menos de meia hora. Assim que clarear eu dispenso a irmã dele. Ela pode lhe servir de isca.

Os dois se levantaram. Antes de chegarem à porta, Helena perguntou:
— Seu filho vai bem?
— Vai, sim, senhora.
— Ainda está falando em estudar?
— Ele sonha em ser doutor.
— Vai ser, Adonias. Vai ser.

A quem bravura falta sobra astúcia

Immaculada foi até a janela. Ventava, a noite era um bloco de grafite atrás de um vidro, e ela só viu seu próprio rosto. Apagou as luzes e lá se postou de novo, mas não conseguia enxergar, contra o céu, nem mesmo o vulto das montanhas que (ela sabia) brotavam para além daquela massa trevosa indiferenciada que começava a poucos metros da casa. Olhos e ouvidos caçavam indícios. Movimento, nenhum; ruído, só o dos ramos chicoteando a escuridão. Quinze minutos se passaram... ela viu um ponto luminoso em movimento a alguma distância indiscernível: devia ser um dos homens procurando Paolo. Com as mãos crispadas contra o vidro, rezava, pedindo que não o achassem se estivesse vivo e que, se achado, não estivesse morto. Pouco tempo depois a luz sumiu e tudo voltou ao que era antes: um tenebroso nada.

Foi para a cama. Lá, com os imensos olhos imersos na escuridão, pensava, pensava e só pensava... Um desencontrão louco de pensamentos trazia e levava Paolo, Annunziata, a mãe, o pai, ela mesma... se Paolo a tivesse deflorado de vez... quando Francisco soubesse de tudo aquilo... os olhos de Dantas repreendiam, a boca silenciava... Paolo deve ter sumido pelo cafezal... amanhã reaparece para me pedir em casamento... Francisco surgia com um papel na mão, gritando com Dantas, pedindo o dinheiro devido... não, não reaparece, se entrar aqui leva um tiro... não quis... não quero desgraçar tua vida, menina... por que ele não quis quando eu quis?... desgraça é esse casamento... fugir, devia ter fugido com ele, levado um tiro... melhor que isto... ele não quis, por que não quis?... disse que gostava de fazer tudo às claras, mas fugiu pelo corredor escuro... (virou-se de bruços, enfiou o rosto no travesseiro, que logo se umedeceu... um ruído de trinco) finjo que durmo.

Depois de ouvir um vai e vem de passos abafados, sentiu que um corpo se deitava na vastidão do colchão que sobrava ao lado. Helena virava-se para o outro lado, e as duas mulheres ficavam em silêncio, acordadas embora.

Era madrugada quase finda quando Immaculada despertou de um sono que mais parecia modorra de doente cheia de fantasmas. De lá de fora entrava, não se sabe por onde, um barulho parecido com a crepitação dos bifes da cozinheira: era o frigir da chuva no breu da noite. Tentando enxergar no escuro, por seus olhos entrou uma visão que fez o coração descambar numa pulação desenfreada, feito a Joanita nas brincadeiras de corda. Aterrorizada, Immaculada via contra a parede da frente um rosto humano, uma figura caveirosa, imóvel. O pavor foi tanto, que quase gritou. Não fosse a mãe ali, teria morrido de medo. Não aguentou olhar muito tempo. Enfiou a cabeça debaixo das cobertas, na certeza de que soava a hora do castigo. E nisso ficou pensando até que o sono foi chegando e, de mansinho, desbotou as tintas do pavor.

Quando a verdade abate e a dor seduz

As buscas na fazenda tinham durado o que restava da noite e boa parte da manhã. Ninguém foi encontrado. Adonias não voltava com notícia nenhuma.

Às seis e meia, Helena entrou no quarto de Annunziata. A italiana estava de pé, desdormida, olhos inchados, transfigurada pela dor. Helena disse:

– Seu irmão não morreu... por enquanto.

Annunziata suspirou aliviada e abriu a boca, exorcizando um sorriso. Helena continuou:
— Você vai sair agora. O motorista te leva. Nunca mais pise aqui. Tem o dia de hoje para sumir definitivamente da cidade e do país, de preferência. Se aparecer por aqui de novo, morre. Se abrir o bico, morre. Está entendendo? Morre. Morre você, morre seu irmão.

Annunziata não respondeu. Recolheu a maleta que tinha aprontado com seus pertences e foi saindo. Se Paolo estivesse vivo, teria fugido para a casa de Nicola, conforme combinado.

Se o geral satisfaz, por que minúcias? No dia seguinte mãe e filha partiram para São Paulo. Para Dantas, tinham ido por duas razões: primeiro pela preocupação com Cândida (assim se chamava a irmã de Ecumenácio); segundo, porque Immá não estava bem de saúde. Era preciso marcar consulta médica.

Dantas abraçou e beijou mulher e filha. Almoçando, contou o que vinha presenciando naquela cidade em pé de guerra. Pensando bem, era bom terem vindo; o interior ia ficar cada dia mais perigoso com o movimento de tropas. Ele já estava mesmo pensando em ir buscá-las.

— Até do Nordeste vão chegar soldados. Governo safado, que aproveita os desgraçados da seca para bucha de canhão. Mas por que essa menina está tão pálida? Posso saber qual é a doença da minha filhinha?

— Uma dor no lado direito do abdome. Espero que não seja apendicite — dizia Helena com um garfo de arroz a caminho da boca.

Depois de voltar do quarto de Annunziata, na manhã anterior, Helena tinha dado o veredicto:

— Entregou a virgindade para o filho de um tamanqueiro... Vai para um convento. Vai se penitenciar pelo

resto da vida da vergonha que nos fez passar, da desgraça de seu pai.
— Não entreguei — dizia Immaculada, e a mãe não acreditava.
— O consultório do Dr. Afonso agora é no largo do Arouche. Eu vou junto — dizia Dantas pegando um punhado de alface da saladeira.
— Não, não. De jeito nenhum. Você tem muito que fazer. Depois, esse é um assunto de mulheres.
— Sozinhas é que não vão. Mando com vocês o motorista e o chefe de pessoal.
— Vai dizer que ainda é virgem? — perguntava a mãe no quarto. — Quantas vezes aquele safado subiu?
Immaculada não dizia, só repetia que era virgem. No fim, cansada das ofensas que ouvia contra Paolo, encarou a mãe e disse com heroísmo:
— Foi para não me desgraçar. Ele dizia que não queria me desgraçar.
E chorava. Mas Helena sorria:
— Para não te desgraçar? Se não fez foi por medo, isso sim. Por medo.
Não acreditava na virgindade, mas, com aquela insistência toda, acabou pensando em comprovar o fato com o Dr. Afonso. Depois decidia o que dizer ao marido.
Na descida da Consolação, os dois homens comentavam:
— Quem diria que está havendo uma guerra? A cidade parece até normal... quase normal...
— A gente lê num jornal que os federais estão avançando; noutros, que não. Não se sabe em quem acreditar.
— Uma coisa é certa: voltar atrás agora não dá.
Immaculada ia lendo os cartazes. Enxotando a dor surda que lhe morava dentro, ia fazendo o que fazia na infância, em passeios longos de trem ou carro: fingia que era analfabeta. Brincava de olhar as palavras dos letreiros sem ler. Mas não conseguia. Batia os olhos num letreiro

e já via que ali era alfaiate; em outro, e sabia que naquele endereço morava um serralheiro. Apertava as pálpebras, tentava não ler, mas a vida lhe ia entregando pelos olhos o que tinha encomendado e o que não. Como já diziam os antigos poetas, os olhos são as portas por onde entra a beleza que se apodera do coração: isso é o amor. Tinha lido coisa assim com Mlle Durbec, que lhe dissera:

– Por esses olhos grandes vai entrar muita beleza.

"Comissão de voluntárias" – dizia outra placa. Voluntárias para quê?

– Voluntárias para quê? – perguntou quase sem querer.

– Para servir de enfermeira, ajudar os combatentes – explicou o motorista, virando um tantico a cabeça.

Que espécie de mulher fazia aquilo? Merecia inveja quem tinha o poder de caminhar para onde bem quisesse, até em direção a uma guerra.

Quanto mais perto o centro, mais cartazes convidavam ao alistamento. Immaculada começava a pensar naquela guerra incerta, quando o carro parou. Um pelotão a cavalo cruzava a praça da República. Os homens iam tesos nas montarias, passavam solenes e solertes debaixo do sol ameno e oblíquo da tarde. Os rostos desfilavam: em cada um deles – quem sabe? – Paolo.

Entrou no consultório amuada. Já tinha vergonha daquele desconhecido pago para lhe escarafunchar a intimidade. Só aguentava o vexame porque era o único jeito de provar a inocência de Paolo. Helena entrou primeiro, ela ficou sozinha na sala de espera. Tapete florido, de fundo vermelho, poltronas de couro preto em quase todo o perímetro, uma mesa num dos cantos, com ossuda moçoila atrás. Cansada de olhar só aquilo tudo, sem pensamentos desanuviados que distraíssem, Immaculada recostou a cabeça de lado e fechou os olhos. A canseira já quase trazia o sono, quando uma porta (não a mesma por onde a mãe sumira) se abriu de chofre, e uma enfermeira gorducha apareceu chamando seu nome. Foi levada para uma sala de chão de madeira escura, quase preta, bem encerada; debaixo de um holofote, uma cama branca e alta que numa das extremidades tinha duas varas de ferro em pé, terminadas em estribo ou coisa parecida. Perto dela, um móvel branco e, em cima dele, umas ferramentas incompreensíveis. Cheiro de éter. A enfermeira gorducha disse com voz calma que ela devia ir para uma saleta ao lado, vestir um avental. E foi junto. Immaculada voltou de avental, seminua por baixo, morta de frio e desalento. Voltando, encontrou a mãe junto à cabeceira da cama alta. Subiu uns degrauzinhos e deitou-se. Nos pés da cama, a enfermeira lhe abria as pernas. Tentava, ela não deixava. Tentava de novo, não conseguia. Então disse o que devia dizer sempre:

– Calma, calma, não vai doer.

Immaculada já chorava. Não abria as pernas. Preferia o convento. Começou a levantar-se. A mãe a puxou para trás, ela caiu de volta na cama. Alguém agora lhe segurava os braços. Era a enfermeira, que só dizia:

– Calma, calma.

Presa pelos braços, ela erguia a bacia, lançava os pés para fora da cama, eles pendiam no ar, ela os trazia de volta para cima, em contorções, esperneios, espasmos e gritos. E, quanto mais chorava, menos calma ficava a enfermeira, que a certa altura disse:

– Assim não dá!

O médico entrou, parou perto da cama, observou uns segundos, cochichou alguma coisa para a enfermeira (que Helena não entendeu – nem podia, com aquela gritaria!), ela foi até o móvel ao lado, abriu uma das portas, sacou um objeto estranho, foi até um armário, pegou um frasco, verteu alguma coisa dentro do objeto e, um bocadinho de tempo depois, voltou para Immaculada que, naquele berreiro, sem perceber que lhe pespegavam uma máscara, já se achou sentada em outra sala, com a cabeça no ombro da mãe.

Na frente, uma mesa imensa e atrás dela o Dr. Afonso, rabiscando. Entre rabiscos dizia:
— Virgem como quando nasceu, dona Helena. Não é isso o que deve preocupar. Ela costuma ter anestesia em certas partes do corpo?
— Que eu saiba, não.
— Alguma infecção grave?
— Não. Amigdalite na infância.
— Bocejos frequentes?
— N... não... Acho que não...
— Choro ou riso sem motivo?
— Não que me lembre.
— Gritos, vociferações?
— De jeito nenhum! Quer dizer, só agora.
— Alguma vez se queixou de uma bola na garganta?
— Uma vez, sim.
— Que idade tinha?
— Cinco anos.
— A que a senhora atribui as alucinações?
— Não sei, eu vim aqui para isso...
— Qual é sua religião?
— Católica.
— Ela se casa quando?
— Ano que vem.
— Aqui está a prescrição. Leve também esta lista dos alimentos que precisam ser eliminados. Dieta rigorosa! Ah! Também vou prescrever um purgativo. Costuma ser útil. A senhora passa muito tempo no interior?
— Todo o inverno, doutor. Ela se ressente muito do frio úmido de São Paulo.
— O interior é muito propício a verminoses. Os hábitos de higiene não são tão rigorosos.
E com três papéis na mão, mais Immaculada zonza a tiracolo, Helena pegou o elevador e desceu para o crepúsculo.

Velho Adonias erra quando acerta

No carro, abraçou a filha. Immá, alma volátil, recostou a cabeça em seu ombro. Era o primeiro gesto de carinho depois de dias de indiferença ou cólera. Tio Pontes… sempre lúcido. (Perde-se no ar!) Finalmente, o alívio. A filha era virgem ainda. Por milagre. Desencontro de informações incompreensível, aquele. Duas noites antes, Annunziata afirmava convicta o contrário. O irmão, amedrontado, gorou a vingança da irmã? Que mais podia ser? Bondade que não. Agora… agora era convencer a filha aos poucos: melhor o casamento.

Immaculada tossia em seu ombro. O que dizer a Dantas? Não queria mentir, não queria dizer a verdade.

Jantaram em silêncio. Aquela tosse seca parecia interminável. Foi tossida a noite toda. Do seu quarto Helena ouvia e não dormia. Quase três, pulou da cama e foi dar um xarope à filha, que estava febril. Ficou mais de meia hora à sua cabeceira. Três e quarenta, achou que já podia voltar ao quarto e dormir, mas, atravessando o corredor, se sobressaltou com uma ideia que, de tão terrível, deveria ter ocorrido antes. Se ele morresse, a irmã poderia abrir o bico. Com a virgindade garantida, o melhor seria que ele continuasse vivo e longe, sem despertar mais um motivo de vingança naquela megera. Precisava avisar Adonias.

Passou o resto da noite acordada, esperando amanhecer. Aquela tosse azucrinava. Achava-se autora daquela tosse. Pois não haveria de ser por causa daquela malfadada máscara? E rondava o quarto da filha, acarinhando-a como nunca. Enquanto isso, pensava numa boa desculpa para mandar alguém à fazenda no meio daquela guerra.

E ao marido, que dizer? Precisava contar alguma coisa, afinal, porque, pensando bem, os acontecimentos daquela noite acabariam mesmo chegando ao conhecimento dele. Depois do café, comunicou que Annunziata tinha sido despedida.

— Você nunca gostou dela — comentava ele, pondo o chapéu.

— E tinha motivos. Não quis dizer nada antes, não conseguia nem falar do assunto, foi uma coisa muito dolorosa, mas a verdade é que eu vim embora porque fiquei muito chocada e entristecida com o que aconteceu lá na última noite... Eu descobri que ela recebia um amante.

— Onde?!

— No quarto.

— E a Immá no quarto ao lado?

— É.

— Como é que alguém entrava lá com todos aqueles guardas? E você me diz isso só agora?

Tirou o chapéu e voltou para a sala. Circulava desvairado de um lado para o outro.

— A menina correndo esse perigo todo! Como fomos tão confiantes, tão ingênuos? Essa mulher precisa ir para a cadeia! E os guardas não viram? São uns incompetentes! Por que não chamou a polícia?

— Armar um escândalo? Já pensou se Francisco descobre? Os guardas não têm culpa. Parece que era um ex-empregado, gente conhecida que andava por lá de vez em quando.

— Parece?

— Ele fugiu.

— Deixaram fugir?

— Ela tinha um plano muito bem montado de subidas e descidas, depois te conto, agora não dá. Eu pretendo apurar tudo, mas agora, com essa guerra, não posso voltar lá tão logo. Calma, a menina está bem. Ontem conversei com o Dr. Afonso... Como eu lhe disse, a dor do lado é um probleminha de mulher. Aproveitei e pedi que ele examinasse tudo muito bem. Immaculada está bem. Francisco não pode saber de nada.

— E essa mulher não vai ser punida?

– Exigi que ela saísse de Campinas. Incumbi o Adonias de verificar se ela sai mesmo. Eu disse que, se ela ficasse, seria punida.

Dantas balançava a cabeça e andava pela sala.

– Eu bem que achei a menina pálida demais. Deve ter sido um choque.

Helena se aproximou fagueira, despejou um beijo na bochecha do marido e disse:

– Escute, vá trabalhar sossegado, está tudo bem. Gostaria de mandar alguém a Campinas com instruções para o envio do enxoval. Está tudo muito atrasado.

– Cuide disso você. Faça o que achar melhor.

Naquele mesmo dia um empregado da empresa pegou um trem para Campinas. Levava uma carta para uma das empregadas, com instruções sobre o modo de embalar o enxoval. Dentro do envelope, um outro, fechado, para Adonias.

Fins de agosto, tosse amainada, quase extinta, as cores voltavam devagar, tom a tom, ao rosto de Immaculada. Não ainda o sorriso. Nem findava a primeira quinzena de setembro, aportava em casa dos Dantas uma caminhonete com dois baús de enxoval, um homem na direção e Adonias de acompanhante. Tinham levado quase dois dias de viagem, desviando de tropas por picadas, parando para conserto, com uma bandeira branca a esvoaçar da carroceria. Chegava a caminhonete empoeirada, bandeira agora pardacenta de poeira empapada de garoa.

Os homens apearam numa meia manhã nevoenta. Receberam banho e comida quente. À noite, dormiram num dos quartos de empregados. Manhã seguinte, Helena chamou Adonias à biblioteca. Tal como naquela noite ida, ela dominava a escrivaninha de Dantas, que já tinha saído. Um sol caduco entrava pela janela, atrás. O negro, outra vez, sentou-se à sua frente. Nenhum dos dois imaginou Immaculada junto à porta, e a conversa foi a seguinte:

— Recebeu meu bilhete, Adonias?
— Recebi, sim, senhora. E suspendi o trabalho, que nem a senhora mandou. Mas me arrependi. Não sei por que é que a senhora primeiro quis aquilo e desquis logo despois, nem vou perguntar, mas é o que aquele lazarento merecia.

Adonias pigarreou, parecia emperrado, demorou a continuar:

— Os dois sumiu de vez. O moço desde aquela noite ninguém viu mais. A irmã naquele dia mesmo pegou trem pra São Paulo. Eu passei três dia rodando a redondeza até que recebi o recado da senhora. Foi só aí que eu parei. Não achei o moço de jeito nenhum. É certeza que ele saiu logo de lá, nem parou em casa. Os velho viajou quinze dia despois. Diz que foi tudo pra Intália. Quem contou foi um conhecido deles, um tal de Pasquale. (O negro pigarreou de novo.) Pouca vergonha... O que aquele moço fez foi crime... (A voz do negro às vezes atolava numa rouquidão lacrimosa.) Fez bem de fugir, dona Helena. (Interrompeu-se de novo, olhou para o chão, depois levantou de volta a cabeça, criou coragem e explicou.) Porque, se ficava... ou casava, ou morria. Mas aí morria por vontade minha. Morria, dona Helena. (A voz do negro, embargada.) Imagine... deixar a Joanita prenha!

Considerando bem considerado...

Os fatos, quando engolidos na marra, podem ser vomitados ou sofrer metabolismos impensáveis. Aquela fala toda de Adonias foi acidentada como certas estradas que vão seguindo devagar na mesma direção até uma lomba e só lá do alto, de repente, se deixam ver mudando bruscamente de rumo. A lomba foi a frase final. Aquela subida toda, vagarosa, cheia de trancos e pigarros, levava para um rumo: Adonias sabia que o italiano tinha seduzido a filha da patroa. Mas "Joanita prenha" era uma guinada inesperada, um susto. Durante todo o lento caminhar daquela fala, Helena olhava atenta a fisionomia do homem, tentando ir na frente, antever a chegada, entender se aquilo era indignação destemperada, descabida num empregado, ou se lento palmilhar das vias da chantagem. O que exatamente ele sabia? Estava ela assim meditando, quando a frase final lhe entrou pelos ouvidos e demorou para ser entendida; aquela fala foi um copo de sal amargo gelado, que se bebe de um fôlego: o gosto todo só vem depois do último gole.

A trajetória do pensamento de Immaculada foi um pouco diferente: enquanto a mãe se antecipava, ela seguia atrás. Era uma criança, não podia antever chantagem, só sentiu medo: o homem falava dela! Para a mãe, a última frase foi chocante; para ela, fulminante. Saiu dali correndo, foi tossir no jardim. Sentou-se no chão, debaixo de um ipê, e lá ficou tossindo, até passar a vontade de se livrar dos pulmões. Só então consentiu em respirar. Depois de um tempo, subiu silenciosa e se meteu no quarto. De lá de cima, viu a caminhonete saindo, bandeira agora lavada. Não almoçou. A tarde foi passada num estado de estranho sopor. Helena entrava a cada meia hora, ver se a filha tinha febre, se tinha acordado. Por volta das oito, Immaculada despertou e comeu um pouco. Depois dormiu mais doze horas. Quando os olhos se abriram por força da claridade, ela demorou um pouco para se dar conta de onde estava e de quem era. Precisou pensar minutos, antes de acertar o dia: quarta-feira. "Joanita prenha" já não era a chaga viva do dia antes, era agora um peso morto no músculo cardíaco, ferida petrificada no tórax. Amor traído, inveja do fruto no ventre da amiga e desapontamento de entrever o canalha na sombra do herói, toda essa mistura produziu uma química estranha: Immaculada acordou outra.

Só quero estima e consideração

Da varanda dos fundos, Helena observava os sinais da primavera na cidade, pensando que na fazenda as maritacas decerto já estavam enchendo o pomar de falatórios. Lembrava aquele bicho estranho, que usava uma pata para se prender ao galho e a outra para segurar alguma amora que era levada ao bico num gesto tão humano que chegava a revoltar. Na porta, uma empregada lhe anunciava uma "senhora". Queria falar com ela de qualquer jeito. Pedia, por favor, que a atendesse. Era italiana.
– Italiana como? Como ela é?
– Magra, cabelo meio branco, usa óculos...
Não era Annunziata. Estava no portão, à espera.
Helena atravessou a casa e, da janela da frente, olhou o portão: era a provadora de Mme Henriette.
Giulia entrou, Helena indicou uma das poltronas e, já se sentando, a italiana entrou a desfiar frases que vinha ensaiando desde o dia anterior:
– Dona Helena, a senhora me desculpa vir sem ser chamada, eu sei que a senhora é uma pessoa muito ocupada, eu agradeço muito me receber, mas eu preciso, eu sinto mesmo que preciso lhe pedir muitas desculpas.
Terminou dizendo isso com a mão no peito, em ligeiro movimento de reverência. A brisa que entrava na sala lhe tremulava nas têmporas uns caracóis grisalhos sempre resistentes à coação da loção que tentava assentar ao couro cabeludo um ondulado bem-comportado. Por um instante esse foi o único movimento perceptível naquela mulher, que mantinha os olhos baixos, parecendo esquecida do resto do que tinha planejado dizer.
– Desculpas de quê?
– Eu acho que indiquei uma pessoa indigna, mas eu quero pedir perdão, porque eu não sabia que ela não prestava. Eu juro pelo que tenho de mais sagrado, juro pelo meu filho, que é quem eu mais amo neste mundo, que eu não sabia quem era aquela mulher.

Giulia falava um pouco mais alto do que Helena desejaria, falava devagar, com forte sotaque, mas num português pensado, que se queria desesperadamente correto, à altura da interlocutora. Helena pensou em abreviar:

– Eu acredito. Não precisa se desculpar. Todos nós nos enganamos. Mas como a senhora ficou sabendo que ela... não prestava?

– Dona Helena, os pais dela *son* gente muito boa e eles *foron* lá... Meu marido tem um açougue no Itaim Bibi. Não sei se a senhora sabe, nós já trabalhamos numa fazenda. Era até a fazenda do seu futuro genro, do pai dele, do seu Evaristo.

– Que coincidência!

– É sim, eu fiquei sabendo disso faz pouco tempo, que sua filha ia se casar com o Dr. Francisco. O meu cunhado, que tinha vindo antes da Itália, tinha umas economias e montou o açougue. Ele ficava muito chateado com o irmão dele lá longe, no mato, então mandou um dinheirinho, a gente quitou tudo lá e veio pra cá...

– Mas a senhora dizia que os pais dela...

– Os pais dela *son* direitos. E eles *foron* lá no Itaim se despedir duns parentes. Diz que iam voltar para a Itália. O filho já tinha até ido na frente. A filha *stava* esperando no Rio, eles iam se encontrar com ela. Eles iam viajar... espera... que dia é hoje? Ah, sim, acho que *viajaron* quarta-feira. A essa hora acho que *ston* no navio...

– E eles disseram o quê?

– Que estavam muito, muito tristes, que a filha deles fez uma coisa muito feia, que traiu a senhora, que a senhora tinha todo o direito de mandar a moça até para o cárcere, se quisesse, que eles tinham vergonha do que ela tinha feito...

– E eles disseram o que ela fez?

– Não, senhora. Até esses parentes *insistiron* muito, mas eles não *contaron*. Então eu achei que só podia ser um ato muito vergonhoso, se eles não *tivero* nem coragem de contar, então eu acho que era mesmo muito grave, e aí eu decidi vir aqui pedir desculpas porque indiquei uma pessoa indigna...

– Dona Giulia, eu não vou dizer o que ela fez...

– Eu sei que a senhora é uma pessoa muito discreta... Eu não vim aqui pra saber (Dizia isso com a mão aberta, a palma voltada para Helena, num aceno negativo, enquanto fechava os olhos e confirmava o gesto com um muxoxo.) Não vim mesmo. Só quero sua estima, sua consideração. Eu trabalho com dona Henriqueta faz tempo, não quero que ninguém duvida da minha reputação de mulher casada e séria.

Terminou a frase com a mão no coração, pousando nos olhos de Helena os olhos arregalados por trás das lentes grossas. Perguntou:

– Só quero saber uma coisa: a senhora me desculpa?

Aquela candura arrancou um sorriso de Helena:

– Desculpo, sim, Giulia, não se preocupe.

– Então agora eu posso ir embora.

Já ia se levantando, Helena pediu que esperasse um cafezinho. Giulia protestava, dizendo que não queria incomodar, mas a empregada já tinha sido chamada. Giulia se sentou de novo, agradecida.

Helena disse:

– Giulia, você estava na fazenda quando a primeira esposa do Dr. Francisco faleceu?

– Estava. Foi um pouco antes da gente sair.

– Como foi aquela história?

Giulia não respondeu. Parecia procurar inspiração nos bibelôs.

– Não sei, dona Helena. A vida dos patrões a gente não deve... como se diz... mexericar.

– Mas ela morreu doente, na fazenda?

– Não, não, ela morreu afogada.

– Ele estava junto?

— *No!* (O "no" foi enfatizado por olhos e lábios redondos.) Ele estava na fazenda. Disso eu sei, porque eu vi que ele estava lá. Ela tinha ido passar uns dias com os pais em Ribeirão Preto. Diz que não *stava* bem de saúde.
— Era bonita?
— Muito! Muito bonita. Não mais que a sua filha, claro. (Os olhos de Giulia se iluminaram.) Ela é tão *carina*!
O café chegava. Terminado, Giulia tinha pressa. E saía.

Ecumenácio Dantas desertou

Levantou-se da mesa e foi para a biblioteca. Fazia tempo não tinha quase apetite. Um mês para o casamento da filha, era um nervosismo só, uma ansiedade sem tamanho.

Abriu a gaveta, puxou o contrato firmado com Francisco anos antes. Precisava reler tudo, saber direito o que conversar no dia seguinte com o futuro genro. Na igreja e no cartório, tudo já acertado. Vestido de noiva, enxoval, essas coisas, Helena tinha resolvido com perfeição. Um inseto rechonchudo passeava entre as letras da segunda folha: baratinha ou joaninha? Tentando deter as formas daquela mancha ambulante, Dantas fixou o olhar: o bicho então ganhou a fixidez das letras, e as letras conquistaram a mobilidade dos insetos e deram de dançar pelo papel, embaralhando formas e sentidos. A cabeça pendeu, e por alguns segundos ele ficou sem dar conta de si. Refeito da tontura, o bichinho tinha sumido. Era a segunda vertigem naquela semana. Helena dizia que ele estava pálido, emagrecendo a olhos vistos. O que ela não via era a diarreia, que ele não contou. Ah, sim, as joias da bisavó. Precisava falar com Helena.

Com o contrato na mão, voltou para a sala de jantar. Mas Helena não estava. Joana recolhia os talheres. Dantas olhou para a empregada, o rosto dela perdeu os traços e ele perdeu o sentido das pernas. Quando acordou, estava no hospital.

Um mês depois, ainda não se recuperava. Pelo contrário, definhava. A festa do casamento precisou ser suspensa. A viagem de lua de mel também.

Na igreja, quem levaria Immaculada ao noivo? A moça confidenciou à mãe que queria chegar sozinha ao altar; seria um gesto simbólico: ninguém substituiria seu pai. Helena, comovida, informou que aquilo era impossível. Por sugestão de Francisco, entraria com ela o tio Pontes. E assim foi.

Pontes entrou solene, imbuído da gravidade do gesto que consumava. Mas os atentos que assistiam ao desfile dos dois entre as fileiras de bancos da igreja adivinharam que quem conduzia era ela, pois a ele faltava a bengala. E onde estaria a bengala do velho Pontes? Com Helena, no altar. Ali chegados, entregue a moça, devolvida a bengala, o velho se postava ao lado da mãe da noiva para assistir, com olhos extasiados, à união da filha de sua sobrinha predileta com uma das mais belas promessas do quadro político e econômico das décadas futuras. E, enquanto o padre sermonava e os noivos diziam sins, os olhos do velho político percorriam os bancos da igreja com o virtuosismo de um pianista a dedilhar teclas. Lá estavam machados, azevedos, prados, monteiros, cintras, limeiras, rezendes, mellos, jordões, queirozes, souzas, botelhos, aguiares, carvalhos, costas, aranhas, buenos, vergueiros e mais outros que já haviam nascido no plural, como os borges, os santos, os barros, os telles, ele mesmo e os dantas, dos quais faltava o mais importante. O velho discernia lá uma nação, onde alguns veriam clãs. Na primeira fila, Hastings, que também era plural, mas irregular; bem perto dele, Evaristo Almeida e Silva, singular, mas composto, ladeado por duas mulheres que ele não conhecia, uma delas bem bonita. Notava, satisfeito, algumas figuras importantes do governo federal em São Paulo.

O interventor mandava um representante. Em lugar da festa, os avós dariam uma recepção aos mais chegados e eminentes, recepção sóbria, discreta, em respeito à doença intratável do pai da noiva.

Os olhos atentos notaram a falta de Carlinhos e Laura. Nem mesmo a intervenção do grande amigo tinha conseguido livrar o rapaz do exílio. E Laura era a exilada voluntária, companheira de todas as horas, que aproveitava aquele momento de infortúnio para estabelecer importantes contatos em Paris.

Na saída da igreja dois olhos plebeus, por trás de uns óculos arregalados, procuravam enxergar a noiva por cima de ombros altos demais. Giulia tinha convencido o filho Mario a ir com ela até lá. Pretendia ver como o vestido, obra sua afinal, caía na noiva. Mas queria mesmo ver como estava agora o noivo.

Passava das onze da noite quando Helena chegou ao hospital. Dantas, a poder de morfina, conseguiu ouvir respostas a todas as suas perguntas e foi quase feliz.

Os noivos fizeram ao Guarujá uma viagem que seria breve. Não sairiam de São Paulo enquanto ele não se recuperasse. Um mês depois, Ecumenácio Dantas morreria.

E se não vem a ser o finalmente

Nas tantas horas passadas à cabeceira do pai, Immaculada tinha chegado a achar que aquela doença fora causada por um veneno invisível, veneno dela. Só saía do hospital para as obrigações do casório, mesmo assim contra a vontade. Foi dela a primeira ideia de cancelar a festa, a viagem de núpcias. Via no pai um amigo duplamente traído: antes, com Paolo; depois, com mentidas vontades. Mas a mentira de depois compensava a de antes, como único jeito de evitar uma verdade mortal. Mesmo assim, ele tinha ficado doente.

Immaculada tinha mudado. Depois do veredicto do negro Adonias, ela tinha entrado naquela fase de perda de si que só conhece quem levou uma paulada. E se procurando pintava. Não com a ligeireza e o apetite do passarinho, como antes, mas com a solidez e o recolhimento da concha. À beira do cavalete tinha sido procurada várias vezes pela mãe, que em longas conversas lhe falava da vida conjugal harmoniosa, como importante instrumento que a mulher tem para colaborar com o progresso social. Assim, pintando e conversando, a moça foi entendendo que a melhor maneira de compensar a culpa de ter agido desonestamente com os pais era aceitar de boa vontade o casamento. Aos poucos, foi recobrando a modéstia do antigo proceder e redobrando o carinho no trato com o pai.

Nem a Francisco a nova Immaculada passou despercebida. O noivo, entre encantado e assustado, via de repente um fruto amadurecido da noite para o dia. Até que enfim enxergava nela a digna filha de Helena. Mudança tão rápida só podia ser resultado das transformações da puberdade. Na nova Immaculada agradavam o olhar seguro e austero, a sobriedade dos gestos, a modéstia das palavras. Mas algum núcleo interno impreciso, mais adivinhado que entendido, um caroço espinhoso, assustava. Lembrava uma boneca de pano que lhe apareceu um dia em casa, trazida por uma priminha, quando ele tinha uns quatro anos. Era uma boneca de cara rosada, com duas pupilas ovais, negras, imensas, pintadas na seda. A menina insistia em meter aquele monstrengo na brincadeira, mas aquele olhão, atraindo e amedrontando ao mesmo tempo, causou tamanha confusão, que Marília resolveu dar sumiço ao brinquedo. Ninguém entendia por que o menino fugia chorando, depois de tentar abraçar a boneca. Nem ele, lembrando.

Nos encontros com a noiva, a distância era mútua e bem aceita. As conversas, mais longas e amistosas, mas nem tanto. Entre não ditos e não revelados, ia nascendo entre os dois a cumplicidade das vontades concordantes. Nem precisavam falar para saberem um no outro o desejo de criar uma união conjugal sólida e silenciosa, daquelas que só a distância respeitosa consegue alimentar.

O casal iria morar no Jardim América. Com projeto encomendado a um de seus melhores arquitetos, Dantas dedicou à construção da casa longas horas de seu último ano de vida. Silenciosamente, o discreto, cordato e cordial Dantas, a partir de junho de 1932, em entendimentos com Francisco e ouvindo os conselhos da mulher, projetava e levava adiante a obra que seria seu presente de casamento. Ali se abrigariam a filha e toda uma prole ainda indefinida, mas sonhada grande. Pouco tempo antes dos primeiros sinais da doença, acabamento adiantado, duplicou o número de operários, para terminar tudo na data certa.

Nessa época, Immaculada conheceu a casa. Foi na tarde de um sábado até lá, com pai e mãe, e pelo trajeto tentava imaginar que surpresa lhe prometiam. Entrou e, meio estonteada pela mistura dos cheiros, pó de mármore, tinta, cal, cimento, madeiras..., ia vendo os cômodos pelos olhos radiantes do pai, que enxergava grandes ideias, soluções interessantes, estruturas inabaláveis, projetos perfeitos. No segundo andar, Dantas contou cinco quartos: dois para o casal e três para a futura prole. Com alívio, Immaculada ouviu que Francisco tinha sugerido quartos separados para os dois. E o pai não deixava de ressalvar que, se mudassem de opinião no futuro, qualquer dos dormitórios acolheria os dois com conforto. E, enquanto isso, ia abrindo as janelas uma a uma, mostrando à filha a maravilhosa vista que se tinha de lá. Informava, no fim, que a casa estava agora à disposição das mulheres, para a decoração, que precisava ser feita com muita pressa: faltavam três meses e meio para o casamento. Naquela semana, seria feita a limpeza. Immaculada abraçou o pai, dizendo sim com a cabeça, enquanto ele lhe perguntava se tinha gostado.

Preferiu ficar na casa, enquanto pai e mãe iam visitar o terreno, planejando jardins. No meio da sala imensa, mirava a poeira do chão em busca de sinais do futuro. Tanta casa! Era daquele tamanho que o pai via a filha! Entrada na sociedade conjugal, Immaculada ficava enorme. Quando-eu-crescer era agora.

A governanta, o cão e o bom consorte

Era quase uma da manhã, Judith estava de plantão. Vestidinho estampado, sapatos baixos, ereta no meio da sala, recebeu os noivos com um sorriso fino nos lábios mirrados. A dedicação daquela mulher ressequida tinha sido recompensada com uma promoção: governanta da nova casa. Promoção da mulher, não do marido. Tomé continuava jardineiro. O casal tinha outros contrastes. Ela, boca rasa, que ia sendo engolida na exata medida dos anos; ele, enquanto isso, ia extravasando despudorados lábios, expandindo rubicundas bochechas e engrossando uma pança cada dia mais rebelde a cintos e suspensórios. Ela, asseada e enxuta; ele, engordurado e úmido. Talvez por isso Francisco a quisesse dentro; a ele, fora.

Sem sair do lugar, com grande discrição e uma pitada de rispidez, felicitou os noivos ensaiando uma mesura. Não esperou agradecimentos, lamentou a doença de Dantas e disse que rezava pelas melhoras. Immaculada estava agradecendo, e já a governanta se oferecia para ir com ela até o quarto, ajudar a tirar o vestido. Immaculada hesitava entre o aceite e a recusa, quando Francisco ordenou que Judith subisse com ela.

Subindo, Immaculada perguntava se havia algum cachorro na casa. Sim, eram os ganidos desesperados de Rubião, que pressentia o dono – explicava Judith. A moça entrou no quarto e só permitiu que Judith desfizesse a fileira de botões perolados que fechavam o vestido nas costas, até abaixo da cintura. Vestido aberto, agradeceu e disse que ela podia se retirar. Quase madrugada, e o ar ainda estava quente. Immaculada abriu a janela e ficou longos minutos olhando a paisagem que tinha visto pela primeira vez ao lado do pai. Saudade desconsolada, e os olhos se umedeciam. Preferia estar no hospital.

Foi até o banheiro, tomou um banho, vestiu a "camisola do dia", obra de Mme Henriette, e começou a dobrar o vestido. Ainda não tinha acabado, ouviu duas batidas na porta. Fechou os olhos e suspirou, pensando naquela intimidade forçada que seria obrigada a suportar. Vestiu o *négligé* e foi abrir. Mas Francisco não entrou. Da soleira, perguntou se ela gostava de cachorro.

O inesperado da pergunta exigiu um tempo até a resposta, que virou outra pergunta:

– Aquele que estava latindo agora?

– É o Rubião. Ele está acostumado a dormir no meu quarto, eu acho que, se ficar ali no quintal, vai chorar durante a noite, atrapalhar nosso sono.

– O senhor gostaria de trazer para cima...

– É, eu gostaria, se não se importar.

– Aqui neste quarto?

– Não, não, no meu, claro. Tem medo?

– Não. Nunca tive cachorro meu. Só os da fazenda. Minha mãe não gosta... em casa. Mas pode trazer.

– Obrigado.

Ele se foi. Immaculada fechou a porta aliviada. Aquele casamento prometia ser a convivência respeitosa de dois amigos.

Meia hora depois, deitada, quase dormindo, ouviu duas batidas na porta. Esperou. A porta não se abriu. Percebeu que precisava ir até lá. Foi. A silhueta de Francisco se desenhava contra a parede branca de frente. A escuridão não permitia que ela visse seus traços. Ele perguntou se podia entrar. Ela disse um sim rouco, ele se adiantou na penumbra e parou no meio do quarto, esperando que ela fechasse a porta. Immaculada fechou, mas ficou por um momento presa à maçaneta, sem saber se dava uma volta na chave, como era costume fazer quando Paolo entrava. Decidiu não dar. Quando se virou, viu que Francisco ia para o *boudoir*. Logo em seguida, pela soleira da porta que dividia os dois cômodos, esparramou-se uma claridade desmaiada; ele devia ter acendido o abajur. E já voltava. Parou diante dela e lhe pediu que tirasse a camisola. Immaculada fechou os olhos e obedeceu. Ele ficou algum tempo admirando a silhueta da moça e lhe fez um sinal para deitar-se. Ela não viu, estava de olhos fechados. Ele pediu. Ela obedeceu, deitou-se e, de olhos fechados, voltou o rosto para o outro lado. Pressentiu que ele se despia, percebeu que se deitava ao seu lado e sentiu que lhe apartava as pernas e introduzia devagar um dos dedos em sua vagina. Uma espécie de pressão terebrante lhe arrancou um gemido. Aquilo mais pareceu um sinal para o ímpeto dele. Num acesso de excitação incontrolável, atirou-se sobre a mulher e a penetrou de vez, provocando nela uma dor aguda, picante, funda, que se manifestou num grito sentido. Grito que se confundiu com os refôlegos do gozo dele.

Em poucos minutos, ele já estava deitado de costas. Logo depois se levantava e saía em silêncio.

Durante todo o tempo, que não ultrapassou uma hora, ela tinha mantido os olhos fechados. Francisco voltou para o quarto matutando no peso que devia dar àquela manifestação de pudor. Mas dormiu antes de concluir se tinha mais importância a facilidade com que os olhos se fechavam ou a docilidade com que as pernas se abriam.

O banho, o choro, a xícara, o sorriso

Francisco saiu, Immaculada se levantou, foi até a porta e deu duas voltas na chave. De lá correu para o banheiro, esperando refazer-se da dor de uma penetração primeira que tinha sido obrigada a engolir em seco. Uma mistura de esperma e sangue lhe umedecia a entreperna, que ela lavou e relavou antes de mergulhar na banheira e lá ficar uma hora, entre a sonolência e o choro. De repente, tomando uma decisão, saiu da água e, embrulhada numa toalha, foi até a imagem de Nossa Senhora de Lourdes, alumiada pela lamparina, como no tempo de Mlle Durbec. Rezou. Jurou que, se o pai ficasse bom, ela amaria aquele marido que ele lhe tinha destinado.

Na manhã seguinte, olhava distraída para a mesa: dois bules, manteigueira, pão, bolo, queijo, mamão, banana. Ao lado de cada xícara, um guardanapo, dobrado, monogramas ASD bordados pelas mãos de Annunziata. Não se ouvia uma mosca. Atrás dela, a porta que dava para o corredor. Francisco, à sua frente, acabava o leite:

– Quer visitar seu pai antes da viagem?

Judith entrava com café quente para a xícara final, pequena. Francisco tomava o café saboreando, enquanto Immaculada sorria agradecida.

Fora da umbrela impávido corsário

O enterro de Dantas foi em Campinas, numa tarde de chuvisqueiro grosso, teimoso. Immaculada seguia desconsolada, amparada pela mãe, com uma vontade engolida de uivar a dor. Pelas bochechas as lágrimas escorrem tantas, que não dava para saber se dos olhos brotavam ou se por eles entrava a água toda vertida pelas varetas dos guarda-chuvas inúmeros, que avançavam chorosos em choques e contrachoques pelas quadras do cemitério. Da beira de uma poça, voou um joão-de-barro assustado quando o cortejo desembocou na última alameda do percurso. Só Helena viu, Helena que ia cismada, olhando o chão. Da esperança ao desespero, tinha percorrido todos os estados. Agora só sentia um vazio surdo de vaso rachado no peito.

– Que chato!
Era Immaculada quem dizia. Helena olhou a filha. Dos lábios da moça, contraídos num tremor invencível, só aquela exclamação teve permissão de sair. Que desconsolo morava naquela alma... Helena persistia em se sentir autora da dor da filha. Aquela morte ela não queria. Mas entre não querer a morte e querer escolher a hora da morte não vai despropósito. Não a queria como acontecimento, mas, se era para acontecer, que tivesse acontecido antes. Agora estava ela sem o marido querido, e a filha presa a um marido que não queria. Com aquele jogo de perder o desejado e ganhar o indesejado, ela se sentia estreante no aprendizado de engolir o não escolhido impingido pela vida, balde de mijo que o céu lhe jogava em cima. Teria pago o que lhe pedissem, mais juros e mora, para rescindir o contrato com aquele homem insuportável, que agora segurava sobre as duas um guarda-chuva que não lhe pediam. Dos olhos dele, quando a olhavam, vazava uma febre obscena, velhaca. Um sonso!

O cortejo parou, chegado o destino. Numa das tréguas do chuvisqueiro, Francisco pareceu enxergar a figura de Hastings entre dois túmulos. Sim, era ele, enveredando pela alameda. Vinha apressado, quase correndo, com uma capa bege e os cabelos escorridos pela testa. Quando alcançou o grupo, parou, deu com Francisco, mas a troca de olhares durou um instante, porque, vendo Helena, o irlandês da Barra Funda avançou até ela como afogado para a praia, cumprimentou os três e ficou ali, parado, pálido, impávido, enquanto uma lufada de vento trazia mais um aguaceiro impiedoso. Talvez pelo desnível do terreno ou, quem sabe, por alguma impiedosa realidade que esperasse o momento certo para se revelar, naquela hora Hastings pareceu titânico e gigantesco a Francisco, um corsário intrépido, capaz de arrostar tormentas e tufões no comando de um frágil veleiro. Teve ganas de fechar sua burguesa umbrela, e só não fechou porque a extravagância do gesto decerto teria chamado a atenção de todos.

E todos se absorviam na carranca dos dois coveiros, onde se lia o esconjuro daquela corveia sem fim.

Melhor gozar a paz dos bem herdados
Passado um mês do enterro, os recém-casados partiram para a Europa. Antes, Francisco deixou encaminhada toda a papelada referente à empresa construtora. Com a morte de Dantas, a sociedade se dissolvia.

Uns domingos depois, Helena foi almoçar em casa do tio Pontes para discutir com ele e Paulo os destinos da firma. Esperava de Paulo a decisão de saldar as dívidas, como previsto nos estatutos. Queria tomar parte da liquidação e da fundação de uma outra empresa, sem a participação de Francisco. Começou a falar dessas coisas em pleno almoço, ouviu do tio que ela não devia se preocupar com tais assuntos, que devia gozar em paz os bens deixados pelo marido. O primo e o genro cuidariam bem dos negócios. E, como quem quer dar a entender que a conversa não tem importância, ia intercalando conselhos e elogios à bacalhoada.

– Pessoalmente preparada pela Julieta.

E a tia Julieta ia concordando, propagandeando um prazer indizível em de vez em quando arregaçar as mangas e vestir o avental. Paulo entrava na conversa, insinuando que ficava só na indumentária a participação da velha nos pratos que saíam daquela cozinha.

– Não é, benzinho?

Benzinho era a mulher insossa que tinha. Benzinho discordava, começava uma discussão que não terminava, em torno dos dotes culinários da velha, e o assunto empresa sumia da fala dos convivas, engolido entre risos e manducação. Helena voltava à carga, o tio repetia conselhos, e a tia Julieta, que não costumava se meter nos assuntos do marido, naquele dia, com acenos grisalhos da cabeça incansável, parecia disposta a demonstrar a perfeita harmonia conjugal que reinava em todos os campos, da culinária à política.

O almoço era na sala dos fundos, janela aberta para a face oeste, com um sol que não perdia a oportunidade de esticar os braços até as pernas de Helena toda vez que esvoaçava uma cortina rufiona de brocado. E o preto da roupa traduzia aquela luz toda num calor sufocante.

Helena não quis participar das amenidades que o tio Pontes costumava orquestrar nos epílogos de almoços em família. Saiu da mesa murmurando um "com licença" meio brusco e foi macambúzia procurar um banco velho conhecido, debaixo de um pé de cambuci, ao lado de um pequeno chafariz, no fundo do jardim. Pontes e Paulo acharam bom ir até lá.

Como sempre que queria ser persuasivo, o tio começou bajulando. Depois perguntou por que a sobrinha estava tão preocupada com os destinos da firma. Ela disse que não queria ninguém de fora da família na empresa. Pontes gargalhou e disse que Dantas não era da família e era da empresa. Helena percebeu a burrice do argumento, sabia que o tio, mais uma vez, ia dizer que a raiva dela por Francisco não tinha fundamento racional. Dito e feito: ele disse. E depois começou a expor os planos. Ou melhor, antes ponderou que aquele assunto não era para se discutir em pleno domingo, na hora do almoço, com aquela bacalhoada...

– Não é mesmo, Paulinho?

Paulo assentia, vaca de presépio como dona Julieta.

Helena pediu ao tio que dispensasse brincadeiras, o velho ficou sisudo e expôs o plano:

– Em primeiro lugar, dividir o saldo da dívida entre Paulo e Francisco, embora a liquidação seja de responsabilidade só dos sócios-gerentes. Veja só a liberalidade desse moço, que você tanto denigre. Francisco quer poupar

Paulinho. Porque Paulo, com a experiência profissional que tem, é figura imprescindível na criação de uma nova sociedade, dessa vez anônima.

Ingênuo o velho Pontes nunca tinha sido.

– Isso quer dizer que aquilo que começou como Mello & Dantas vai virar uma anônima qualquer... – Helena disse isso com os olhos úmidos.

– Vai. E qual é o problema?

Helena não sabia o que responder. Não sabia traduzir em linguagem mercantil o que não tem palavras.

– Para o bem de todos – o tio continuava. – E entram mais duas figuras importantes, vindas de uma concorrente.

Helena se levantou, foi até a beira do chafariz e lá se sentou. Olhou para cima, o cambuci estava florido. Um pardal se debruçava num raminho, de bico aberto, pensando se descia ou não até a água.

– Com essa espécie de fusão – a voz do tio cortou o silêncio quente – sai uma concorrente do mercado e entra mais capital; assim se cria uma nova empresa, mais robusta, dinâmica, com condições de competir num ramo que está crescendo dia a dia: o de obras do governo e da construção de prédios de apartamentos. Isso é interessante para todos. Mas essa mexida toda (e o velho passava a bengala para a mão esquerda e, com a direita, fazia o gesto de quem revira um angu) é fruto da grande capacidade política e articuladora, fruto da grande importância dos contatos desse moço.

Helena desviou os olhos do pardal. A grandeza do assunto exposto pelo tio assim exigia. Ele continuava:

– Porque o Paulinho, assim como o Dantas, aliás (sempre que dizia "assim como o Dantas, aliás", Pontes abria mais os olhos, franzia a testa e enristava o indicador), o Paulinho é um técnico. Faz trabalho bom, bonito, mas não sabe articular contatos, coisa e tal.

Helena olhou o primo. Ele bocejava.

– Para encurtar a conversa – arrematava o tio –, a empresa – e a família! – só perde com o afastamento de um homem desses, que em pouco mais de cinco anos conseguiu sair do ostracismo político e criar ótimos contatos no governo. Um homem que é dono de um capital invejável. Você não acha burrice dispensar a sociedade de alguém que conseguiu juntar dinheiro enquanto tantos outros perdiam? Você prefere um homem desses como sócio ou como concorrente?

– Com tanta grandeza de capital, vai comandar a empresa...

Pontes olhou Paulo, que fazia um esforço tremendo para ficar acordado e não parecia disposto a falar. O tio resolveu continuar:

– Tudo indica que ele será o presidente; Paulo fica com a vice-presidência.

– Um advogado presidente de uma empresa de engenharia!

– Nada impede. Paulo e os outros dois diretores vão trabalhar em consonância, com plena autonomia e responsabilidade técnica. Eu já lhe disse, Francisco é o homem dos contatos externos e das políticas de desenvolvimento. Aliás, na reunião que teremos, assim que ele voltar, eu vou propor que você seja acionista também. Assim você fica mais tranquila? Aliás, tem recebido notícias da Immá?

– Figura decorativa é o que eu vou ser.

O tio foi tentado a dizer que decorativa ela ia ser sempre onde quer que estivesse, de tão bonita que era, mas achou que não ia cair bem.

A mornidão abafada voltou a pesar silenciosa. Os olhos de Paulo se fechavam, a cabeça se rendia, os dois braços, dobrados para trás e acotovelados no respaldo, deixavam pendentes duas mãos esquecidas do mundo.

– Quem são os outros dois?

– Os outros dois são o Luiz Correia e um americano chamado Edmund Apt. Aliás, Francisco costuma brincar; diz que isso não é nome, é profecia.

Paulo abriu os olhos e deu um sorriso.

Ótimo exílio, volta confortável
Em Paris, Francisco e Immaculada reencontraram Carlinhos e Laura. Os dois estavam ótimos. Aquele exílio tinha sido providencial para os contatos de Laura. Com o dinheiro ganho nos negócios da Europa, ela planejava voltar ao Brasil e abrir uma galeria em São Paulo e outra no Rio. A convivência com Laura alegrou Immaculada. Antes de voltarem, Francisco prometeu a Carlinhos que, chegando ao Brasil, faria de tudo para acabar com aquele exílio.

Passaram por Marselha e, certa tarde, almoçaram debaixo de um parreiral com Mlle Durbec e família. Todos se encantaram com Francisco, tão refinado, inteligente, amável e culto. Vendo a ex-preceptora trocar ideias tão inteligentes com ele, mal iluminados pelo sol declinante do crepúsculo, Immaculada refletia nas contorções que devem fazer certas personalidades para mostrar às luzes fugidias dos diferentes momentos as suas faces mais sedutoras.

Voltaram em novembro, fugidos do inverno europeu, que Immaculada não suportaria. Ela quis ir visitar a mãe no dia seguinte à chegada. O casal jantou com Helena, que estava soberba, em seu luto fechado. Luto que a filha também usava, mas com efeitos opostos sobre a cor da tez. Também Francisco achava que a morte de Dantas tinha chegado tarde demais.

Em maio de 1934, Carlos e Laura desembarcavam no porto de Santos.

Em Botucatu, Evaristo e Cinira cultivavam algodão. Boa parte da matéria-prima ia para as fiações dos primos árabes, em São Paulo.

Tudo mui digno, casto, delicado

Para Immaculada a vida doméstica era feita de um despotismo de objetos: terrinas, potes, pires, galheteiras, travessas grandes, médias e pequenas, pratos de louça, bronze, madrepérola, cristais, faianças, vidros, porcelanas, tudo florido, liso ou brasonado, bandejas, copos, taças e tigelas, xícaras, jarras, bules, covilhetes, jogos de chá, café, centros de mesa, cestos, leiteiras, garfos e colheres, facas, chaleiras, cofres e floreiras, garrafas, burras, arcas, papeleiras, bufetes, rendas, toalhas, bomboneiras, mesas de pé, de encosto, cantoneiras, credências, quadros, cômodas, tinteiros, tapetes e relógios, candelabros... ... ... cada coisa com seu nome e seu lugar, tudo casto, decoroso, digno, íntegro, recendendo virtudes virginais, manuseado com deferência por Judith, fruído com distração por Francisco. A ela, administrar.

O café da manhã era quase rebuscado, o jantar, uma obra-prima. O almoço Judith lhe servia numa saleta junto ao ateliê (o pai tinha pensado até nisso). Com aquela mulher boquissumida Immaculada se dava. Numa relação que muitos têm com o cão: a de quem segura a guia, mas não guia.

Francisco não almoçava em casa, só jantava. Exceto uma vez ou duas por semana, quando trabalhava até tarde. Aos sábados, o casal recebia. Muitos conhecimentos novos, gente que não fazia parte do círculo de parentes e amigos da família. Immaculada descobria que o mundo era muito mais vasto do que parecia. No inverno, já não se fugia de São Paulo. Francisco tinha deixado claro que seria impossível.

A relação de Immaculada com os objetos se limitava às pontas dos dedos. Judith não deixava de intuir essa superficialidade e via na gesticulação da patroa sinal incontestável da falta de prática nas lides domésticas. Motivo de certa comiseração, pois Judith não conhecia o desprezo.

Nas horas vagas, Immaculada pintava. Laura, pouco depois do retorno, falou em organizar uma exposição com os quadros muitos que jaziam encostados nas paredes do ateliê, em camadas sobrepostas. Certa sexta à noite, foi lá jantar com Carlinhos e disse que precisaria fazer uma seleção dos quadros. Então Francisco resolveu dar uma olhada nas obras da mulher. Mas achou o passatempo cansativo. Os quadros iam sendo recolhidos do chão sem critério, comentados com pressa por Laura e devolvidos para o chão: difícil classificar tudo aquilo. Ela ia precisar dedicar um bom tempo da semana àquele trabalho. Já querendo sair do ateliê, Francisco disse ao amigo:

– Casa de ferreiro, espeto de pau. Está faltando um retrato da dona da casa na biblioteca.

– Você está propondo um autorretrato à Immaculada?

As duas mulheres pararam o que faziam e olharam para Francisco.

– É uma ideia – disse ele.

Carlinhos sorriu e disse:

– Olhe esses quadros. Você acha mesmo que ela vai fazer o retrato que você está imaginando?

Francisco passeou o olhar pelo que estava visível: uma sucessão de imagens distorcidas, geometrizadas e estilizadas, quando se distinguia alguma figura. Pensou um pouco e disse:

– Talvez... Desde que ela queira.

Lembrava-se do retrato de Helena, que agora brilhava dependurado numa das paredes nobres da casa. Até aceitaria alguma coisa parecida.

Laura sorriu, olhou para Immaculada e perguntou se podia mostrar aquele autorretrato que estava encostado na parede atrás da mesa. Ela disse que sim. Laura foi buscar o quadro e o estendeu a Francisco, perguntando:

– Você penduraria isto no seu escritório?

Francisco viu uma mulher de costas, vestindo combinação, cabelos desfeitos, olhando-se no espelho. O rosto que se via era reflexo. Depois de mirar uns minutos, balançou a cabeça, negativamente.

Na semana seguinte, apareceu por lá um retratista. Algum tempo depois, meados de novembro de 1934, um retrato digno foi dependurado na biblioteca. Immaculada posava de vestido azul, mãos esquecidas no regaço, cabelos cacheados em volta da testa, grandes olhos meigos pousados no espectador. Sempre que olhou para aquele retrato, até o fim da vida, não se viu. Por dentro, via-se grega, de lira em punho: sensação vitalícia, intermitente, mas duradoura, suficientemente estranha para ser evitada.

No sábado seguinte, um dos admiradores da obra era famoso constituinte, que comentava o esmero da técnica saboreando uns petiscos "delicadamente deliciosos", como dizia.

– Especialidade de um italiano estabelecido na rua Direita. Depois lhe dou o telefone dele.

Boina puída, ruço paletó
Fazia três meses, os irmãos Luigi e Giuseppe tinham comprado um furgão. Foi de surpresa: os dois sumiram em tarde garoenta de março, e nunca que voltavam. Chegado o ponteiro grande perto do dez e o pequeno já em cima do seis, o dia já pensando em encerrar o expediente, Mario foi até a porta do açougue, olhou para a direita, para a esquerda e... nem sombra. Só viu chegando, de chapelão molhado e sapato barrento, o Lino da Barroca, assim chamado por morar num casebre ali pelas baixadas do rio. Duas vezes por semana ia lá pegar umas muxibas que o Giuseppe guardava. Mario sumiu de volta nas entranhas da casa, Lino atrás. No alto da porta a tabuleta informava que aquilo pertencia aos Irmãos Piovesan.

Não tinha ainda o Lino da Barroca se apossado de seu pacote, e na frente do açougue parava barulhento trambolho. Os dois olharam e, de perfil, viram um besourão preto, gordo, de cara miúda. Era o furgão. No volante, Luigi e, ao lado, Giuseppe. Lino e Mario foram ver. Rodearam o bicho. De frente, ele mudava de aparência: virava coruja corcunda e cambeta, de olhos aboticados. Geringonça de rodas irresolutas e coração mesquinho. Destino: levar os dois irmãos às compras. Linguiça, paio, *cotechino*, salsicha, salsichão, salame, chouriço, tudo isso eles podiam agora ir buscar nos produtores, por preço menor. E não só. Giulia tinha condução garantida até o ponto de bonde, lá em cima na avenida, porque, sem os caraminguás dela, guardados todo fim de mês, aquele treco não estaria ali.

No dia seguinte, foram levar a *macchina* ao Pepico, mecânico que morava a duas quadras dali, num tugúrio à margem de um quintalão por onde jaziam restos de coisas que lembravam peças de carro, latões, tonéis, bombas hidráulicas, fogareiros e mais uma centena de objetos não catalogados pela ciência humana. Pararam ao lado de uma pilha de ex-radiadores, com cuidado para não atropelar uma galinha atual que, por perto, esgaravatava metódica as bordas de um canteiro de couve. Buzinaram. Do tugúrio saiu o espanhol: lábios finos, eterno cigarro de palha pendurado no canto da boca, olhos mirrados por baixo de flácidas pálpebras. Chamava Giuseppe de xará.

Pediam-lhe que fizesse uma vistoria no carro. Tinha sido comprado no dia anterior, vinha com certos barulhos estranhos; que ele fizesse um orçamento.

– Onde compraram essa ximbica? – perguntou o espanhol de olhos quase fechados para o sol nascente.

Luigi respondeu:

– Era da funerária. A gente precisa para os serviços do açougue.

Pepico sorriu, e, chupando por um canto da boca a fumaça que expelia pelo outro, com o dedo indicador em gancho ao redor do cigarro, comentou:

– Então vai continuar carregando defunto.

Giuseppe se enfezou. Já queria sair de lá para o Martinho, mas Luigi segurou. Martinho, o outro mecânico que conheciam, mestiço de alemão e mulata, com oficina bem montada e organizada, era careiro que só o diabo.

No fim, quem fez o serviço foi mesmo o Pepico. Descontando-se a dívida que tinha no açougue, os dois irmãos deixaram alguns contos de réis nas mãos dele, por conta de consertos em válvulas e bielas, segundo ficaram sabendo depois de confusa troca de informações técnicas em três línguas.

Aquela história de "continuar carregando defunto" tinha causado uma reação estranha em Giuseppe. Não era a irritação indignada, que toda ironia causa, mas uma frustração irritada por só ter conseguido comprar um rabecão. A partir daí, pôs na cabeça que haveria de pintar o furgão de azul. Giulia aprovou: uma boa camada de tinta limparia aquela criatura esquálida, afastando mau-olhado e até insuspeitadas almas penadas. Mas dois meses depois ele continuava preto como urubu. E pior: nas duas portas, uma camada de tinta pinchada a esmo antes da venda, na pressa de tapar o letreiro, já dava mostras de certa transparência velhaca, a entregar de graça a quem tivesse bons olhos os dizeres *Funeraria Livorno*, acompanhados da certeza de que as letras eram góticas.

Para quem, dezoito anos antes, mal descido da Itália tinha sido transplantado sem raízes no cafezal de um sujeito pão-duro como Evaristo Almeida e Silva, aquilo era um progresso soberbo e pujante, um feito, uma façanha, um ato grandioso, ou melhor, o fruto esperado de uma vida heroica. Giuseppe sabia disso. Sentia-se grande, mas também pequeno. Grande no relativo e pequeno no absoluto, como se sabe todo aquele que precisa olhar para cima o tempo todo. Mario lhe serviria de escada.

Enquanto isso, continuava açougueiro.

Portanto, certa manhã fria e nevoenta, fim de maio, Giuseppe e o irmão decidiram pegar o furgão (ainda preto e sobejamente respingado de barro) para irem visitar um armazém de venda ao atacado da Mazzarini, na rua Piratininga. Já quase de partida ia o carro, apareceu Mario, correndo, com meio pão e manteiga na mão.

— Também quero ir.

Assim mesmo, em português, Mario falava com os dois patriarcas. Giuseppe não engolia aquela mania que tinha se apossado do filho aos onze anos de idade, desde a vinda para São Paulo. A causa da mania era simples, daquelas que ferem mortalmente as crianças. Uma semana depois da chegada a São Paulo, o menino foi para a escola feliz e voltou enfezado, quase chorando. Só não chorava porque já tinha onze anos e era homem. Mas estava mortificado. Mais que isso: estava com o amor-próprio para baixo de cu de cachorro, como dizia a dona Consuelo, mulher do Pepico. Do que a professora falava ele pouco entendia. Quanto aos outros meninos, não é que não se tivessem agradado do novo colega, porque riam de tudo o que ele dizia. Pior foi mesmo uns dias depois, quando em lugar de carrinho ele disse carinho. Mario foi desfrutado, debochado e judiado durante tanto tempo, que jurou nunca mais falar italiano em casa nem em lugar nenhum, para aprender a pronunciar os *rr* como os outros e não trocar os gêneros dos substantivos. Nunca chegou a perceber que a fonte da hilaridade dos colegas era a mistura simplória que dele haviam feito a miscigenação de italianice e caipirismo. De qualquer jeito, a partir daí o diálogo entre pai e filho, fadado a um bilinguismo desconchavado, passou a ser rachado, recheado de equívocos e mal-entendidos, vazios que Giulia procurava preencher sem conseguir.

— Também quero ir – dizia ele.

E o pai, depois de ficar uns minutos embatucado, respondeu em italiano que ele precisava cuidar do açougue.

— A Bianca cuida. Até a hora do almoço a gente já voltou... né, *zio* Luigi?

Giuseppe olhou o irmão e, lendo no seu rosto todos os sinais do assentimento, concordou contra a vontade. Mario abriu a porta de trás e se aboletou como pôde nas entranhas daquele animal macabro, que arrancou devagar e assim continuou rua acima, com Luigi debruçado no volante, tentando enxergar o que andava dez metros à frente. Mas Giuseppe se remexia, ebulindo um rebuliço de sentimentos. Desde o dia anterior andava atazanado, queria falar com o filho, mas não tinha encontrado jeito. Não podia tocar naquele assunto na frente da mãe, coitada, que haveria de ficar tão contrariada. Na gaveta de baixo do guarda-roupa dele, Giuseppe tinha encontrado panfletos do Partido Comunista enfiados no meio de uns livros suspeitos. Gostaria de saber quem tinha despertado no filho aqueles interesses. Desconfiava do pai de Bianca, a namorada, que vivia para cima e para baixo com o rapaz. Em casa não tinha sido. Giuseppe e Giulia não falavam política. Nem Luigi e a mulher. Os Piovesan se achavam em terra estranha, coisa que justificava e ajudava uma neutralidade que, como xarope, não faz mal a ninguém. Não deveria interessar a homem honesto e trabalhador saber que ideologias andam pela cabeça de quem o governa, desde que seja possível sustentar a família com dignidade e ter um teto para se abrigar (coisa, aliás, que ele ainda não tinha conseguido de seu, mas um dia conseguiria). Por que então o filho haveria de se meter em política, ainda por cima pela porta errada?

Revoltado, Giuseppe se revolveu inquieto no banco e esmurrou a porta do carro. Luigi se assustou e perguntou em italiano que diabo estava acontecendo. Ele disse que não era nada. O irmão, acostumado com aquele temperamento forte, achou melhor continuar pendurado ao volante, rígido e inquieto como um cego. O vidro embaçava, ele limpava com a manga do casaco. Sentado no chão, lá atrás, Mario terminava o pão com a consciência tranquila dos anjos.

Durante quase todo o trajeto pouco conversaram os dois irmãos. Em parte por causa do mau humor de Giuseppe, em parte porque o motorista guardava para si a paúra de alguma pane antes da chegada.

Mas chegaram aonde queriam. Começaram a avistar o sobradão do armazém lá por volta das oito e meia, quando a neblina já se levantava preguiçosa. Luigi sentia o alívio da missão cumprida (pela metade, ainda), e o mau humor de Giuseppe amainava. Porque afinal, pela primeira vez, eles entrariam pelo portão azul de carga e descarga, em pé de igualdade com os grandes compradores.

Mas um caminhãozinho parado no portão, carroceria na calçada e frente lá no pátio, atravancava a passagem, aliás frequentada por demais naquela manhã. Vinte ou trinta homens enxameavam por lá, aglomerados em volta do portão; outros zanzavam sozinhos em grupo e uns poucos estavam sentados no chão, renteando o muro ou a guia. Luigi não conseguia enxergar o que acontecia lá dentro. Depois de quase cinco minutos de espera, Giuseppe saiu do carro, entrou pela lateral do portão, ficou sumido uns três minutos e voltou dizendo que o armazém estava fechado por causa de uma greve. Aquilo era um piquete. E o motorista do caminhãozinho da frente pedia que Luigi tirasse o furgão para ele poder dar marcha a ré e ir embora. Naquele dia não se comprava nada. A greve atingia todas as empresas do grupo.

Pela primeira vez, Luigi mostrou contrariedade. Mas não havia o que discutir, o jeito era sair de lá. Pôs a cabeça para fora e começou a recuar, mas, olhando para trás, deu com Mario na calçada, assuntando a conversa do grupo mais cerrado que havia no pedaço. Giuseppe também viu. Desceu impetuoso e caminhou até o filho com passos largos e duros, agarrou seu braço e disse:

– *Andiamo via*.
– Espera!

Um homem de gorro bege e barba por fazer parecia ser o centro das atenções da roda. Falava com voz mansa, canto esquerdo da boca mais fechado que o direito, na certa para esconder a falta do primeiro pré-molar:

– A companhia ontem comunicou que está disposta a negociar. Hoje vem aqui o representante do senhor Mazzarini. É isso mesmo?...

Um homem mais velho, cabelos ralos, grisalhos, acenava um sim.

O rapaz de gorro voltou a perguntar:

– Existe a possibilidade de aceitar a última proposta deles?

O mais velho respondeu:

– Não, a assembleia de ontem rejeitou. Não vamos fechar acordo por menos de 14%. Depois, tem também a questão das horas extras.

Giuseppe deu um puxão no braço do filho, que o repeliu. Mas o grupo se afastava em direção ao portão, e Mario resolveu ceder. Junto ao meio-fio, Luigi esperava com o motor em marcha lenta. Mario entrou no corujão, Giuseppe bateu a porta de trás para ter certeza de que trancava o filho lá dentro e, na pressa de sair logo daquele lugar, virou-se de supetão, dando de frente com um carro que acabava de estacionar. Não teve tempo de parar antes de bater com as canelas no para-choque e cair para a frente, em cima do capô quente, soltando um gemido. Um homem pôs a cabeça para fora do carro e gritou:

– Cuidado, *stupido!*

Giuseppe se endireitou e, com um gesto, pediu desculpas. Era um carro de passeio novo, luzidio. A porta direita se abriu. Nela se lia: "Mazzarini e Cia. Ltda." Mas Giuseppe não leu, tão cego de raiva e vergonha estava.

Viu que um homem descia do carro e vinha em sua direção. Estatura mediana, chapéu de feltro preto, capote cinzento, sapatos reluzentes nas extremidades de umas calças pretas da melhor casimira da cidade, ele vinha com

passo decidido. Usava bengala, peça bonita de madeira clara. Giuseppe imaginou-se diante de Fulvio Mazzarini em pessoa, decerto decidido a esculachá-lo, sabe-se lá se em italiano ou em português. Mas o homem parou a um passo dele e disse:
— Piovesan Giuseppe!
Giuseppe Piovesan conhecia aquele homem. De onde? Onde tinha visto aqueles olhos brilhantes e astutos? O homem tirou o chapéu, Giuseppe exclamou:
— Molinaro!
Mario abriu a porta e saiu. Luigi largou o volante. Molinaro desenluvou a mão direita e a estendeu ao patrício, com um sorriso aberto. Luigi e Mario se aproximaram, Giuseppe os apresentou, e os três italianos deram início a uma conversa animada. A três passos, o motorista de Molinaro não tirava os olhos do patrão. O napolitano perguntou o que eles estavam fazendo lá. Quando ficou sabendo que tinham um açougue e estavam chegando do Itaim Bibi para fazer compras, disse que não sairiam de lá sem a mercadoria. Que esperassem um pouco. Giuseppe estava numa animação incomum. Queria saber como a família tinha escapado dos homens do fazendeiro. Molinaro contava sua saga aos pedaços, correndo os olhos pelo local o tempo todo. Mario olhava aquele homem bem vestido, conjeturando o que poderia ter feito dele um sujeito tão próspero, enquanto o pai e o tio achavam o máximo da bem-aventurança ter o poder de se meter nas entranhas daquele bicho fétido. Sabia que o pai não gostava de *meridionali*, mas agora parecia interessado numa história que talvez lhe revelasse um segredo: o segredo do sucesso. Aqueles dois homens contrastavam na altura, no cuidado pessoal, na qualidade da roupa, no timbre de voz, no dinheiro que tinham no bolso, na limpeza e na idade dos veículos em que andavam. O que os unia? Uma pátria distante, onde nunca teriam estendido a mão um ao outro. Mario imaginava quanto o pai gostaria de

esconder as próprias botas, coçadas e cambaias, as calças ruças, o casaco desbotado e o boné surrado, que ele só não tirava da cabeça para não dar a impressão de que reverenciava o outro. E não descruzava os braços. Porque só assim, das mangas do capote, se projetavam refulgentes punhos de camisa, punhos repostos e recompostos por Giulia, punhos alvíssimos, pontas visíveis de um *iceberg* que recendia a água de barrela. Era o que ele podia exibir.

Mas Molinaro, mal acabado o resumo de sua história, disse aos irmãos Piovesan que precisava ir negociar com a caterva. Que eles, em vez de ficarem lá na rua, esperando, podiam acompanhá-lo ao escritório. Que esperassem lá em cima, só pelo tempo das negociações, e depois se arranjaria alguém para acomodar no furgão a mercadoria que quisessem. Eles mereciam sair dali satisfeitos, não teriam vindo à toa de tão longe. E convidou os três a segui-lo.

Chegados ao portão, vieram ao encontro deles o homem do gorro bege, o velhote grisalho e mais três operários. Molinaro estacou e perguntou ao de gorro:

– O senhor, quem é?

– José Moreira, do Sindicato...

– Com o sindicato eu não converso – disse Molinaro, enfatizando o "eu".

– O Sindicato é reconhecido pelo governo.

– O governo pode reconhecer, mas eu não reconheço. Eu quero conversar com os meus operários (disse, enfatizando o "meus"). Se não for assim, não tem acordo.

E saiu andando apressado, batendo no chão a bengala, objeto de luxo, decerto, coisa de gosto e moda, pois necessidade não tinha dela, que no todo mostrava domínio perfeito das pernas.

Subidos, deram numa saleta de espera com três poltronas e uma mesinha de centro. Do lado direito de quem chegava pela escada, uma janela para a rua; do lado esquerdo, uma porta creme de duas folhas e bandeira. Sobre a mesa, vários exemplares da *Domenica del Corriere* e um cinzeiro com uma ponta de charuto. Molinaro acomodou os hóspedes, abriu uma das folhas da porta, entrou rápido e fechou. Mario teve tempo de ver uma foto do Duce na parede em frente.

Uns quarenta minutos, mais ou menos, passaram lá, à espera. Depois de meia hora, o moço começou a se azucrinar e a rondar a sala agoniado, apurado, consumido, querendo sair. O tio e o pai liam os jornais. Só de vez em quando Giuseppe espiava as horas, preocupado que estava com Bianca, lá sozinha no açougue. Agora, sim, tinha certeza de que Mario devia ter ficado. Uma onda de irritação congestionou o rosto severo do patriarca. E ainda por cima ele passeava. Aquele pókiti-pókiti detestável pela sala...

– *Basta!*

E mandou o filho sentar-se. Naquele momento, Mario se achegava à janela. De lá do alto, pelo vão entre dois prédios fronteiros, viu que uma leva de homens chegava correndo pela transversal em frente; em poucos segundos, os da dianteira já desembocavam da travessa e começavam um entrevero com os operários que estavam lá embaixo. Estes, apanhados de surpresa, demoraram a perceber o que acontecia. Antes que conseguissem se aglomerar para enfrentar a tropa que chegava, já estavam apanhando. Era um confronto desigual, de porretes contra punhos. Quando viu um homem levar uma cacetada no nariz e cair de costas, desaparecendo atrás do muro, Mario atravessou a sala num repente em direção à escada. Giuseppe, que tinha previsto a reação, agarrou o filho pelo paletó, gritando que de lá ele não saía, que não ia se meter em brigas. Mas ficou com o paletó na mão, enquanto Mario descia a escada de blusa de lã e cachecol esvoaçando. Luigi, numa demonstração inesperada de energia, segurou o sobrinho pela cintura e ordenou que obedecesse ao pai. Voltaram, os dois puxando o moço como podiam. Mas ele foi de novo até a janela, e de lá viu que um pequeno grupo ainda se defendia com pedras. A maioria tinha fugido.

Tremia. Os traços do rosto se rebelavam, querendo despejar a raiva num berro, proibido. Luigi, não entendendo aquela comoção toda, se assustou e disse:

– Escuta, vamo embora, hem. A gente volta outro dia. Você está muito nervoso. *Andiamo,* Pippo. Veste o paletó, Mario, lá fora está frio.

Parecia consenso. Começaram a descer as escadas, mas no quinto degrau deram com Molinaro, que subia. Não, não iam embora. Estava tudo resolvido. Resumo: uma turma queria trabalhar, outra não. A turma que queria trabalhar já estava cansada daquela pouca vergonha e tinha reagido. Os representantes dos grevistas agora estavam lá embaixo. Os vagabundos eram minoria. E pronto.

E enquanto falava ia empurrando os Piovesan de volta para cima, Giuseppe aferrando o braço de Mario, o moço se deixando levar. Os três foram introduzidos na sala, pela porta creme.

Molinaro sentou-se de um lado da mesa, de costas para a parede, os três do outro. Acima da cabeça dele, a foto do Duce. À direita dos três, a bandeira do Brasil; à esquerda, a da Itália. Ao lado desta, outra porta de duas folhas, por onde Molinaro devia ter saído pouco antes com os representantes dos grevistas. Ele agora falava italiano. A voz untuosa escorria pela sala, engrumando-se nos ouvidos dos três à sua frente, que lhe pareciam emburrecidos, idiotizados. Hostis? Por que não aderiam quando ele dizia que tinha posto cada coisa em seu lugar, que o trabalho voltaria ao normal naquele dia mesmo, que ali se exigia honestidade?

Mario olhava o pai e o tio. Cabisbaixos, cismados, indecisos, não queriam perder a viagem de ida e não sabiam se completariam a de volta. Molinaro perguntava

que mercadoria queriam, passeando pelos três um olhar úmido por cima de um sorriso meloso, de dentes espaçados. Luigi, entre ressabiado e ansioso, puxava uma lista montada entre contas de mais e de menos na noite anterior. Mario olhava para a foto de Mussolini e para a cara de Molinaro, sem estranhar a parecença. O napolitano estendia a mão para pegar o papel e, no átimo de silêncio pesado que se fez, a voz de Mario, espremendo-se pela garganta estrangulada, saiu autônoma e ressoou rainha pela sala, em sílabas escandidas:
– *Fascista figlio di puttana di merda!*
Os outros três se sobressaltaram. O grito do pai veio na cauda:
– Mario!
Molinaro se levantou e agarrou a bengala. Os outros três também se levantaram e, antes que Giuseppe abrisse a boca para pedir desculpas, da ponta da bengala saltava uma lâmina que ia se encostar à jugular do rapaz. Molinaro parecia ter a intenção de dizer alguma coisa. Chegou a soltar uma sílaba qualquer, mas não continuou: com um safanão de Giuseppe, a bengala voou, bateu na parede de trás do napolitano, ao lado direito do retrato do Duce, acima da bandeira da Itália, ricocheteou, se estatelou estridente no soalho e esquiou no chão encerado até bater na porta.
Molinaro olhou espantado para o rosto congestionado de Giuseppe, pela primeira vez com respeito. Pediu calma. Disse que não pretendia machucar, só queria assustar. Mas que soubessem: ninguém chama um napolitano de filho da puta impunemente.
O napolitano tinha esquecido que ali havia um pai. Foi o que Giuseppe disse, antes de dizer que não queria comprar mais nada. E começou a sair, no que foi seguido pelos outros dois.
Enquanto desciam a escada, Molinaro recolhia a bengala e mastigava:
– Piovesan Mario...

De homem velho a homem quase novo

Chegaram às duas da tarde, sem almoço, sem um centímetro de linguiça. Mas a discussão foi comprida. Primeiro Giuseppe argumentou que, por mais filho da puta que fosse um homem, não se podia dizer isso na cara dele. Depois, queria que o filho contasse quem lhe tinha metido aquelas ideias comunistas na cabeça. Sim, tinha visto aqueles livros todos lá na gaveta. Como o pai ousava espionar suas coisas? – Mario se indignava. Giuseppe insistia. Gritava que queria saber o nome daquela pessoa (tinha certeza de que era Saverio, mas não podia acusar o vizinho sem provas). E o filho respondia que nunca diria, porque jamais trairia um companheiro. Ah, mas que ele caísse nas garras da polícia para ver se traía ou não – retrucava o pai. Ofensa suprema! O moço não queria mais discussão. Aquilo não era jeito de conversar. O pai não acreditava na sua honra, na honra que ele, pai, lhe ensinara. Estava cansado de ser tratado como criança. Giuseppe abaixou a voz e admitiu: era verdade, ele ia fazer vinte anos, era um homem. Então que agisse como homem e medisse as consequências de suas palavras antes de dizer bobagem – voltava a falar alto. Depois daquilo tudo, nunca mais iam poder voltar a comprar da Mazzarini. Então era com as compras que o pai estava preocupado! – o moço se admirava. O mundo pegando fogo e ele preocupado com uns quilos de linguiça! Que coisa mesquinha! Não, não era só isso: Giuseppe sabia que Molinaro nunca perdoaria aquela afronta. Isso pouco importava – dizia Mario – porque, para ele, homem é quem diz o que pensa, e não quem fica tremendo na frente de um sujeito só porque ele é rico. O pai, já com a paciência nos limites, dizia que não tinha tremido na frente de ninguém, e prova disso é que o filho ainda estava com a cabeça em cima do pescoço. O moço afirmava que aquele napolitano covarde não ia fazer nada, que aquilo era tudo encenação. O pai, ofendido, queixava-se:

não era reconhecido, tinha um filho ingrato que não percebia o perigo do gesto que lhe salvara a vida. Mario repetia: o napolitano não ia ferir. O pai teimava: é claro que sim, porque os *meridionali* são traiçoeiros por natureza. Mas que argumento! Aquilo era preconceito – desconsiderava o filho: os homens são fruto do meio, Molinaro não era traiçoeiro por natureza. Era traiçoeiro, sim – prova disso era o que tinha feito com os operários –, mas não por natureza, ninguém é traiçoeiro por natureza, todos nós somos frutos do meio. Então a vítima estava agora defendendo o assassino – gritava o pai. E se ele, Molinaro, era fruto do meio e não do mau caráter, por que o tinha ofendido daquele jeito? Ele, pai, que tinha arriscado a própria vida, ainda precisava ouvir aquilo: ser chamado de preconceituoso!

Luigi, ouvindo aquela discussão, começou a achar que a coisa perdia pé e cabeça. Resolveu entrar na conversa, pediu calma. Disse ao rapaz que o pai tinha razão. Claro, ele sempre tem razão – dizia o rapaz, ofendido. O tio primeiro tentou explicar, mas acabou largando mão e sentenciando que quem pretende entrar na política precisa agir com mais juízo, pensar duas vezes antes de dizer coisas tão pesadas. O moço riu, disse que o tio se enganava: ele não pretendia "entrar na política", porque a política burguesa é um prostíbulo, e a intenção do Partido era destruir esse prostíbulo e criar uma sociedade nova, um homem novo. O tio perguntou o que é um homem novo. O sobrinho ia começar a explicar, mas o pai cortou: aquilo tudo era bobagem, sonho... mas sonho perigoso, que matava. O melhor era continuar estudando ou ajudando mais no açougue. Mario, irritado, disse que não queria levar aquela vida de pequeno burguês tacanho, de gente que acha a suprema glória andar de carro de defunto. O pai virou-lhe um bofetão.

Bianca ouviu o estalo do corredor, quando entrava para saber que gritaria era aquela.

À noite, quando Giulia chegou, o filho não estava. Foi achá-lo na casa da noiva. Lá lhe contaram tudo o que tinha acontecido naquele dia e o que aconteceria depois: o filho saía de casa.

    Giuseppe persistia mudo, trancado. Amargava a consciência de que a intenção do bofetão estava esperando o ato do bofetão fazia pelo menos onze anos. Só agora sabia disso. Porque a consciência da intenção foi concomitante ao ato, ato desde sempre lá, potência dessabida.

    No dia seguinte, às dez, Giulia falava com Helena. Pedia emprego para o filho, que tinha estudo e queria progredir, em vez de ficar trabalhando no açougue para o resto da vida.

    Helena achou justo, falou com Paulo, e Mario passou a trabalhar de apontador de obras nas construções da empresa.

E, se tomar um banho, lave tudo

Calor abominável, Immaculada pedia ao motorista que parasse em frente à confeitaria. Queria um refresco. O homem procurou a sombra de uma árvore, estacionou, desceu e atravessou a rua. Ela ficou no carro, consolada pelo bafejo indeciso de um leque espanhol, presente de Cinira. Aquele Natal seria passado em Campinas, convite de Helena. Dizia ela que queria sentir de novo o prazer de estar com a filha na fazenda. Francisco cedeu. A contrapartida era o ano-novo em Botucatu.

    Na modorra da tarde quente, Immaculada adivinhava o movimento da rua através da cortina tecida pelo olhar fixado no vazio. Ao lado da confeitaria, uma loja exibia um pinheiro coberto de neve. No perímetro da vitrina, lampadinhas se acendiam e apagavam em fileira. Espalhados, debaixo da paisagem nevada, brinquedos baratos. A loja parecia cheia. Immaculada tinha o olhar preso aos pés das mulheres que iam e vinham no indeciso da penumbra de dentro. Um fedelhinho chegou sozinho à porta e parou, olhos a pinçar novidades. Mas daí a pouco foi colhido por mão de mãe e saiu puxado, calçada adiante. Então a névoa da distração se esgarçou para Immaculada e um ensaio de angústia lhe assomou no peito. Nos últimos tempos a pessoa do marido era mais frequente no seu quarto, no seu corpo. Ele falava em herdeiro. Mas não parecia destinado a dar frutos aquele casamento da filha de Helena com o filho de Evaristo. A mulher parou junto ao meio-fio, parecia querer atravessar, mas depois desistiu e seguiu caminho. O menino tinha a batata da perna rechonchuda, uns cabelos acastanhados dependurados em cachos, molas que o solavanco dos passos ia chacoalhando. A mãe puxava impiedosa, debaixo daquele sol de Saara, o guri que não parecia ter dois anos. Erguendo os olhos, Immaculada teve um sobressalto: Joanita.

Saltou do carro, atravessou a rua e correu atrás dela. O par já quase virava a esquina, quando foi alcançado.

O motorista voltava com garrafa e copo. No carro, ninguém. Preocupado, olhou em volta: à esquerda um parque, uns velhos sentados em bancos. Nem sombra da patroa. Demorou um tempo para distinguir conhecida saia estampada, de fundo azul marinho, a tremular na brisa preguiçosa, do outro lado da calçada. Perto dela, uma negra vestida de chita estampada, pixaim revolto na testa e nas têmporas. De garrafa e copo na mão, o homem não sabia se atravessar ou ficar. A conversa ia solta entre as mulheres. O que o Dr. Francisco gostaria que ele fizesse naquela situação? Decidiu atravessar, mas viu que a patroa pegava o fedelho no colo e o abraçava. Então preferiu ficar onde estava. O abraço durava, durava. A negra gesticulava, falava alto, mostrava onde morava, para a direita. A patroa pôs o guri no chão e abraçou a negra. Abraço que durava também. Até que se desabraçaram. Mas se abraçaram de novo. Aquilo não acabava. Depois a patroa se abaixou, beijou o guri e atravessou de volta. Até que enfim.

— Então ela agarrou a garrafa e bebeu no gargalo, ali no meio da rua mesmo. Devolveu a garrafa pela metade e entrou no carro sem dizer nada. Voltei para a confeitaria, devolver a garrafa e o copo, mas dessa vez sem tirar os olhos do carro. Veio chorando a volta toda, Dr. Francisco. Vi pelo rabo dos olhos, no espelho.

Os dois homens estavam encostados no carro, enquanto um sol maravilha se punha atrás das árvores, e a noite andava esquecida em outros quadrantes.

Francisco olhava os pés. Estava de chinelos. Tinha passado a tarde lendo, enquanto Helena trastejava pela casa, em preparativos. Hastings viria. Notícia geradora de contrariedade, que tinha medrado a tarde toda feito unha-de-gato no peito dele. E agora Immaculada vinha somar amargor ao picante do rancor. Francisco já não se espantava com a ambiguidade de sentimentos que aquelas duas mulheres produziam nele. Tinha resolvido pôr uma no ativo e outra no passivo e entregar as contas ao demônio. Mas às vezes o subtotal do balanço dava um desacerto escandaloso que ele não conseguia resolver com a razão. Nesses momentos se enfiava num canto e lia. Tinha passado a tarde na biblioteca, na cadeira de Dantas. Immaculada tinha acabado de passar pela porta. E viu que ele estava lá, mas não entrou, nem parou. Subiu, sumiu, sem cumprimentar. Agora estava fechada no quarto, vendo o mesmo sol sangrento por um retângulo de vidraça.

Lá, a fala de Joanita era disco quebrado repetindo a mesma toada.

— Ele disse que gostava de mim, que ia casar, já tinha encomendado até as alianças. Um dia, sumiu. Achei que tava morto. Que desespero! Mas não tava. O padrinho Adonias falou que não tava, quando me viu daquele jeito. Só mais tarde me contou que dona Helena tinha enxotado a irmã dele da fazenda, que ela levava amante lá pra cima. Quem diria?! Quando o padrinho ficou sabendo da minha barriga, praguejou muito, jurou que matava ele. Immá, até hoje eu penso, penso e não atino... Às vezes eu acho que ele ia casar mesmo, às vezes acho que não. Só sei que fugiu pra proteger a irmã... Mas um dia ele volta. Volta pra casar, eu sei.

Para esconder os sentimentos, Immaculada ergueu o menino, perguntou como se chamava. Esperava que fosse Paolo. Não, era Juliano. Imagine se o Adonias ia permitir que se chamasse Paolo...

– Juliano, o nome do meu avô. Mas não está registrado no meu nome. O padrinho e a madrinha registraram como filho, eu moro com eles e trabalho de doméstica. Assim o menino tem nome de pai e mãe.

Os lábios carnudos de Juliano tinham o feitio dos de Paolo. Nos olhos, dava para ler o rasgo amendoado da mãe e a íris castanho-esverdeada do pai.

Francisco entrou no quarto. O motorista tinha dado o serviço. Não passava de um capataz. Compras, casa da mãe, dentista ou modista, tudo tinha de ser com ele. Eunuco raquítico, sombra mirrada e indigna.

– Com quem se encontrou hoje?
– Joanita.
– Quem é Joanita?
– Amiga de infância.
– Sua amiga de infância era uma negra?
– Era. Por quê?
– Por que veio chorando?
– Ela está passando necessidades. Precisa de emprego. Poderia trabalhar para nós lá em São Paulo.
– E por isso você chora? E o marido dela?
– Não tem.
– Mas tem filho...
– Não é filho dela, é do padrinho dela. Mas é como se fosse... Poderia levar o menino... Ele é muito bonitinho.

— Guarde esse instinto maternal para coisa mais nobre.

Disse isso e ficou lá parado, no meio do quarto, com as mãos nos bolsos, sem mostrar intenção de ir embora. Immaculada, deitada, virava e revirava uma ponta da fronha.

O sol ainda arremessava uns raios macios para o meio das nuvens. Um silêncio morno embrulhava coisas e gente. No estômago, a fome do jantar. A voz de Francisco ecoou, Immaculada se assustou:

— Às vezes eu acho que você me esconde alguma coisa. Essa sua meiguice é só aparência. Você é sonsa, Immaculada.

O ato de indignação dela não veio, como ele queria. Só veio nela rancor igual ao que soava na voz dele. Mas ele não soube. Depois de uma pausa, disse:

— Não quero mais saber de mulher minha no meio da rua, abraçando negro e tomando refresco no gargalo.

Helena vinha entrando. Parou na soleira. Francisco saiu, ela fechou a porta. Immaculada se dependurou no pescoço da mãe e desentalou o choro da garganta. Contou o encontro.

— Você viu o filho dele?

— Vi. Sabe o que ela disse? Que ele só não se casou com ela porque precisou fugir daqui.

— E você está triste porque acreditou que ele queria mesmo se casar com ela ou porque se acha culpada?

— De quê?

— De nada, Immá. Melhor não falar disso.

Immaculada se desprendeu do pescoço da mãe e, recostada na cama, olhando a janela, disse:

— Mãe, eu queria aquele menino.

— Nem pensar. Você trairia seu marido todos os dias.

— Mais?

Helena se levantou:

— É melhor ir jantar. Vá tomar banho. Lave tudo!

Na mornidão, rainhas mancas tombam

Quando Francisco desceu, topou com Hastings na sala. A visita chegava atrasada, quando o anfitrião já começava a esperar que não aparecesse. Deram de cara: Francisco, irritado e de chinelos, só não deu meia-volta porque foi visto antes de ver. Num breve aperto de mãos, um conseguiu enxergar no outro o agente letal, a fonte de veneno da única noite de felicidade obrigatória do ano.

Francisco já se desvencilhava com uma explicação bisonha (estava de chinelos, não esperava encontrar ninguém na sala, que ele desculpasse, precisava subir e trocar de roupa...), Helena entrou. Não foi vista entrando: quando Francisco se virava para subir de volta, deu com ela. E ela chegava de sorriso montado na cara, olhos brilhantes, mas não olhando para ele, e sim para o outro. Estendia a mão, que o outro segurava e beijava. E nesse beijo ficaram os dois alguns segundos. Não poucos. Quem percebeu serem tantos foi ela, que puxou a mão devagarinho, até soltar. Hastings perguntava de Immaculada – tinha trazido presentes para as duas –, e Francisco subia sem ouvir a resposta, despejando em cada degrau um atributo indizível contra aquele tropeço.

O último ano tinha sido mais sereno sem ele, que viajava a negócios, já não exportava. Um dia entrou no escritório e disse ao sócio:

– Este chão está ficando sem raízes. O jeito é pular da árvore e mudar de ramo.

Não era homem de jogar no incerto. O não-pouco que ganhara estava bem guardado em bancos (ingleses alguns), trancafiado em cofres, na forma de barras de ouro, ou transformado em imóveis. Vendeu a firma, juntou os haveres, pagou os deveres e viajou, enquanto não aparecia uma boa oportunidade. E ela apareceu, na forma de oferta de sociedade com um joalheiro judeu que acabava de se transferir para Londres, saído de Berlim, onde o clima parecia tender ao tempestuoso. Os dois foram apresentados por uma tia-avó de Hastings, que, justamente, andava encantada com a beleza das joias de Neumann. Este preparava a mudança da família para Nova York, mas como, no passado, tinha sido apaixonado por uma brasileira, ficou comovido com a perspectiva de abrir uma filial também em São Paulo. Hastings assumiu a empreitada, montou uma grande joalheria na rua São Bento e não se queixava de nada.

Francisco voltou a descer depois do banho. Immaculada apareceu meia hora depois e foi recebida de braços abertos pelo visitante. Chegava repenteada, remaquiada, ainda de olhos um pouquinho inchados. A expansão do velho amigo lhe arrancou um sorriso. Desde pequena estava tão acostumada àquela recepção efusiva, que uma gota a menos de entusiasmo teria causado estranheza. Francisco, recostado numa poltrona, perto de uma das janelas (assento preferido de Dantas nas noites de reunião em família), lia. Helena e Hastings, fazia tempo, trocavam notícias e outros falares, sentados num sofá da outra extremidade, junto a uma lareira que Immaculada costumava encontrar acesa nas noites de julho da infância.

Mas naquela noite não havia o que refrescasse o ambiente. Janelas e portas abertas, nem suspeita de algum zéfiro mais saído. O ar, na sua forma genérica, informe, tímida, encerrava-se talvez entre as folhas das árvores, mas nem sequer roçava os balaústres da varanda. Por lá, ao contrário, resmungavam besouros, voejavam mariposas, zumbiam pernilongos, rastejavam baratas e desencontravam-se eventuais morcegos. As cigarras já tinham calado o bico, dando a palavra à multidão de lagartas que manducava as folhas dos coqueiros. Uma miríade de pernilongos, mosquitos e outros seres voadores enfiava-se sala adentro e assediava com insolência os quatro habitantes, arrancando tapas e safanões.

Finalmente, portanto, Immaculada descia. Hastings lhe beijava a testa e era abraçado por ela, que dizia:

— Que saudade, que saudade!

Aquele abraço, que pareceu comprido demais, da perspectiva de Francisco, terminou quando Hastings segurou Immaculada pelos ombros, para afastá-la de si e examiná-la com vagar:

— Está mais magra. Um pouco pálida. Tem passado bem?

Immaculada dizia que sim com a cabeça. Helena se adiantava com uma dose de uísque, oferecendo o mesmo a Francisco, que acenava um não. Continuava lendo.

E os três foram sentar-se do outro lado da sala, em conversa animada (nem parecia que alguém lia naquele aposento). A animação só teve um intervalo: Immaculada ia lá em cima, buscar o leque espanhol. Nesses minutos, as duas vozes restantes perderam volume, a conversa ficou ininteligível. Francisco abaixava os olhos para a página e estendia o ouvido para a outra ponta da sala, mas não conseguia ouvir.

— O que está lendo? — Hastings perguntava em voz alta.

Um sobressalto de Francisco. (Era para ele, sim, mas o tom da pergunta seria irônico?)

— *Les Misérables* — respondeu.

— Gosta de Victor Hugo?

— Estava aí na biblioteca.

— Era da Mlle Durbec — explicava Helena.

— Tira esse paletó, Hastings. Está fazendo um calor infernal — Immaculada chegava de leque aberto.

— É verdade. Tire o paletó — Helena apoiava.

Hastings se levantou feliz, tirou o paletó de linho havana e pediu licença às damas para também tirar a gravata. No que foi de pronto atendido. Afrouxou o nó e, com um suspiro de alívio, abriu o botão do colarinho e arregaçou as mangas da camisa. Sentou-se de novo e, depois que Helena discorreu uns minutos sobre a moda masculina, importada da Europa, imprópria para nossos climas, Hastings disse:

– Por minha vontade, eu andava de calção.
E olhou para o outro lado da sala. Francisco continuava impassível, grave, sereno, de terno, colarinho fechado e gravata, mergulhado no calhamaço. Hastings perguntou:
– Não quer tirar o paletó também, Francisco?
– Não. Estou acostumado. Sou da terra.
Nesse momento uma empregada entrava na sala e depositava uma poncheira num aparador; outra entrava com bebidas e uns canapés, que foram também oferecidos a Francisco. Ele não quis. Immaculada e Helena se serviam de ponche.
Eram oito e meia. A casa recendia o Natal de sempre, mistura de cipreste, bolo e baunilha. Na falta do à-vontade de Dantas, dominava agora o ar fictício de todo Natal em família. Talvez por isso Immaculada tenha se lembrado de convidar Hastings a jogar xadrez. O convite foi aceito, e o trio se mudou para outro canto da sala (um pouco mais distante de Francisco), onde ficava uma mesa de xadrez, tampo de tabuleiro incrustado de madrepérola. E a partida começou, rodeada de comentários, orientada por palpites, elucidada por longos debates sobre lances e outros assuntos, coisa que mais lembrava uma reunião de compadres em torno de uma rinha de galo. Immaculada parecia sedenta. O nível do ponche descia.
Hastings, agora em mangas de camisa, também sofria o ataque dos voadores. Porta adentro, arrastava-se uma barata. Vinha magra, fosca, sem uma das patas, largada por desânimo, talvez, em alguma soroca insuspeitada. Francisco desviou os olhos do livro e ficou observando a trajetória do bicho. Não havia dúvida: o destino era seu pé. O carrilhão bateu 9. Ele deu um salto e, com um chute, enviou o inseto de volta à escuridão de onde tinha saído. Os outros três olharam para ele. No movimento, Immaculada deixou cair sua rainha. Depressinha, recolheu o tre-

belho do chão e o depositou numa casa preta, ao lado de um dos bispos do adversário, o das casas brancas.
— Ela não estava aí — Hastings exclamava.
— Não? Estava onde então?
— Aqui — e Hastings apontava a casa branca, mais distante, no caminho do mesmo bispo.
— Não, de jeito nenhum. Eu não ia ser louca de pôr minha dama aí.
— Não pôs, deixou. Ela estava aqui e, se não tivesse levado um tombo, já tinha servido de pasto para este cavalo.
— Também o cavalo? Bispo e cavalo? — Immaculada não queria acreditar, não sabendo se era mais lamentável ser enganada ou jogar mal.

Helena ria. Francisco tinha sido esquecido.

Immaculada pôs a rainha onde Hastings indicava, mas a rainha, rebelada, atirou-se de novo num salto suicida.
— Mas o que está acontecendo com essa sua rainha? Está louca? — perguntava Hastings, enquanto se abaixava para pegar a peça. — Ah, claro, olha só: a base está roída. Quem roeu? Foi você, quando seus dentes estavam nascendo! — dizia ele, apontando para Immaculada.

Helena ria, ria sem parar. Francisco resolveu sair. Mas Hastings levantou-se e disse:
— Espere aí, Francisco. Este jogo está impossível com essas peças velhas. Vamos fazer uma coisa. Eu já vou lhe dar meu presente de Natal, Immaculada. Um momento. Já já eu volto. O seu também vou dar, Francisco. Vou buscar lá em cima.

E saiu apressado, para buscar no quarto lá em cima os presentes que prometia.

Voltou com dois pacotes. Estendeu o menor a Francisco, o maior a Immaculada. Francisco abriu o seu. Era um livro encadernado de couro verde. Na capa, leu: *The Devil's Dictionary* by Ambrose Bierce. Conhecia a obra

de ouvir dizer. Que brincadeira era aquela? Ficou mudo, olhando a lombada, sem vontade de abrir. Hastings disse:
— Meu amigo, tenho certeza de que sua ortodoxia vai sair abalada dessa leitura.
— Pois eu não acho.
Immaculada soltava exclamações admiradas, enquanto ia pondo sobre a mesa, uma a uma, peças de xadrez esculpidas em marfim e ébano, trabalho artesanal requintado, minucioso. Helena analisava os detalhes das peças.
— Olha só. O rei preto é um... um...
— Um rei africano.
— Que estranho — dizia Immaculada.
— O branco deve ser italiano — ironizou Francisco.
— Você jogaria com qual? — perguntou Hastings.
— Com o que me desse a vitória — respondeu Francisco, com alguma vontade de se aproximar para ver melhor as peças. Mas não foi. Ficou ali de pé, com as mãos nos bolsos.
— Para a minha mãe você não trouxe nenhum?
— Esse eu deixo para depois.
Immaculada arrumava as peças no tabuleiro. Montadas as duas frentes de batalha, só faltavam os parceiros.
Francisco voltou a sentar-se e retomou a leitura. O dicionário do diabo ficou dormindo sobre uma mesinha de canto.
Durou mais de hora a batalha, com derrota de Immaculada, que tinha ficado com as pretas. Os insetos tinham dado trégua. Os besouros deviam estar jazendo na escuridão do alpendre, na eterna hesitação entre sobrevivência e suicídio. As mariposas, cansadas, deixavam-se abater em volta das lâmpadas. A mornidão abafada, para rivalizar o leque espanhol de Immaculada, mandava de vez em quando uns bafejos mais frescos.
Hastings perguntava se Immaculada queria jogar outra. Ela dizia que não. Estava macambúzia. Parecia sonolenta.

Levantou-se, foi até a mesinha (Francisco achou que ela cambaleava), apanhou o dicionário e se sentou num canapé. Começou a folhear o livro. Hastings e Helena conversavam baixinho, na outra extremidade. Depois de uns quinze minutos, Immaculada disse:

– Nossa! O que ele diz do casamento!
– O que ele diz? – perguntava Helena.

Hastings, em vez de responder, perguntou a Immaculada:

– Você concorda?

Ela não respondeu. Continuou imersa na leitura. De vez em quando interrompia para perguntar a Hastings o significado de alguma palavra. No fim, entediada, disse que entendia pouca coisa, que precisava estudar inglês. E abandonou o livro.

A ceia estava servida. Naquele ano, não iriam à Missa do Galo, decisão de Helena, que dizia ser cansativa a viagem de ida e volta. Além do mais, Hastings não era de missas.

Todos se encaminharam para a sala de jantar. Hastings vestiu o paletó, mas não a gravata. Posta a mesa, as empregadas tinham licença de se ausentar a partir das onze e meia, para comemorar o Natal com respectivas famílias. A cabeceira estava desocupada: não havia serviço posto. Era o lugar de Dantas, que continuava vazio. De um dos lados da mesa, Helena e Hastings; do outro, Immaculada e Francisco: na frente de Helena, Francisco; na de Immaculada, Hastings.

Assim que se sentaram, Helena pediu um minuto de recolhimento para uma prece em honra à data e à memória de Dantas. Os quatro abaixaram a cabeça, as duas mulheres fecharam os olhos.

Sobre a mesa, as iguarias de todo ano, duas garrafas de vinho, uma tigela de castanhas, uma bandeja de frutas; tudo exalando um cheiro misto de assado, empadinhas, carambola, uva, pêssego e abacaxi.

Quando as mulheres ergueram a cabeça, Hastings virou-se para Helena e os dois trocaram um sinal. Helena disse:

— Eu quis que esta reunião fosse íntima porque tenho uma notícia muito importante... E a primeira pessoa que deveria saber disso... disso que eu vou dizer... só poderia ser você, minha filha. E você, Francisco, na qualidade de esposo, também.

Fez uma pausa, olhou para baixo e parece que resolveu soltar de jato:

— O Hastings pediu minha mão em casamento e eu aceitei.

Immaculada soltou um "ah" aspirado, mistura de exclamação e risada. Estendeu os braços por cima da mesa, tomou as mãos de Hastings e disse:

— Você é o único homem digno disso. Meu segundo pai.

Hastings parecia emocionado. Olhou para Francisco, que continuava rijo, congelado no minuto de silêncio.

— Francisco não vai dizer nada?

Era Helena que perguntava. Ele não respondia. Matutava um discurso demolidor, mas só conseguiu acenar um não com a cabeça. Hastings cortou o silêncio:

— Eu disse que tinha deixado o presente de Helena para o fim.

Puxou uma caixa do bolso do paletó e a entregou a Helena. Era um colar de esmeraldas e diamantes.

— Pensei que fosse o anel de noivado – disse Immaculada.

— O anel de noivado, só depois da comunicação oficial à família – explicou Hastings, e virou-se para Helena, que assentiu.

Francisco se levantou num arroubo, com o discurso demolidor já engatilhado, mas precisou adiá-lo: um botão do paletó, enganchado num dos furos do bordado da toalha, levantou com ela o prato, que empurrou a taça, que caiu sobre uma bandeja, tilintando agudo e brusco. Os outros três, depois da primeira surpresa, ficaram esperando que ele desabotoasse a toalha, não sabendo se a operação terminaria com uma retirada silenciosa ou com uma tirada eloquente. Valeu a segunda alternativa.

– Como não quero ser descortês com as damas, antes de me retirar vou dar o presente que comprei para cada uma delas. Dona Helena, este é o seu. Immaculada, minha esposa, este é o seu. Hastings, infelizmente não lhe comprei nada. Não sabia que você viria, quando saí de São Paulo. Dona Helena, minha querida sogra, assim que nos sentamos, a senhora pediu um minuto de silêncio em homenagem à data e à memória de Dantas. Achei bonito o gesto. Agora percebo que era consciência pesada. Nestas alturas a alma de Dantas, que Deus a tenha, deve estar penando. Outra coisa: agradeço na parte que me toca a consideração de nos comunicar a notícia em primeiro lugar. Mas está errado. Nessas ocasiões, em primeiro lugar devem vir os pais. A senhora se esqueceu dessa regra comezinha. Boa noite e bom Natal.

Saiu batendo os pés. Não foi chamado de volta. Immaculada estava inerte. Só bem mais tarde se lembrou de abrir o presente: era um broche em forma de borboleta. Já estava previsto. Helena ganhava um par de brincos. A ceia transcorreu em silêncio. À uma todos se recolhiam.

Quando Immaculada chegou ao quarto, achou que o marido dormia. Vestiu a camisola e se deitou. Lá pelas três, abriu os olhos estremunhados. Viu o marido junto à porta, que estava entreaberta. Devia ter descido e agora voltava. Fechou de novo os olhos e dormiu.

Francisco passou a noite toda espreitando o corredor. Helena dormia no quarto que antes tinha sido da filha.

Na mão crispada o queixo desdizia

Às oito estava lá embaixo, zonzo, boca amarga, sem vontade de tomar café. Foi dar um passeio pelo pomar, mas às nove e pouco já voltava, escaldado por um sol despótico, coração disparado de canseira. Se deitasse de novo, não dormia. A agitação era muita. E uma decisão já tinha sido tomada: ir embora. Ficar para o almoço, nem pensar.

Quando entrou, ouviu a voz de Helena nas entranhas da casa. Enveredou pelo corredor lateral e foi dar naquela mesma saleta de onde Annunziata um dia tinha ouvido a conversa dos patrões. Na sala de jantar, Helena falava com alguém sobre o almoço do dia. Quando a empregada saiu, deu com ele e fez cara de quem vê fantasma. Ele esperou que ela sumisse e entrou na sala. Foi logo dizendo:

– Não vamos ficar para o almoço.

Helena não respondeu. Sentou-se diante da mesa pronta para o café e o convidou a se sentar.

– Não vou tomar café.

– Mas ontem você não jantou. Sente aí então para conversarmos.

Francisco se recostou no espaldar da cadeira, para ter ares mais relaxados. Mas a mão crispada no queixo desdizia.

– Você e Immaculada decidiram isso?

– Não, só eu decidi. Immaculada vai comigo – disse cruzando os braços.

Helena vistoriava a mesa. Depois de uma pausa recomeçou em tom mais grave:

– Francisco, eu não entendi sua atitude de ontem.

– No entanto, ela é muito simples...

– Não sei se lhe passou pela cabeça que ela é ofensiva à minha dignidade.

Francisco se levantou e começou a rir.

– Ofensiva? Como? A senhora passa por cima de todas as convenções, de sua família, deixa de pedir permissão a seus pais e comunica um casamento já decidido à sua filha! Que exemplo está dando a essa moça?

Helena se levantou depressa, Francisco achou que ela ia lhe atirar uma xícara. Mas não, só apoiou as mãos na mesa, com os braços esticados e ficou de cabeça inclinada, olhando para ele de baixo para cima. Ele teve uma impressão estranha: a de estar naquele momento diante de um homem. Perdeu então o ar zombeteiro e encarou a mulher, não sabendo bem o que esperar. Foi quando ela deu alguns passos, contornou a mesa e parou junto à cabeceira, quase diante dele. Encarou e disse:

– Exemplo? O senhor não se casaria com ela se achasse que a mãe dela era um mau exemplo. Ou casaria?

– A Immaculada é uma criança que ainda precisa ser guiada. Os exemplos da mãe, se foram bons, já deixaram de ser. A começar do noivo. Um aventureiro. Um sujeito sem raízes. Um comerciante. Sócio de judeu. Um mercenário. Um pirata.

Helena continuava em pé no mesmo lugar. Francisco passeava de um lado para o outro. Teve a impressão de que ela disse algo como "Meça as palavras", pensou em responder com um "Querendo me ensinar o que devo dizer?", mas desistiu, porque uma só certeza lhe rondava os miolos, e ele queria que ela soubesse: de madrugada, enquanto vigiava o corredor, jurava ter ouvido uma porta se abrir e fechar. Era a de Hastings, só podia ser. Hastings querendo sair? Desistindo quando viu que a porta do casal estava entreaberta? Impressão? Não, certeza. Tinha sido lá pelas duas. E o resto da madrugada Francisco passou na esperança de pilhar o outro numa travessia de corredor que ele conseguia até prefigurar. Que prazer doloroso era aquele de querer surpreender uma traição! E que ironia era aquela de, vira e mexe, estar vigiando corredores? Por que as mulheres que mais queria lhe escapavam das mãos e caíam nos braços de outro? Que destino infernal era aquele? Isso tudo, pensado no pomar, não tinha importância. Importante era ele poder jurar que tinha ouvido uma porta se abrir e depois se fechar.

Helena estava ali parada, já não dizia nada. Os imensos olhos negros estavam mais brilhantes, parecendo querer lacrimar. Bonita! Mais do que nunca. Então ele chegou mais perto e disse quase sussurrando:

– Seu noivo devia esperar o casamento para passear pelos corredores à noite.

Helena apertou os olhos, franziu a testa, olhou firme para o genro, e a bofetada partiu forte, estalada, carregando consigo uma antipatia velha e certeira. A palma da mão foi bater em cheio no alvo, entre a têmpora e a face esquerda de Francisco, que piscou incrédulo, rijo, paralisado, rosto desfigurado. A voz dela soou sufocada:

– O senhor é um desequilibrado. Eu ainda hei de arrancar minha filha das suas garras...

– Faça isso, e eu arruíno a sua família – disse Francisco e foi saindo pela escada.

Mas os passos e as conversas de Immaculada e Hastings ressoavam degraus abaixo, e ele mudou de rumo, desaparecendo pelo lado oposto.

E na memória a imagem da alameda

Às onze e meia o motorista esperava ao lado do carro. Immaculada desceu emburrada, de maleta na mão. A mãe abraçou a filha demoradamente. Hastings, aproveitando uma distração de Francisco, deu dois beijinhos no cocuruto da moça. Malas no carro, Francisco se meteu dentro sem despedidas. Batia em retirada, com uma bofetada carimbada na alma. Na memória, a imagem do olhar odiento.

Sentado no banco de trás, achava que as despedidas já iam demoradas demais. Disse um "até que enfim" quando Immaculada entrou. Assim que o carro enveredou pela alameda que dava no portão principal, apareceram duas figuras: uma negra e um mulatinho, Joanita e Juliano. A ex-empregada ia visitar a mãe. Era dia de Natal.

Immaculada tocou o ombro do motorista e disse:
– Pare!
O carro estacou. Francisco perguntou:
– O que foi?
Immaculada não respondeu. Abriu a porta, mas o marido a segurou pelo braço.
O motorista se virou e disse:
– A amiga de ontem.
Immaculada se desvencilhou com um puxão e pôs a perna esquerda para fora do carro. Francisco gritou ao motorista:
– Toca!
O homem hesitou. Ele gritou mais alto:
– Toca!
O pé esquerdo já estava no chão, a perna direita saía, quando se deu a arrancada. Ela sentiu a pancada do paralama esquerdo nas nádegas, tentou se segurar na porta, esta lhe escapuliu das mãos, ela caiu de borco e, depois de bater a boca em sabe-se lá que quina, ficou estirada no chão mal empedrado. A poeira cobriu os três pedestres, a porta esquerda do automóvel estalou com força ao ser fechada, e o barulho do motor se sumiu aos poucos portão afora.

No forte olhar, um corte de penumbra

Escurecia. Na varanda, Evaristo trocava as últimas palavras com o velho Britto e filha, que tinham ido fazer uma visitinha de fim de tarde de Natal, aproveitando para reatar acertos interrompidos e pôr nos trilhos desacertos suspensos. Junto aos três, Cinira. Num banco, um pouco afastado, um meninote esperava aborrecido que a mãe acabasse de arrumar a matula para partirem. Era Evaristo, o neto. Três lâmpadas alimentadas pelo novo gerador, última aquisição e orgulho do fazendeiro, estendiam raquíticos braços loiro-baços para o corpo negro da noite. Fora do alcance daquele bruxuleio, um punhado de grilos ensaiava o coro, tentando vencer o vozerio dos quatro. O velho Britto já estendia a mão em despedida quando um ronco de motor conseguiu calar os adultos e desconcentrar o garoto; junto com o ruído, o brilho de dois faróis se aproximava, tropeçando na grade vertical escura dos troncos de árvores.

Quando o carro já ia parando, Evaristo reconheceu:
– Ué, o Francisco!

A porta se abriu, Evaristo viu o filho sair. À medida que ele se aproximava das lâmpadas, ia se definindo uma figura abatida, despenteada, em mangas de camisa, paletó jogado nas costas, pendurado na ponta dos dedos, colarinho aberto, rosto fechado. Pelo jeito como olhou para as visitas, deu para perceber que não tinha prazer em conhecê-las. Se visse o sobrinho então... Os quatro esperavam mudos, e ele vinha vagaroso, sem fazer questão de olhar para o alto. O motorista ia tirando a mala do carro.

Francisco subiu os degraus devagar, no penúltimo olhou para os convidados e disse um boa-noite com jeito de quem não quer encomprirar assunto. Evaristo, não querendo passar atestado de má-educação, barrou a passagem do moço com um meio abraço (que ele não era homem de muita expansividade):

– Que chegada inesperada! Este aqui é o Lindolfo Britto. Já lhe falei dele, lembra?

Claro, ele lembrava. O pai sempre dizia "o sovina do Britto".

Evaristo continuava, animado:
– Quando foi que esteve aqui pela última vez, Britto?
– Ah, faz tempo!

Francisco estendeu a mão ao Britto e à filha, dizendo "prazer..." "prazer..." e emendando:

– Com licença. Vou entrando. Estou cansado.
Enveredou pela sala, tomou a esquerda, passou pelo vestíbulo, subiu as escadas e foi dar no escritório, que estava na penumbra. Uma ponta de alívio se infiltrou no seu peito. Parou diante do retrato da mãe e soltou um suspiro, enquanto largava o paletó na poltrona. Do rosto dela, o olhar forte era corte agudo da meia-luz.
Alguém já vinha subindo, era o pai.
– O que aconteceu?
– Nada, nada, não se preocupe.
– Como não? Você aparece de supetão, com cara de enterro, sem sua mulher e diz que não aconteceu nada?
– Pai, eu estou sem dormir e sem comer. Preciso descansar. Amanhã a gente conversa.
E enquanto saía do escritório, perguntava:
– Aquele quarto de sempre está em ordem?

É quando Deus se encontra estando ausente

Francisco entrou na banheira e fechou os olhos. O bofetão ainda estalava. Ecos, rumores, palavras se sucediam, sem cronologia ou sintonia, mas com limites certos: da fala mansa do motorista contando as ações impensáveis da mulher na tarde anterior até o safanão daquela manhã. Do resto, memória esquecida. O carro arrancou, ele não olhou para trás. O motorista disse:
– Ela caiu.
Ele não respondeu. Um ato de ontem. Não parecia de hoje de manhã. Agora, episódio tangencial, lembrança que delambia os miolos de vez em quando sem se fincar, sem virar rememoração, ruminação. Uma culpa daquele tamanho não cabia por enquanto.
Apoiou a cabeça na mão direita. Queria renunciar ao pensamento. Com os olhos pervagando o espaço do banheiro, procurava alguma imagem no vazio. Tantas histórias de aparições. Só para os outros, para ele nada. O que

era de Marília agora? Uma imagem pendurada na parede do escritório, uma lembrança em seu cérebro. Mais alguns anos, nenhum dos dois. Então se lembrou de uma conversa: ele dezessete anos; ela, incontáveis, para ele então.
— O que é alma? — perguntou ele desafiador.
— Alma é consciência.
— Consciência pesa — ele ria.
— Não é a consciência que te acusa toda noite.
Ele abaixou os olhos. Ela continuou:
— Consciência é a suprema faculdade da alma, a capacidade que tem a alma de se conhecer, de se saber. Alma é a certeza de sua própria existência. Alma e consciência, continente e conteúdo que se confundem, mas não se fundem. E a alma, ao se conhecer pela consciência, o que encontra? Encontra Deus, no germe divino que somos.

Francisco se calava. Ouvia sem entender, analisava aquele olhar inflamado que recitava convicções.
— Não entendo — disse ele.
— Consciência é a faculdade divina que nos faz saber que somos e o que somos. E mais: que nos faz intuir a existência do divino. Está incrustada na alma, veio com ela, é o eu, é imortal.

Francisco não era dado à metafísica. Tinha precisado de bofetão e água morna para se lembrar daquele diálogo.
— E quem encontra o diabo? — perguntou.
Ela não se abalou.
— Ainda assim encontra Deus. Na ausência do que foi arrancado.
— Marília... Alma viril de frade em forma feminina. Não é à toa — dizia baixinho Francisco — que o varão Evaristo nunca se achou naquele corpo. — Na cabeceira, santo Agostinho. Ao lado, um caderno de apontamentos com as dúvidas de latim, tiradas nas visitas do padre Astolfo, todo domingo à tarde. — Dona Marília, se neste momento a senhora saísse daquele quadro e me dissesse que a morte

é a inconsciência, eu me renderia sorrindo. Mas se saísse daquele quadro, é porque a morte seria consciência, por mais que a senhora afirmasse o contrário. E, se não sai, nem assim consigo jurar que ela é a inconsciência. Enquanto isso, continuo aqui, refém do paradoxo. Por pura covardia.

Na banheira quase cheia, seu abdome sanfonado ganhava um colorido lastimável da lâmpada frouxa. O pênis flutuava flácido na água morna, e ele se lembrou de Arquimedes. Os olhos ardiam, a cabeça pesava. Esfregou-se todo com a bucha, levantou-se e jogou quatro canecos de água limpa por cima do corpo. Quando voltou ao quarto, de roupão, encontrou na mesinha junto à janela uma travessa com arroz, outra com leitão assado e farofa, salada de agrião, batatas, um copo de limonada e pudim de leite. Conforme imaginava que aconteceria, o pai entrou.

– Não vai me dizer o que aconteceu?

– Agora não. Me deixe dormir. Estou precisando muito.

O pai ficou um tempo parado e, percebendo que não arrancaria nada, saiu ressabiado. Foi até a cozinha e lá encontrou o motorista engolindo faminto o que lhe punham na frente. O homem, vendo o patriarca entrar, parou de comer e se levantou respeitoso.

– Pode continuar. Não se acanhe. Vim aqui falar com o senhor porque meu filho está muito cansado, não vou conseguir conversar com ele hoje.

O homem se sentou de novo e, enquanto Evaristo puxava a cadeira, enfiou uma garfada já pronta na boca.

– O senhor sabe por que ele decidiu vir hoje sozinho se estava combinado que viria com a mulher no dia 29?

O homem estava de boca cheia. Evaristo esperou impaciente que ele engolisse e depois ouviu:

– Não sei, não senhor.

– Seu Oswaldo, eu sei que o senhor é um ótimo empregado, leal, honesto... mas eu estou querendo o bem

do meu filho, peço que o senhor não me esconda nada. O que ele disse quando saíram?
— Me mandou aprontar o carro, dizendo que tinha decidido vir para cá mais cedo.
— Antes do almoço?
— Sim senhor.
— E disse por que dona Immaculada não viria?
O homem abaixou a cabeça, acenando um não.
Evaristo ficou pensativo um tempo e depois perguntou:
— Seu Oswaldo, estou sabendo que nesse mato tem coelho. Se o senhor não me contar, vou precisar ir até Campinas tirar isso a limpo.
— Não sei de muita coisa, não senhor. Só sei que ele chegou e falou: "Apronta o carro, que a gente vai antes do almoço. Eu e a dona Immaculada vamos ficar em Campinas, no hotel, e você vai para São Paulo. Amanhã eu pego o trem para Botucatu." Só sei disso.
— E aí dona Immaculada não veio, e ele resolveu vir até aqui de carro.
— É, sim senhor. Falou que não tinha vontade de parar em hotel, que queria vir pra cá direto. E foi o que a gente fez.
— Vieram direto então?
— Mais ou menos. A gente precisou parar em Piracicaba, pra pôr gasolina. Achei que a gente ia almoçar lá, mas ele nem tocou no assunto. Uns dez quilômetros adiante, pediu pra parar. Parei, e ele se enfiou no mato.
— Para quê?
— Disse que queria fazer necessidades. Mas ficou um tempão sentado debaixo de uma árvore, acho que pensando. Bastante tempo. Eu até desci do carro, fazia muito calor lá dentro, e fui sentar do outro lado da estrada, debaixo de uma moita.
O homem tinha parado de comer. Evaristo disse:
— Pode comer à vontade, não se acanhe.

– Obrigado.

Mas não comia.

– Ele não disse mesmo por que dona Immaculada não veio?

– Não, senhor. Acho que só ele mesmo sabe.

Evaristo viu que não ia arrancar mais nada daquele cão de guarda, que preferia morrer de fome a trair o dono.

Na manhã seguinte, esperou o filho acordar. Francisco desceu por volta das dez, tomou café, despachou o motorista para a estação e disse que ia dar uma volta. O pai espreitou despercebido as andanças dele. Ficou sabendo que tinha pegado um cavalo e visitado todo o cafezal, mais a fazenda de Immaculada; que tinha sumido para as bandas da antiga fazenda Santa Lúcia dos Sabiás, almoçado com Geraldo, visitado um monte de lugares, tomado banho de rio e conversado com Mathias. Voltou lá pelas seis e meia e se enfiou no quarto, dizendo que não ia jantar.

Foi então que Evaristo decidiu ir a Campinas. Na manhã seguinte, chamou o motorista e pediu a Cinira que dissesse ao filho que tinha ido cuidar de uns negócios e voltava no outro dia.

Só tinha visto o filho sorumbático daquele jeito uma vez, e era por causa de traição de mulher. Não pensou em outra coisa durante toda a viagem: se havia traição, só podia ser de Immaculada. E quando pensava nisso ficava apoquentado: como poderia ter errado tanto?

Se não entende, ponha entre parênteses

Na mesa, as migalhas de pão, juntadas, eram uma montanha. O resto da toalha, imensa planície sarapintada de rosa e branco. Os dedos longos de Helena edificavam com aplicação a micha esfarelada escondida entre os fios da trama, no labor indolente de construir restolhos e arquitetar pontas de pensamento. Lá fora, um carro chegava, Helena levantava a cabeça. Se fosse Francisco! Foi até a janela. Um homem de costas pagava um motorista de praça, uma das empregadas se aproximava, cumprimentava, ele se voltava. Era Evaristo.

    O covarde então mandava o pai bisbilhotar. Para dar a entender que não morria de vontade de falar com ele, esperou o anúncio, subiu até o quarto, trocou de roupa e desceu depois de uns quinze minutos. Na sala, Evaristo terminava um copo de limonada. Quando a viu, depositou o copo na mesa ao lado, levantou-se e foi lhe beijar a mão. Que mania aquela!

    – Desculpe aparecer assim sem avisar. Espero que tenha passado um bom Natal...

    Assim que terminou a frase percebeu o disparate, mas não havia como apagar. Nos tempos em que aprendia o bê-á-bá dona Leonor dizia: "Errou? Ponha entre parênteses." Mas parêntese é um ser que nasce da ponta da pena e jaz no papel.

    Helena não respondia. Menos mal. Mudou de tom:

    – Não vou disfarçar. Vim aqui para saber o que aconteceu...

    – Então o senhor sabe que aconteceu alguma coisa.

    – Garanto que não sei o que aconteceu. Mas sei que aconteceu alguma coisa.

    – E por que motivo o senhor acha que aconteceu alguma coisa?

    – Dona Helena, esse tipo de palavreado não leva a nada.

    Falava olhando para a poltrona, sem coragem de se sentar, porque ela continuava em pé. Por isso não viu o sorriso dela, que não conseguia deixar de admirar aquele ser estranho, franco e ladino ao mesmo tempo.

    Ele agora olhava para ela:

    – Antes de ontem meu filho apareceu lá na fazenda, de carro. Quer dizer, estava combinado que os dois iriam depois de amanhã de trem, mas ele chegou antes de ontem sozinho de carro. Chegou lá com poeira até as pestanas, coisa que ele detesta, abatido, mal-humorado, não abriu a boca até hoje. Perguntei de Immaculada, não respondeu. Por tudo isso e pela cara dele, eu sei que alguma coisa aconteceu.

Helena finalmente se sentou.

– Então seu filho não contou que mandou o motorista tocar o carro enquanto minha filha estava descendo, que ela caiu e ficou ali no chão, sangrando, enquanto ele ia embora?

Evaristo ergueu as sobrancelhas e não respondeu.

– O senhor na certa está pensando: "alguma coisa muito grave Immaculada deve ter feito para ele ter uma reação dessas", mas eu lhe garanto: ela não fez nada.

A danada sabia ler pensamentos. Evaristo enrugou a testa e, de espantado, ficou sisudo:

– Não, nada disso. Eu estou mesmo é espantado. Por que ele fez isso? Eu vinha pensando numa briga, em algum desentendimento, mas não esperava ouvir uma coisa dessas.

– Pois foi. Ele fechou a porta e partiu, como se ela não existisse. E sabe qual foi o grande motivo? Ela não cumpriu uma ordem dele. Que ordem? A ordem de não dar um abraço de despedida numa amiga de infância. Porque essa amiga de infância é negra.

E contou o que havia acontecido no carro.

Enquanto ouvia, Evaristo tentava adivinhar o verdadeiro peso de cada ato, percebendo que ali havia coisas que não se casavam, mas sem conseguir atinar com aquilo que, faltando, por ser invisível ou estar escondido, falseava os fatos. Resolveu-se por um comentário neutro:

– O Francisco é uma pessoa que tem certo sistema... Sempre teve o costume de separar as pessoas de cor... (Dizia com vaga firmeza, lembrado da amizade dele com Geraldo.) Não que eu tenha ensinado... Nem a falecida minha esposa... O outro irmão já não era assim... Não sei o que dizer. Ela se machucou?

– Teve um corte fundo no lábio, por dentro, e um dente quebrado. Está muito abalada.

Evaristo ficou pensativo. Entendia. Afinal, uma mulher da categoria de Immaculada abraçando negras por aí... Mas justificar o filho... Nem pensar. Seria desastrado naquela hora. Não queria levar no lombo a saraivada de injúrias refinadas que aquela mulher saberia disparar. Além do mais, o ato de Francisco era daqueles gestos desconformes com os motivos, gestos que sempre têm causa em lugar incerto e desconhecido. Conhecia o filho, sempre tão controlado... Então disse:

– Mesmo que o motivo fosse muito grave, o ato dele não tem desculpa.

– Ainda bem que o senhor reconhece. Já almoçou?

– Já, obrigado. Dona Helena, me diga uma coisa, além desse motivo, houve alguma briga, alguma ofensa? É que eu estou achando a atitude dele forte demais para...

– Seu filho não gosta de ser contrariado. Tem ideias rígidas demais. Como diz o senhor, sistema. Na verdade, ele já estava nervoso, e ela estava saindo contrariada. Na véspera de Natal ele criou aqui, nesta mesma sala (e fez um gesto largo, que Evaristo acompanhou com o olhar, reparando então num livro de capa verde sobre um aparador) um ambiente muito desagradável. A reunião era íntima... Senhor Evaristo, eu reuni aqui minha filha e seu filho para comunicar em primeira mão o meu futuro casamento com o senhor Hastings, que, aliás, também estava aqui...

– Ah!

– Está sabendo de alguma coisa que eu não saiba?

– Não, por quê?

– Não, porque o senhor disse "ah!"

– Não, não, é a surpresa. A senhora então se casa?

– Sim.

– Meus parabéns.
– Obrigada.
– Mas então, a reunião teve esse objetivo...
– Teve. Ele ficou muito mal-humorado o tempo todo. Tenho a impressão de que não gosta muito do Hastings...
– Será? Não! Que é isso? Eles têm lá suas discordâncias, diferentes modos de pensar... Mas não gostar... Não!
– Quando dei a notícia, minha filha ficou muito feliz. Eu tinha medo da reação dela, não da dele. No entanto, foi o contrário: a reação dele foi horrível. Me ofendeu. Disse até que a alma do Dantas devia estar penando no outro mundo. Como se ele soubesse! Disse que esse tipo de notícia a gente dá aos pais, não aos filhos. E várias outras coisas. Ah, sim, de tarde já tinha chamado a atenção de Immaculada, dizendo que ela não devia se dar com negros, essa coisa toda. É uma amizade velha, de criança...
– Então ele já estava nervoso à noite? Quero dizer, a coisa vinha de horas?
– É.
– Sei, sei, mas e depois...
– Depois o quê?
– Depois que disse isso tudo sobre seus pais...
– Aí se levantou da mesa sem comer e nos deixou lá, numa situação muito desagradável. No dia seguinte, veio dizer que não iam almoçar aqui. Minha filha nem sabia dessa decisão, mas para ele isso não tinha importância nenhuma. Pior mesmo foram as insinuações que fez sobre meu comportamento. Foi muito desrespeito. Disse que o Hastings...
– Que o Hastings...
– Que o Hastings teria visitado meu quarto à noite. Pura mentira! Então eu fiz uma coisa que não deveria ter feito, não é meu feitio... Mas a raiva foi tanta...
– O que a senhora fez?
– Dei-lhe um bofetão.
– Nossa!

– Como?!
– Nada. Eu disse "Nossa!"
– Aí, claro, ele se zangou de vez. Quando iam saindo, deram de frente com a Joanita (a moça preta) e o filhinho dela. Immaculada quis se despedir, pediu, o motorista parou, e foi aquilo que lhe contei. O Francisco mandou o motorista tocar. Immaculada ouviu: "toca, toca". Quando acudimos, o rosto dela estava ensanguentado. Fomos correndo até Campinas, bater na porta do médico em pleno Natal, a casa cheia de gente, aquela coisa desagradável. O Hastings procurou seu filho por toda a cidade. Ainda bem que não achou. Não sei o que poderia ter acontecido se achasse. Ele estava furioso.
– Onde está Immaculada agora?
– Lá em cima. Não está podendo comer direito, com o lábio inchado. Só papinha.
– Eu gostaria de falar com ela.

E num lampejo um século cabia

Immaculada entrou em silêncio, figura vertical, vestidinho de algodão estampado, até o tornozelo, estendeu a mão a Evaristo e se sentou na poltrona à frente dele, ao lado da mãe. Estava pálida, cabelos presos na nuca. Evaristo se lembrou da trança bem cuidada dos dez anos. Os olhos grandes continuavam macios, a pele branda, o nariz suave. O lábio superior se sobrepunha ao inferior num bico disforme a homologar o ar desalentado de toda a figura.

Evaristo teve pena. Sempre tinha sentido por Immaculada o que achava que sentiria por uma filha. Olhou para Helena. Foi então que se deu a revelação: num lampejo, num daqueles movimentos interiores que em milésimos de segundos carreiam um século de verdades, ele entendeu tudo. O rosto forte, largo, amorenado, os olhos decididos, a boca bem desenhada, os braços torneados, emergindo das mangas japonesas de uma blusa de renda branca que lhe modelava a cintura e se fechava numa miríade de pequenas pérolas até o pescoço, abrindo-se para formar uma gola alta que subia até quase as orelhas e se dobrava para a frente num triângulo engomado, a saia de popelina azul-marinho, o tornozelo brejeiro, o pé maroto enfiado numa sandália branca, tudo aquilo formava um conjunto sedutor, de qualidades tão óbvias, tão patentes, que Evaristo só se admirava de não ter adivinhado antes. E o mesmo lampejo que lhe entregou a verdade deu-lhe de lambujem dezenas de lembranças de indícios fugazes, arrebanhados em escaninhos insuspeitados do cérebro, indícios que se amontoavam em massa comprobatória: Francisco estava frito.

– Immaculada, você seria capaz de perdoar meu filho?

Mãe e filha se surpreenderam com a pergunta.

– Pode parecer estranha a minha pergunta, mas eu acho que ele lhe fez muito mal, muito mal...

Os olhos da menina se encheram de lágrimas.

– Ela não está conseguindo falar muito. Qualquer movimento dos lábios é muito doloroso. Perdoar é fácil. Difícil seria suportar novos desatinos desse tipo. Senhor Evaristo, eu gostaria de lhe comunicar que é nossa intenção desfazer essa sociedade conjugal.

O patriarca se retesou na poltrona, puxou um lenço do bolso interno do paletó e enxugou a testa. Olhou para Immaculada, que se mantinha imóvel. Percebia que aquela decisão era da mãe, mas não adivinhava até que ponto a filha tinha coragem de executá-la. Sabia que precisaria enfrentar uma tempestade de sentimentos no filho, não imaginava como seria o embate com ele. Resolveu apelar para a índole delicada da menina.

– Immaculada, você deseja isso mesmo?

Ela desandou a soluçar, acenando sim com a cabeça. Evaristo intuiu uma chaga aberta, difícil de tratar naquele momento. Decidiu abordar a questão por outro lado:

– Sabe o que significa a vida de uma mulher separada?
– Senhor Evaristo, essa é uma questão que resolveremos em família. Nós saberemos defender Immaculada. Se for preciso, ela sai do país, mas tem o direito de ser feliz, de não ser maltratada ou, no mínimo, de não ser tratada com indiferença, que é o que sempre ocorreu desde que os dois se conheceram – Helena intervinha enérgica.
– Eu gostaria de saber o que ela está sentindo de fato.
– É só olhar para ela.
Evaristo se levantou, devolveu o lenço ao bolso e disse:
– Acho que já vi o que precisava. Posso ir embora.
Despediu-se das duas desejando bom ano-novo. Não beijou a mão de Helena.

Pois a mulher lhe foi por goela abaixo

O trem seguia seu matraqueio, e o matraqueio seguia o trem; e era tão perfeita a cumplicidade, que lá não se sabia quem seguia quem. Pelo vidro da janela, o sol soluçante ia chicoteando intermitente os olhos de Francisco, que os abria e fechava entre o sono e o semissono. Eram quase quatro e meia. Uma fieira de frases se enfiava na outra, imbricando-se todas ouvidos lembradiços adentro, enquanto morros, árvores, casebres se sucediam numa diversidade sempre igual.
– Você tem uma mulher que qualquer homem pediria a Deus.
– A mulher que o senhor me empurrou goela abaixo.
– Você nunca disse não.
– *Você-nunca-disse-não-você-nunca-disse-não-você-nunca-disse-não* – repetia o trem.
Francisco abriu os olhos. Uma nuvem estendia um braço comprido e gordo por baixo do sol. O mato parecia quase preto para as pupilas apertadas pela luz que atravessava as pálpebras como se elas fossem de filó.

Nunca tinham discutido daquele jeito. Os dois caminhavam pelo pasto, fugidos dos ouvidos das paredes. O pai gritava. Era quase crepúsculo; sombras compridas de bois se esculpiam no capim, e os dois iam em frente, em frente, esquecidos de picões e carrapatos, só lembrados de brigar.

Fazia mais de vinte e quatro horas e parecia ainda agorinha. Francisco sentiu fome. Levantou-se e percorreu a renque bordejante de vagões até o vagão-restaurante. Sentou-se, o garçom veio colher o pedido. Quando se afastou, Francisco reparou nos saltos gastos dos seus sapatos. Lembrou-se de Felipe. Era uma dúvida azucrinante, que nunca ia se resolver.

– Quando uma mulher é impossível, você faça de conta que ela é homem!

– O senhor não fez isso com Cinira.

– Cinira não era minha sogra.

– Então, impossível só sogra. Quando não é sogra, mata-se o marido.

O pai estacou. Francisco já tinha andado alguns passos. Parou, olhou para ele, viu ressentimento pela nesga de olhar apertado contra o sol quase horizontal. Os cabelos ondulados, desfeitos, se debatiam como folhas tremulantes de bananeira em vendaval. As sombras dos dois se projetavam paralelas, a do pai imóvel.

– Você não é meu filho.

Fez meia-volta e se embrenhou na trilha que levava de volta à casa. Não desceu para jantar. Quando Francisco viu o lugar do pai vazio e notou Cinira esquiva, disse a Magdalena que queria o jantar servido no quarto. Na manhã seguinte, Evaristo sumiu mato adentro, alegando serviço urgente. Então Francisco resolveu partir. Não tinha como pedir desculpas. Se verdadeiro o crime, ele tinha sido conivente enquanto convinha; se irreal, ele caluniava. Em qualquer caso, um ato imbecil.

E por falar em desculpas, antes da troca de palavras ríspidas, Evaristo tinha começado manso, argumentando que ele devia pedir desculpas à mulher e à família toda. Só um pedido de desculpas poderia convencer a mãe de que o casamento ainda era possível.

— Immaculada é sonsa, meu pai! Não acredite naquele olho mansarrão.

Metódico, o garçom ia depositando na mesa um bule com leite, outro com café, um potinho de geleia de uva, outro de manteiga, dois pãezinhos, várias fatias de presunto, xícara, pires, facas, colherinha. O sol soluçava ainda, mas do outro lado do vagão, e o trem prosseguia confundido com o seu matraqueado: *você-nunca-disse-não-você-nunca-disse-não-você-nunca-disse-não-você-nunca-disse-não...*

E com amigos pegue firme as rédeas

Parou o carro diante de casa, desceu abrir o portão. Dia 30, deu-lhe na telha visitar o Carlinhos. Ficou com o amigo umas duas horas, talvez duas e meia, mas não contou nada do ocorrido no Natal. Se até de fatos da sua vida pública era parcimonioso, que dirá da particular? Ao amigo disse que tinha vindo a São Paulo resolver uns problemas. Immaculada? Na fazenda. Ele voltaria para Botucatu no dia seguinte... Laura deu notícias do projeto de exposição. Abril seria o mês, depois da Semana Santa. Francisco silenciava. Ela achava aquilo previsível num marido que nunca tinha se interessado pela arte da mulher. Mas sondava. Vasculhava gestos e olhares como quem remexe gavetas à meia-noite, sem saber se quer mesmo achar o que procura e se, achando, tira o que achou de baixo dos trastes.

Por fim, depois de recusar o convite para jantar lá naquela noite, Francisco se despediu.

E, parando o carro diante de casa, ia descendo abrir o portão, pensando em comer alguma coisa e rumar para o apartamento de Natália, quando viu lá dentro o automóvel do Pontes. Que hora! Ia pondo a chave na fechadura quando Rubião lhe apareceu de trás da casa: na boca uma bola, no rabo uma abanação desenfreada. Vinha ofegante e feliz, sem saber se latia boas-vindas ao dono e perdia o brinquedo, ou se ficava com o brinquedo e cometia um ato de ingratidão. Atrás dele apareceu Tomé, gritando para alguém, invisível atrás da casa:
– É o patrão que chegou.
E rindo para Francisco:
– O motorista e o Dr. Pontes estão se divertindo muito com o Rubião.
Depois de entrar, o anfitrião foi recebido na sala pelo visitante.
– Francisco, desculpe aparecer sem avisar. Eu ia passar aqui pela frente, a Julieta me disse: "pare lá e deixe os livros que prometi ao Francisco". Aqueles ali (e apontava para uma mesinha, onde estavam três livros que, de fato, a tia Julieta tinha prometido). Então fiquei sabendo que você estava em São Paulo, resolvi esperar – e estendia a mão.
Francisco apertava a mão do outro e apostava que ele já sabia de tudo. O Pontes continuava alegre:
– Não sabia que você tinha um cachorro tão inteligente. Muito divertido, muito divertido. Então ele se chama Rubião?
– Pois é.
– Por que não Quincas Borba?
– Quem deu o nome foi Carlinhos. Disse que qualquer um iria preferir ser Quincas Borba a ser Rubião.
Pontes apertou os olhos num sorriso maroto. Judith entrava com bandeja, bule, xícara de café e biscoitos.
O visitante se sentou com calma, encostou a bengala no braço da poltrona e se serviu com gosto. Francisco es-

perava, tentando imaginar de que modo aquele velho manhoso começaria o assunto pelo qual tinha ido lá.

– Francisco, como você pode imaginar, não fiquei esse tempo todo esperando só pelos seus belos olhos e pela inteligência do seu cachorro. (Sorriu, Francisco também, por trás da xícara.) Faz algum tempo estou com vontade de trocar umas ideias. Sabe com quem estive uma semana antes do Natal?

– Nem imagino.

– Com o embaixador Macedo Soares.

– ...

– Ele me pareceu otimista. Acha que as perspectivas serão boas daqui para a frente.

– Boas para quem?

– Ironia?

– Desculpe, desculpe, de fato estou sendo irônico. Não sou tão otimista.

– Sei muito bem o que você pensa sobre essa nova Constituição. Mas nisso você não é original. Ninguém ficou contente com ela. Nem quem a assinou. O otimismo na verdade não nasce dela, mas a despeito dela, quero dizer, da certeza de que vai ter vida curta.

– Mas enquanto vige que dê proveito...

– É uma visão pragmática. Você sabe que a posição do Dr. Armando Salles saiu revigorada desse processo todo.

– Deve ser eleito pela Assembleia Constituinte.

– Não há dúvida. O que me parece também certo – mas não sei se para você – é que daí à presidência da República será um passo.

– Dr. Pontes, o senhor nunca foi ingênuo. Faz tempo que uma coisa não implica outra. Não está acreditando que o Dr. Getúlio vá largar as rédeas que agora está segurando com as duas mãos.

– Ótimos estes biscoitinhos. Onde compra?

– Especialidade da Judith.

– Hã-hã. Você poderia chamar a Judith, por favor?
Francisco chamou. Judith apareceu. Pontes disse:
– Judith, tem aí lápis e papel?
– Tenho, sim, senhor.
– Então, por favor, escreva a receita desses biscoitos, quero levar para a Julieta.
– Sim, senhor.
Francisco observava o diálogo daquele ser escorregadio, capaz de deslizar entre dissidentes e ortodoxos como cobra-verde em beira de rio.
– Francisco, você falava em rédeas. É isso?
– Isso.
– Não, nenhum governante segura as rédeas com as duas mãos. O motivo é simples: ele precisa da outra para acenar. Com uma segura as rédeas, com a outra acena a aliados e inimigos. Quando não está fazendo isso, precisa dela para apear ou se amparar na queda.
– Bom, se é assim, ele agora acena para integralistas e fascistas.
– Naturalmente. E também para nós, progressistas, de quem, aliás, ele está precisando.
Pontes pegava mais um biscoito.
– E nós dele.
– Temos trunfos na manga. Mas isso é coisa para discutirmos com mais vagar depois. Mudando um pouco de assunto, mas não tanto, tenho recebido notícias pelo Paulinho dos avanços dos negócios, da construção do hotel em Porto Alegre, das obras para o governo, do prédio de apartamentos em São Paulo... Vocês estão indo de vento em popa!
– É verdade, não temos do que nos queixar.
– Rapaz, eu sempre digo que você e o Paulinho são coração e mente, em trabalho sincrônico e coordenado. Você tem um excelente tino comercial, sabe apresentar as propostas certas no momento oportuno, sabe realizar, abrir caminhos para a consecução de coisas impensáveis.

Tem um estilo discreto. Sabe falar na hora certa. Não age por ímpeto. É um progressista nato...
— Que é isso! (Francisco negava com a cabeça, enquanto punha a xícara na mesinha ao lado.) Nos últimos avanços devemos muito aos novos sócios...
— Sócios que entraram numa fusão proposta por você. Justamente estivemos falando de você, o Macedo Soares e eu.
— Falando...
— Eu disse: não podemos prescindir daquele moço. Ele não poderia faltar num eventual novo governo.

Francisco estava achando atípico o Pontes naquela tarde. Depois de brincar com um cachorro, falava pelos cotovelos.

Mas naquele momento o velho se calava, virava-se para a mesinha, despejava mais um pouco de café na xícara, punha açúcar e começava a mexer a colherinha com vagar, como se estivesse distraído. Esperava que Francisco falasse, e ele falou:
— Dr. Pontes, não se pode confiar nesse gaúcho matreiro que acena para todos, indiscriminadamente. Até para os alemães...
— Os alemães? Esse namoro não vira casamento.
— Em negócios não se falará nunca em monogamia. Já em afinidades políticas...
— Está querendo dizer que ele vai se instalar no poder como ditador perene e imitar a política de Hitler? Que vai se alinhar com ele? Pode tentar, pode sim. Mas não pega. No Brasil não pega.
— Mas há quem queira muito isso aqui dentro. Quero dizer que há pressões internas e externas conflitantes, que aceno demais pode acabar em desacerto.
— Pode. Isso pode. Mas não acabará. Temos uma bússola: o Norte (e apontou para o teto).
— Dr. Pontes, nós estamos vivendo uma fase de morte das democracias...

— Meu caro, nós temos uma extrema direita que não serviria de sustentação nem a um fantoche de teatro de bonecos. E o Dr. Getúlio está longe disso. Ele só acena. E usa. Mas não se compromete com ninguém... Nem conosco, aliás. Mas tenho a impressão de que somos um pouco mais lúcidos que nossos compatriotas dos dois extremos.
— Continuo preocupado.
— Não deveria se preocupar. Agindo como age, ele está mostrando que tem puro sangue de governante... Mas há um fato importante: está sendo criticado pelos velhos companheiros tenentes, que não se veem na nova Constituição. O que restará a Getúlio se perder o chão que o alicerçou sempre? Entre outras coisas, uma aliança de centro. Aí estão nossas chances de vitória nas próximas eleições presidenciais... Se houver...
— Se houver!
— Meu caro, mais dia, menos dia vai haver. A não ser que surja algum fato novo. Ou que ele seja fabricado...
Devolveu a xícara à mesa. Mudou de tom:
— O Dr. Armando está ganhando cada vez mais prestígio junto ao governo federal. Aí é que está. Estive pensando em aproximar vocês dois...
— Quem?
— Você e o Dr. Armando. Ele certamente apreciará seus méritos.
— Será um prazer.
— Já pensou em ser ministro? — Pontes perguntou a seco.
— Não...
— Pois então comece a pensar. (E se levantou.) Puxa! Sete e meia. Rubião, venha cá!
O cachorro se aproximou submisso.
— Que belo cão! Parabéns. (Abaixou-se para afagar a cabeça do cachorro.) Volta amanhã para Campinas?
— Sim, sim.

– Ótimo. A propósito, recebeu a ligação do secretário?
– Secretário?
– Sim.
– Ah, o "secretário". Sim.
– E...
– A proposta é interessante. Depois conversamos.
– Então, bom ano. Conversamos de novo em janeiro. Abraços à Immá e à Heleninha. Aliás, Heleninha lhe tem um carinho especial. Sempre se refere a você com muita consideração e estima.

Dizendo isso, pegava a bengala. Da varanda, disse ao motorista, que conversava com Tomé no jardim:
– Vamos, João, não quero ficar de castigo por chegar tarde em casa.

Não solte a trela, ligue-se ao cachorro

Sonhou que tinha vendido o Rubião ao Carlinhos. O cachorro saía de casa, puxado da trela por um desconhecido. Ele chamava, queria o cachorro de volta, estava arrependido, mas o homem sumia. Por que tinha vendido o Rubião? Sem pedir autorização a ninguém? Telefonava ao Carlinhos, não acertava o número. Tentava tantas vezes, que perdia a conta. Até que enfim o amigo atendia, mas não o ouvia. E ele dizia: "quero o Rubião de volta". Mas a voz de Carlinhos sumia de vez, e ele ficava desarvorado, dando voltas pela casa (outra, desconhecida), voltas sem retorno: de que jeito reaver o carro? Mas, afinal, era o carro ou o cachorro? Uma bomba explodia. Ele acordou com o coração saindo pelas orelhas. Ventava, a janela estava aberta, uma porta batia. Saiu atabalhoado pelo quarto querendo fechar a janela. Encostado à parede, sentiu a pressão delicada do focinho de Rubião na sua perna. Acendeu a luz e abraçou o animal.

Eram três e vinte.

Deitou, apagou a luz, mas não dormia. Ficou pensando no que poderia haver de comum entre um cachorro e um carro, além da primeira e da última sílaba. Que espécie de charada era aquele sonho?

Quase nove, tinha aberto a porta do apartamento de Natália: cheiro de cigarro. Ficou cismado. Disfarçando, procurou por todos os cantos, não achou o cigarro nem o fumante, nada. Mas que tinha sentido cheiro, tinha.

– Quem esteve aqui? (Natália não fumava.)
– Uma amiga.
– Que amiga?
– Diana.

Não vinha sono que desse trégua à ansiedade.

– Eu lhe dou moradia, sustento e luxo. Quero exclusividade. Não quero parceiro nessa dança. Se isso acontecer, você está na rua.

Os olhos se fechavam devagar. O Pontes dizia:

– Ela quer desfazer a sociedade conjugal. Já pensou em ser ministro?

Cigarro, carro, cachorro... O pai acenava de longe, no meio do canavial. Era muito alto: os pés de cana lhe chegavam à cintura. A porta bateu de novo. Os olhos se abriram de vez. Resolveu levantar e ir para o térreo. Era a porta do ateliê de Immaculada: trinco frouxo. Fechou com chave e subiu de volta para a cama.

Meia hora depois, ainda estava acordado. Nos minutos de cochilo, a voz do pai e a do Pontes se misturavam. Sempre se refere a você com muita consideração e estima. Tem a mulher que qualquer homem pediria a Deus. Quando uma mulher é impossível, você faça de conta que ela é homem! Já pensou em ser ministro?

Passava das quatro e meia, entrou numa modorra inquieta que terminou às cinco e pouco, quando os olhos se abriram como se abriam as cortinas do teatro de bonecos da escola: num só empuxo rápido e certeiro. Rubião dormia estirado perto da porta.

Desceu e saiu para o jardim lateral. Rubião se meteu na folhagem rasteira, ainda úmida. Duas rolinhas levantaram voo, assustadas. Entre as folhas ralas de uma grevílea adolescente, o sol ameaçava aterrissar. Pios de aves eram prenúncios de dia claro. Olhou para cima. Sentia falta das montanhas. Ali, para ver o céu, precisava alçar um olhar vertical, suplicante. Na fazenda, não. Na fazenda, arremessava o olhar na horizontal e pressentia o infinito por trás do horizonte inabarcável. Incapaz de conceber o infinito é quem vive confinado em terreno murado. O que seria daqueles muros em cem anos? Daquela propriedade, daquela cidade? Que elo de que cadeia infernal era ele, ali, parado, de pijama, esperando um cachorro mijar, no meio de um quintal que um dia seria ruína?

Ministro! Nos cabelos, cheiro de um cigarro sem dono; por debaixo do couro cabeludo, um cérebro lembrado, lembrado, lembrado. O voo das rolinhas tinha trazido num relâmpago a cara do irmão. Futuro sinistro.

Voltou para dentro. Precisava mandar consertar o trinco da porta do ateliê. Foi até lá olhar. Abriu. O cheiro de tinta passou sem pedir licença. Nunca tinha se interessado pelas coisas de Immaculada. Agora que se via desonerado dela (ela quer desfazer a sociedade conjugal), sentia o peso do vácuo deixado pelo que evapora. Desonerado, desonrado. Como sempre, os quadros se enfileiravam junto às paredes. Os da direita, ele sabia, eram os selecionados para a exposição. Já não lhe causava preocupação a exposição de uma mulher que em abril não seria a sua. Uma ponta de tristeza lhe assomou no peito: Immaculada no chão de terra. Ele era um bruto. O grande defeito dela: a certeza da posse.

No meio do ateliê, uma mesa comprida, com telas, potes, espátulas, lápis e mais uma infinidade de instrumentos incompreensíveis. Num dos cantos, uma escrivaninha cuja ordem destoava da anarquia reinante no resto do cômodo. Era lá que Immaculada se sentava para ler, escrever, criar esboços. Na parede em frente à escrivaninha, uma janela já começava a ser varada pelas primeiras flechas de sol. Francisco sentou-se para admirar uma giesteira bem em frente à janela. Aquele amarelo era hipnótico. O sono voltava. Reclinou a cabeça sobre a mesa. A segunda gaveta estava semiaberta. Empurrou, mas não conseguiu fechá-la. Abriu-a para ver o que a prendia. Numa pasta de couro azul-marinho reluziu dourado o monograma de Dantas. Pegou a pasta, mas o que havia dentro não eram documentos do Dantas, eram desenhos. Esboços antigos: do retrato de Helena, da aleia de giesteiras e vários outros. Um rosto masculino se multiplicava em quatro esboços. Embaixo a data: maio de 1931. Francisco tentava reconhecer. Um quinto rosto masculino não deixava dúvida: era uma cópia da escultura de Alexandre Magno. Prováveis variações sobre um mesmo tema. Francisco fechou a pasta, deixou a gaveta como estava e subiu de volta ao quarto. Precisava de um banho.

Tomou café às oito. Não viajaria. Instruiu Judith:

– Se alguém ligar, não estou, viajei.

Foi até a biblioteca, armou-se de quatro livros e subiu para o quarto. Almoçou quieto, também no quarto. Às duas horas, o telefone tocou duas vezes, Judith devia ter atendido. Já até se esquecia do toque, quando ouviu duas batidas na porta do quarto. Era Judith:

– É o Dr. Pontes no telefone.

– Não disse que viajei?

– Disse. Ele respondeu que sabe que o senhor está aqui.

Na linha, a voz do Pontes:

– Venha até aqui, por favor, precisamos ter uma conversa muito séria.

Quando Francisco entrou na sala do velho político e lhe deu boa-tarde, ele respondeu:

– Você mentiu.

Pois entre pena e crime haja medida

Pontes tinha começado com uma ameaça: – A aliança que existe entre nós só se manterá com lealdade e lisura. Sempre achei que estava tratando com um cavalheiro. Espero não me ter enganado.

O palavreado todo que veio depois daria um artigo de três colunas em página inteira.

Francisco não dizia nada e pouco mudava de posição: entre apoiar o cotovelo no braço da poltrona, com o queixo na mão, e cruzar os braços, com a cabeça baixa, poucas variantes. Naquela gesticulação Pontes lia contrição. Com o que se encorajava, mas sem exagero. A retórica saía bem dosada. Se não perdoava a agressão à sobrinha-neta, também não acreditava que tal ato tivesse sido fruto de uma índole perversa. Uma ação impensada, isolada, sempre pode ser compensada com demonstrações constantes de prudência e reflexão. Aliás, era isso o que se esperaria de um político nato como Francisco, de um homem que estava fadado a ocupar cargos tão importantes para a nação. E ele, Pontes, estaria ali para aplaudi-lo, desde que ele mostrasse interesse em reparar o dano causado.

Heleninha tinha exagerado na bofetada. E isso explicava o arroubo, o repente da arrancada, da ordem dada ao motorista, sobretudo diante da teimosia de Immá em querer dar demonstrações de amizade por uma pessoa pela qual ele já havia manifestado desagrado. Mas – convenhamos – entre o crime e a pena havia uma desproporção inexplicável para um homem educado, culto, inteligente, responsável e ponderado como ele. Para um advogado!

Se ele tomasse consciência disso, se desse abertura para uma possível retratação, uma reconciliação, um perdão mútuo talvez, um recomeço em outros termos, nenhuma ruptura ocorreria entre eles, coisa que seria extremamente prejudicial para todos. Que ele pensasse em todas as potencialidades daquela união familiar. Como conceber a possibilidade de jogar fora aquela grande amizade, cultivada desde tantos anos? Não havia em Francisco consideração por aquela família, respeito por Helena, amizade por ele, estima por aquela menina pura, que lhe havia sido destinada quiçá no plano divino, pelo próprio Criador?

Francisco acenava que sim, sim.

No entanto, Helena estava irredutível – informava Pontes. E Immá estava sentida demais para ouvir a voz da razão. Ele precisaria fazer algum esforço para reconquistar a confiança das duas. Demonstrar arrependimento. Os pais de Helena davam-lhe apoio. A quem? A ela, claro, não a ele. Adoravam a neta, e imaginá-la no chão, sangrando (afinal, algo bem pior poderia ter acontecido!), despertava neles fortes sentimentos de indignação. Mas, se Francisco demonstrasse boas disposições, ele, Pontes, poderia servir de intermediário e refazer sua imagem junto aos avós ofendidos. Em relação ao Hastings, Pontes confessava que, assim como Francisco, não morria de amores por ele. Não gostava de ver Helena unida a um homem sem estirpe, mas não podia fazer nada. Tinha apoiado a sobrinha vinte anos antes na decisão de se casar com um homem empobrecido, mas de família ilustre. Agora não daria apoio. Mas agora não lhe pediam a opinião: as libras pesavam mais.

E, imitando o jeito de Hastings falar, arrancou sorrisos de Francisco.

No fim, ficou combinado que deixariam passar o ano-novo. As festas, o clima de confraternização ajudariam a abrandar os corações. Pontes tiraria proveito das disposições generosas geradas por aqueles momentos de alegria para insuflar mais ternura nos ânimos exacerbados. Palavras dele.

Francisco só impôs uma condição: que tudo se resolvesse entre Immaculada e ele. Não se sentia com coragem para enfrentar toda a família, muito menos Helena. Se Immaculada estivesse disposta a uma reconciliação, que o avisassem. Ele faria de tudo para ser digno da afeição dela e da confiança da família. Pontes disse que precisaria antes da concordância de todos. Não podia dar sua palavra no momento. E os dois se despediram um pouco mais aliviados.

Francisco se deixou quedar em casa três dias. Amuado, passou o tempo ruminando o passado, engolindo o presente e tentando ver como espremer o futuro do condicional. No dia 2 recebeu um telefonema do Pontes: Immaculada voltaria para casa no fim de semana. Pontes iria junto. O casal conversaria. Combinaram. Francisco estava de saída para Botucatu. Tinha uns assuntos pendentes com o pai.

Frouxo desejo, voz mortiça e vaga

Immaculada entrou pela frente, atravessou o vestíbulo e a sala, sumindo por uma das portas. Pontes, entrando atrás, achou melhor se sentar por lá mesmo. Na sala de jantar, Immaculada deu de frente com Judith.
– Dona Immaculada, como vai?
– Tenho sede, Judith.

Judith saiu e voltou com um copo grande de limonada. A patroa tinha tomado quase metade, quando Francisco entrou. Ela continuou bebendo. Acabou, pôs o copo na mesa e ficou sentada no mesmo lugar, cabeça baixa, em silêncio, de costas para ele. Francisco a olhava por trás. Esperava que ela se voltasse para cumprimentar, mas nada. Pelo decote traseiro do vestidinho estampado, ele enxergava um sulco sedoso, entre duas espáduas aveludadas. Uma trança caprichada caía até metade das costas. Um sismo frouxo lhe abalou os alicerces das entranhas. Daquela figura emanava um perfume de violetas. Nenhuma paixão, nenhum ímpeto indomável, apenas um desejo consistente por um corpo jovem e bem-feito. Emudecido pela necessidade de falar, tolhido pela suspeita de desejo, Francisco tinha medo de presenciar a própria voz. Olhou para o teto e disse como quem recita:

— Fui um bruto.

A voz saiu débil, em ondas flutuantes, apagadas. A frase ficou suspensa, sem efeito.

— Você foi um bruto, um covarde — gritava Evaristo.
— Volte para São Paulo e peça perdão àquele anjo que Deus lhe mandou. (Immaculada não se mexia.) — Assim como veio até aqui me pedir desculpas daquele absurdo que disse o outro dia lá no pasto, agora volte lá e peça desculpas a uma pessoa muito mais inocente que eu. Você é o único culpado nisso tudo, você mesmo, que se deixou arrastar por uma paixão indecente.

Não se mexia, mas a respiração era funda, rápida. O torso franzino se inflava e desinflava, e as rosinhas estampadas se distendiam e afrouxavam no mesmo ritmo. Ele precisava dizer o que devia e ser convincente.

— Immá, eu fui um bruto — a voz saiu mais segura, mas a repetição tinha enfraquecido o efeito.

Ela continuava sem responder.

— Eu nunca devia ter feito aquilo — agora ele estava mais próximo, mais intimista. Falava baixo, para mostrar humildade e não ser ouvido pelo Pontes, que continuava na outra sala. Não podia ser suplicante. Começou a passear de um lado para outro, olhando para baixo, rodeando aquela figura feminina esguia, um centro, um eixo das voltas que ele dava na sala e na vida.

Achegou-se de novo, ela abaixou mais o rosto. E, já que ela não olhava, ele se abaixou mais, já se rebaixava, se ajoelhava, procurava o ângulo do seu olhar, sinal de sinceridade... Então viu aqueles imensos olhos úmidos e o lábio superior ligeiramente intumescido.

— Immá, juro que vou fazê-la feliz daqui por diante — conseguiu ser sincero.

E, assim dizendo, pegou-lhe as mãos pousadas no colo e as beijou.

Immaculada, sem mover a cabeça, via a massa de cabelos pretos, lisos, uma risca do lado direito, sentia o roçar do bigode em seus dedos, o cheiro da loção nas narinas. Resistiu ao impulso de retirar as mãos. Ali estava ele: o bruto.

Francisco levantou a cabeça e perguntou:
– Posso ver o dente?

Immaculada fez que sim.

Com delicadeza, ele lhe ergueu o lábio superior e notou a falta de um dos cantos do incisivo direito.

– Eu vou procurar o melhor dentista do Brasil, o melhor do mundo, para consertar esse estrago.

Puxou-a pelas mãos, ela foi obrigada a se levantar. Ele a abraçou, beijou-lhe o rosto. Ela desatou a chorar e ficou soluçando uns quinze minutos.

Pontes, ouvindo os soluços, sorriu na outra sala.

Não tendo trono, tem as regalias

Fazia um ano, Immaculada surpreendia. Tinha perdido o ar de menina mimada, ganhava jeito de senhora. Chegava a ser admirada por Judith, que tinha lá suas normas duras e curtas. Até o Pontes se espantava. Algumas reuniões começaram a ser marcadas em casa de Francisco, que via com gosto a mulher preparar tudo com esmero, receber os convidados e entreter as senhoras enquanto, na sala ao lado, os homens discutiam os destinos da nação. Era uma anfitriã e tanto. A exposição tinha sido bem recebida pela crítica. Mas a artista mantinha a vida recatada e honesta que lhe cabia. Os mais íntimos não entendiam como a filha da soberana Helena tinha amabilidade em vez de altivez, candura em vez de argúcia. Perto dela alguns, talvez mais tímidos, davam graças aos céus por se sentirem altamente considerados, mesmo não precisando demonstrar grandes dotes intelectuais ou políticos. Enfim, Immaculada era outra mulher. Mulher, finalmente. Estava mais roliça, com um rosto mais sereno e expressivo; dava até para ler certo conteúdo naquele mar amarelado de seus olhos.

Escasseava na casa a presença de Helena e Hastings; os dois evitavam aquela convivência: ele porque não gostava de Francisco; ela por se achar desgostada de Francisco. Ausência, aliás, que ajudava a tornar mais tranquilo o lar dos Almeida e Silva.

Além disso, os negócios continuavam indo bem. À noite, era menos ostensivo o desagrado de Immaculada com a presença do marido no quarto. Estava menos esquiva, parecia mais entregue. O contato tinha perdido o peso da tortura, e ela o recebia como quem recebe um visitante com hora marcada para ir embora. Tinha aprendido que tudo na vida passa, e que aguentar o insuportável é só uma questão de treino. Além do mais, a assiduidade não excedia um dia por semana. Immaculada aprendeu a pescar no ar os indícios que faziam de certos dias o dia da visita, e então seguia um protocolo que tinha percebido ser eficiente. E, quando afinal ele saía e a porta se fechava, ela imaginava o terror que deveria ser uma vida de pobreza que negasse a uma mulher cômodos bastantes para ficar longe de um consorte desamoroso. E aproveitava para agradecer a boa lembrança do pai no projeto da casa.

Francisco, acatando os conselhos do Pontes, tinha ficado mais tolerante. Juliano recebia ajuda financeira de Immaculada, e ele sabia. Mensalmente, Joanita ganhava mantimentos, roupas, brinquedos, sapatos, coisa e tal, de modo que, no bairro pobre onde moravam, o menino começou a ser visto como uma espécie de infante que, se não tinha o trono, tinha as regalias. Motivo mais que suficiente para virar alvo da crueldade dos pares. Despertando tantos e tamanhos sentimentos ambíguos, Juliano vivia metido em entreveros e, quando não apanhava, batia. Joanita desconfiava da causa dos arranca-rabos em que o rebento se envolvia: a interpretação que os outros faziam daqueles trajes intransferíveis, a vontade de superioridade social que liam por trás deles. Mas pouco se importava. A generosidade da amiga lhe caía do céu sem dar razões e, pelo modo como iam as coisas, um dia ela teria filho doutor. Promessa de Immaculada: na idade certa, ele iria para um bom internato de padres.

Disso Francisco não sabia. Acompanhava de longe a liberalidade e interpretava tudo aquilo como um surto caritativo de mulher que não conseguia ser mãe. Ela, em compensação, já não pedia ao marido que aceitasse o menino em casa, como tinha feito um dia. Aos poucos, aprendia a medir os limites da tolerância dele. Também não precisava lhe impingir a presença do menino nas visitas à fazenda: sempre ia sozinha com a mãe, pois ele nunca tinha tempo de viajar.

Immaculada sorria mais. Apesar da ponta do incisivo, que continuava quebrada.

Prosaico texto, à guisa de passagem

Um homem de calça preta, camisa branca, gravata afrouxada e paletó no braço esperava junto a um postigo. Em cima, o letreiro dizia que ali era um Departamento Pessoal. Por duas vezes precisou se afastar da porta cortada nos três quartos de altura e desapoiar os cotovelos do balcão improvisado para facilitar a saída de alguém. A tinta carcomida da porta, na altura dos joelhos, denunciava o muito que se costumava esperar por ali.

Finalmente reapareceu o tal mocinho que o havia atendido. O volume grosso, largo e manuseado que trazia nos braços foi depositado e aberto em cima do balcão, obrigando de novo o homem a desapoiar-se. O mocinho percorreu uma lista de nomes e disse:

– Mário Piovesã é nosso empregado, sim.
O homem respondeu irritado, com sotaque italiano:
– Disso eu sei. Eu quero saber onde que ele está trabalhando agora. Aqui que não é...
– Não, não, aqui só os funcionários da administração. Ele deve estar em alguma obra, quem pode informar é só o chefe dele.
– E quem é o chefe dele?
O homem olhava para os lados, procurando identificar em alguma das portas o nome de alguma repartição que o salvasse do calor e do cansaço da espera.
O mocinho voltou para dentro, carregando o volume e depois de uns dez minutos voltou com um pedaço de papel no qual o homem lia um nome e um endereço.
– Isto aqui é...
– Na Lapa.
Contrariado, o homem enfiou o endereço no bolso interno do paletó e saiu sem se despedir.
Na Lapa, ficou sabendo que Mario Piovesan estava trabalhando numa obra em Ribeirão Preto. Devia voltar na sexta-feira, para passar os feriados de carnaval em São Paulo.
Na construção, perguntaram ao homem se era parente dele.
– Claro! Vou até passar o carnaval com ele – respondeu saindo.

E sem palavras entra em cena o ato   Mario abriu a porta da sala da casa dos fundos, saiu para o quintalzinho de doze metros quadrados, fechado por uma mureta, abriu o portão baixo, esbarrou no pé de manjericão, ao lado do portão, saiu sentindo o cheiro forte da erva, fechou o portão, encarou o corredor, farejou o café da *zia* Mafalda misturado à fritura dos primeiros alhos do dia, ouviu a voz do rádio do tio Luigi cantar

Có, có, có, có, có, có, có, ró, a galinha morreu!, passou pela janela do quarto do tio Luigi, aberta, um bafo quente saía de lá flutuar no ar ainda fresco da manhã quase alta, passou pelo vitrô da cozinha do tio Luigi, viu junto à pia a *zia* Mafalda, disse *buongiorno* (só com ela ele falava italiano), passou pelo pequeno alpendre do tio Luigi, em direção à porta dos fundos do açougue (mais à esquerda, um portãozinho lateral dava para um corredor fechado pelo portão de ferro da frente), entrou no açougue. Por trás do balcão, de costas para a porta do fundo, o pai fatiava uns bifes sobre o cepo. Mario se encaminhou para uma das portas da frente, com as mãos nos bolsos, olhando os ladrilhos bordôs, sem encarar o solzinho desenxavido, pensando no que faria naquele sábado incomensurável. Da sala do tio Luigi o rádio mandava o recado: *Nervoso, o marido respondeu: Có, có, có, có, có, có, ró, hoje o galo sou eu!* Então, saídos sabe-se lá de onde, dois homens entraram:

– Mário Piovesã?

Mario fez um sim com a cabeça.

Um de cada lado, os dois homens seguraram os dois braços dele, e um disse:

– Está preso.

– Por quê?

Não responderam. O diálogo despertou Giuseppe da distração operosa. Ele olhou e entendeu. O rádio insistia, parece que mais alto: *Có, có, có, có, có, có, ró, o galo tem saudade da galinha carijó!*, mas ninguém ouvia, Mario só resistia, sendo puxado para fora. Então, como se finalmente tivesse chegado a hora de pôr em cena um roteiro ensaiado mil vezes nos últimos dois anos, Giuseppe, o sem-palavras, agarrou o cutelo de cima do cepo, contornou o balcão e avançou em direção ao grupo. Mas pouco passou da quina. Um dos homens se voltou e também sem palavras apontou, atirou. O tiro partiu o som do rádio e silenciou no abdome de Giuseppe.

Giuseppe caía ensanguentado, os homens saíam carregando Mario, um carro parava defronte para receber o grupo, quando a porta de Luigi se abriu e por ela o som do rádio estridulou: *A.M.E.I. quer dizer amei, amei, S.O.F.R.I. quer dizer sofri, sofri.*
Quando Giulia entrou, o marido jazia inerte no chão, de Mario não restava nem sequer um sussurro. Alguém lá dentro desligava o rádio: *Que pena o alfabeto não t...*

Dor de uma noite outrora, anos agora
Na boca de Edmund Apt, refestelado no sofá, fumegava um charuto pescado poucos minutos antes numa caixa da mesa ao lado. Numa cadeira de braços em frente, Francisco, com o indicador direito, afagava o lábio superior por baixo do bigode. Era um costume que tinha adquirido sem saber quando. Sabia como: analisando códigos, processos, balanços e relatórios. Então, por uma questão de homologia, sempre que precisava concentrar a atenção em qualquer coisa, afagava o bigode. Naquele domingo de carnaval, analisava o sócio. Que comentava o charuto. Francisco sorria. Explicava que não, não fumava. Tinha posto lá os charutos para os eventuais apreciadores. Que bom que ele tinha gostado. E, regalando cortesias, ia inventariando as diferenças entre si e o outro. O outro costumava ser catalogado pelos conhecidos como um ser prático e franco. Mas não como ordinário e grosseiro (fronteiras difíceis – pensava Francisco). Um sujeito admirável, um complemento seu. Não era tipo que precisasse conquistar a confiança do poder para encher os bolsos (isso quem fazia era Francisco). Era tipo de conseguir granjear a fé dos fracos. Avançava com segurança, dois pés 44 na faixa estreita que separa o simples do simplório. Francisco, não. Francisco não podia dispensar os volteios da finura, andando com pés de gato um ziguezague finório. Apt, que evoluía como dançarino entre os operários da

construtora e arrancava sorrisos até de Judith, nunca demonstrava vontade de arrancar segredos, de descobrir por que esta ou aquela obra do governo tinha sido arrancada aos concorrentes.

Mas aquela análise toda não tinha começado por acaso. Mais de uma vez naquele dia Francisco tinha surpreendido os olhares famintos de Apt para as pernas de Immaculada. O sócio teria coragem de pular do desejo ao ato? Era a pergunta que tinha desencadeado o exame e continuava sem resposta.

Pensando essas coisas, Francisco se empertiga na cadeira, sem alcançar uma definição para seus sentimentos, sem nem imaginar como lidar com aquele desafio. É quando Immaculada entra para dizer que precisa dele urgentemente na biblioteca. Atrás vem Judith, mas para na porta: é a imagem da aflição esperançosa. Francisco pede licença a Apt. Na sala de jantar, fica sabendo que uma italiana, ex-trabalhadora da fazenda e agora empregada de Mme Henriette, está ali, desesperada, querendo falar com ele. Precisa urgente de ajuda: filho preso, marido ferido.

– Mas isso é coisa que se resolva num domingo? Não sou advogado de porta de cadeia. A senhora é muito ingênua, dona Immaculada. Como vai abrindo as portas assim a qualquer um? – a voz de Francisco, áspera como esmeril, nas horas de raiva projetava alças estrídulas.

Immaculada recuou, mas encarando. No olhar, o dardo seco da resistência muda, que Francisco tinha aprendido a perceber desde cedo. Judith então entrou de vez na sala, dizendo:

– Fui eu, Dr. Francisco, por uma questão de humanidade. Uma verdadeira tragédia, ela é uma mulher boa, honesta. Achei que merecia ajuda. Desculpe. Se quiser, eu digo que o senhor não pode atender.

– Não – a voz de Immaculada brotou entrecortante.
– Atendo eu.

Francisco, um tantinho chocado, consultou o olhar de Judith. Era de alívio. Uma conspiração! Então que conspirassem, que se dessem o trabalho. Ele voltava ao *fumoir*, discutir coisas importantes com o sócio. Já de costas, ouviu a voz de Immaculada dizer da porta:
— Em último caso recorro ao vovô ou ao tio Pontes.
— Como vovô, tio Pontes? — foi a pergunta feita, meia-volta volvendo.
Mas ela já ia pelo corredor.
— Volte aqui, Immá.
Não voltou.
"Recorro ao vovô, ao tio Pontes" era um desafio, uma desobediência com endereço certo: diminuí-lo. Mas ela não perdia por esperar. Ele foi atrás. E entrou na biblioteca com passos duros e uma frase brusca na ponta da língua.
Giulia não tinha dormido, não tinha comido. Os olhos ardiam de choro e sono, a boca seca se adstringia por dentro, se crispava por fora, trancafiando gritos. Tinha feito súplicas a policiais, chorado para médicos, sentia-se exaurida, com as lágrimas esgotadas, com todos os humores ressequidos, sem saliva nem para falar. Lá fora era carnaval. De dentro daquela espécie de convento, quem diria que era? O luxo acachapante daquela casa constrangia ao respeito, forçava à solenidade, impunha discrição. Afundadas num tapete florido, suas sandálias se diriam recém-saídas de algum brechó da ladeira Porto Geral. O console sólido arrimado às costas de uma poltrona de veludo azul, no meio daquela vastidão de sala, os quadros mudos nas paredes brancas, os livros sisudos nas estantes inalcançáveis, as castas estatuetas de prata, os vasos recatados de cristal e porcelana, a cadeira de encosto alto, quase de costas para a escrivaninha, figura esguia, monacal, recorte do dono no gesto da partida, tudo acabrunhava. Giulia se sentia expelida daquele mundo como pus de furúnculo espremido. Não, não haveria de chorar dessa vez. De um daqueles quadros, a figura plácida

de Immaculada olhava como Nossa Senhora em igreja. Consolo.

Francisco, entrando pesado, num relance percebeu as sandálias encardidas, o amarrotado do vestido estampado, as luvas brancas competindo com uma bolsinha chocha por um par de mãos malcuidadas, descuidadas, o chapeuzinho *démodé* deixando escapulir atrevidas mechas que espalhavam aos quatro ventos um desgrenhado rebelde a qualquer toalete. Distinguiu o olhar capiongo por trás de umas lentes que pareciam ter sido feitas para aumentar os olhos, e não o que os olhos viam. Mais que tudo, trombou com a flecha do olhar de Immaculada, e as intenções se desarticularam.

– Pois não – ressoou seco, sobressaltando a visitante.

Giulia deu um passo à frente e estendeu a mão, dizendo "bom dia". Francisco respondeu "boa tarde", estendendo a sua, contrafeita e frouxa.

– Desculpe, Dr. Almeida e Silva, eu vim aqui porque não tenho mais para quem recorrer.

Os lábios se crisparam, Francisco teve medo de uma explosão de lágrimas. Ficou olhando para ela petrificado. Giulia se recompôs e continuou:

– Meu filho foi preso, meu marido está no hospital entre a vida e a morte...

Não segurou. As lágrimas irromperam como lavas do Vesúvio. Francisco olhou para Immaculada em busca de socorro. Immaculada olhava a porta. Lá, Judith, comovida, não pressentia por cima de sua cabeça a cabeça de Edmund Apt, esquadrinhando a cena em busca de sentido.

Giulia, em pé, apertava as luvas contra a boca, como se precisasse de dedos sobressalentes para amordaçar aquela dor inominável.

– Traga um copo de água, Judith – pediu Immaculada.

Judith deu meia-volta, ficou Apt. Francisco disse:

– Immaculada, fique lá na sala com o Edmund. Desculpe, Edmund, surgiu um imprevisto aqui, nem eu mesmo sei do que se trata, mas resolvo isto num instante.

O americano voltou, Immaculada foi atrás, Judith apareceu com um copo de água numa bandeja de prata. Os soluços de Giulia já se abafavam num lenço amarfanhado, catado à pressa na bolsa murcha. Durante um bom minuto os três ficaram ali parados, Giulia uivando por dentro, sem permitir que a boca se abrisse, Judith com o copo de água na mão, Francisco com o pensamento na sala, entre Immaculada e Apt.

– Judith, convide a senhora a se sentar ali no sofá e vá ficar lá na sala com dona Immaculada.

Judith, com os olhos rasos d'água, tomou o braço de uma Giulia trôpega que se deixou conduzir até o sofá. Os soluços iam amainando pelo caminho. Perto do sofá, Judith pressionou o ombro da outra, que parecia não ter muita noção do local exato em que estava. O corpo de Giulia obedeceu, e seus joelhos se dobraram. Mas o estofo macio do sofá cedeu mais do que o esperado, e ela caiu pesada, com os braços no ar e os pés fora do chão; por um instante, na semiconsciência da dor, sentiu o lampejo da vergonha de nunca ter sentado em tamanha maciez. Via-se abraçada por um mar de veludo azul-marinho, enquanto a mão de Judith lhe estendia toda a transparência fresca de um copo de cristal, debaixo do olhar gelado de Francisco, na poltrona da frente.

Giulia levou o copo aos lábios, tomou metade da água, o suficiente para realimentar o poço de lágrimas futuras. Devolveu o copo a Judith, que o pôs na mesinha ao lado e saiu da sala enquanto Francisco perguntava:

– Qual é exatamente o motivo de sua visita, dona…
– Giulia.
– … Júlia?
– É que meu filho foi preso…
– E por que foi preso?

— Eu não sabia, doutor... o meu cunhado disse que ele é comunista, por isso foi preso... Eu juro que não sabia.

Então não era um caso de crime em família, o filho não tinha ferido o pai, como ele havia entendido. A revelação, no entanto, foi mais que surpreendente. Foi uma pedra atirada num lago de ressentimentos; as reverberações da irritação turvaram o rosto de Francisco. Giulia intuiu a mudança para pior nas disposições do anfitrião. Não tinha acabado de falar, já estava arrependida. Tinha ido lá, pedir a ajuda de um rico para o filho que odiava a propriedade privada, de um católico para um ateu. E por acaso, acima da cabeça do dono da casa, não estava aquele crucifixo dizendo que ele era cristão? Se não fosse tão burra, teria dito que não conhecia o motivo da prisão. Mas era tarde, e Francisco respondia:

— Eu não trato de questões políticas. Aliás, não conheço advogado que nos dias de hoje se apresente para defender comunistas. Os defensores desses réus têm sido advogados dativos.

— Dativo...

Levantou-se e caminhou para a escrivaninha. Lembrou-se do cartão de um conhecido de Carlinhos, idealista maluco que tentara defender um professor preso como instilador de ideias subversivas na mente dos jovens. Deu dois passos remoendo um sentimento surdo de raiva: não passava dia sem que maldissesse a burrice dos aventureiros que só tinham conseguido dar trunfos ao governo para o endurecimento. Mas, antes de chegar à mesa, ouviu a voz de Giulia, agora suplicante:

— Eu não vim aqui procurar advogado. Eu vim procurar compaixão. Ele é seu empregado e o senhor é poderoso.

— Como meu empregado?

— Na sua firma, de construção.

Francisco estava próximo à escrivaninha, atrás da poltrona. Giulia precisava virar-se para falar com ele.

– Quem é seu filho?
– Mario Piovesan.
– Não conheço.
– Ele é um operário, doutor. O senhor não pode conhecer mesmo.
A ressonância daquele nome causava um mal-estar que Francisco não discernia bem. Ficou em silêncio. Giulia continuou:
– Ele é apontador de obra. Estava trabalhando em Ribeirão Preto, veio passar o carnaval aqui, apareceu dois homens de repente ontem de manhã lá no açougue, iam carregando ele na marra, meu marido quis impedir, pegou a faca do açougue, deram um tiro nele... eu cheguei, ele estava ensanguentado no chão, *o Dio...*
O choro recomeçou, profundo e mudo. Ela virou o rosto e o enterrou nas mãos; atrás, contemplando os solavancos dos ombros dela, Francisco não via a hora que acabasse aquela nova onda. Por fim perguntou:
– E o que a senhora acha que eu posso fazer?
De costas mesmo, Giulia respondia:
– O senhor é o chefe dele, pode dizer que ele é um bom empregado, que nunca se meteu em confusão, as coisas que ele tinha na cabeça *stava* só na cabeça dele, que ele nunca fez nada, ele é um *bambino*, nunca fez mal a ninguém, nem italiano gostava de falar, dizia que era brasileiro, o pai detestava essa mania, mas deu a vida por ele... E eu agora perdi os dois.
E encarando Francisco de novo:
– Me ajuda, doutor.
Francisco não se sentia nada bem. Aquele contratempo depois do almoço... Caminhou de volta para a cadeira, mas não se sentou. Em vez disso, pensando em como se livrar daquela amolação, foi até a janela. A intenção era dizer francamente que não queria saber daquela história. Mas, em vez disso, ficou lá, com as mãos

nos bolsos, olhando para o jardim, pensando. Resolveu apelar para argumentos profissionais:

— Além de tudo ele resistiu à prisão.

— Como? Ele foi arrastado. Meu cunhado viu quando ele ia saindo.

— Seu marido investiu com uma faca, a senhora disse.

— Foi meu marido, não foi meu filho.

No jardim, Rubião cheirava um tronco de árvore. Aquele contratempo num domingo... e com visita... O esôfago ardia. Não devia ter comido a sobremesa. Começava de novo aquela azia corrosiva que o atormentava nos últimos tempos. Da última vez tinha sido por causa do patê de pimentão de Judith. Olhou para o sofá. Nele viu Molinaro, saboreando o patê de pimentão com torradas. Naquele mesmo sofá. Fazia uns vinte dias. Tinha aparecido com uma caixa de vinho. Presente de Natal — dizia. Presente atrasado, ele tinha viajado, voltava agora. Ficou sentado ali bem uma hora. Começou a rememorar coisas, falar da fazenda. Não falava de política, Francisco estranhava. Falava dos italianos daqueles tempos: Fulano tinha morrido, Sicrano estava viúvo etc. etc. Um tédio. Aonde ele queria chegar? Tomava vinho, comia patê, falava. Patê e vinho... aquela azia de novo... Agora entendia aonde Molinaro queria chegar:

— O senhor se lembra do Piovesan?

— Não.

— Um que morava na segunda casa, depois daquela curva que tinha uma jabuticabeira. Alto, olhos azuis, pouco cabelo (já naquele tempo!), andava sempre de boina para esconder a careca. Lembra?

— Acho que sim.

Não lembrava.

— Pois é. Um lutador. Veja só como esse mundo é pequeno. Descobri que o filho dele trabalha na sua construtora.

— É mesmo?

– Muitas obras fora de São Paulo?
– Várias.
– E para saber em que obra alguém está trabalhando aonde eu vou?
– Na São João. Departamento Pessoal. Lá eles lhe dão todas as informações.
Giulia tinha parado de falar, olhava fixo para ele.
– Como disse que se chama? – perguntou Francisco.
– Giulia.
– Não, seu filho.
– Mario Piovesan.
– Escute, dona Júlia, essa é uma história de italianos e eu não vou me meter.
Giulia arregalou os olhos desentendidos:
– Coisa de italianos?
– Eu tenho motivos para lhe dizer isso. Vocês, italianos, têm uma briga particular, de fascistas e antifascistas. Não quero e não posso me meter nessa briga. Aliás, faço questão de não tomar nem conhecimento.
– Mas, *signore*, os dois homens eram brasileiros.
– Isso não quer dizer nada. Aliás, como a senhora sabe?
– Meu marido disse.
– Mas a senhora disse que ele estava morrendo!
O olhar de Giulia era de decepção profunda. Francisco percebeu que, mesmo para uma carcamano, tinha sido grosseiro demais.
– Ele ainda não morreu, doutor.
– Não foi isso o que eu quis dizer. Quis dizer que achei que ele não estava em condições de falar.
– Ele falou com o irmão. Ele falou: *e-ra-no bra-si-lia-ni*. E também falou que eles entraram dizendo "está preso".
Francisco olhava em silêncio. Se aquela fosse uma ação clandestina de fascistas, Mario já estaria morto. Se fosse uma ação da polícia política do governo, mesmo que

sua influência tivesse alguma utilidade, ele não queria se imiscuir pessoalmente naquele assunto, a sua reputação valia muito para ser exposta por tão pouco, em momento tão delicado. Já estava cansado de rondar o poder pela porta dos fundos. E, quando tudo parecia favorecer uma entrada em grande estilo pela porta principal, estourava aquela intentona. Não podia dar esperanças àquela mulher, mas continuava sem coragem de ser franco.

Giulia se levantou de repente. Já se sentia mal, sentada naquela poltrona funda, com um homem poderoso em pé à sua frente, olhando para ela como se ela fosse de vidro. Francisco voltou para a janela. Giulia deu alguns passos e perguntou:

— E então, doutor? Vai fazer alguma coisa?

A súplica era irritante. Francisco não queria prometer nem deixar de prometer, não se sentia bem naquela posição, estava com azia, um americano cortejava sua mulher na outra sala, era domingo.

Giulia finalmente percebia que tinha ido ali à toa. Não achava coragem de repetir a pergunta nem de desistir. Na esquina mais próxima, Luigi esperava no furgão. Ela não podia voltar de mãos vazias, sozinha com aquela dor desesperada.

Com um gesto apressado, Francisco se afastou da janela, foi de novo até a escrivaninha e perguntou:

— Vou ver o que posso fazer. Amanhã mando um de meus advogados inquirir nas prisões.

— Amanhã!?

— Hoje é domingo, minha senhora!

— Meu cunhado já andou todas. Não achou nada.

Da sala, uma melodia conhecida se espalhava pela casa. Immaculada devia ter posto seu disco preferido na vitrola. Para Apt, claro.

Francisco repetiu, distraído:

— Amanhã um dos meus advogados vai lá. Na primeira hora — e escrevinhava num papel.

– Lá onde, doutor?
– No Paraíso.
– Lá ele não está.
Francisco comentou:
– Pode ser que esteja. Só Deus sabe.
E já na soleira, parou e disse:
– Passe bem.
Giulia tinha faro aguçado para ironias. Aquele balde de frio sarcasmo, despejado por cima da sua dor candente, pôs em andamento uma reação que o "passe bem" final só fez desencadear. Porque para seus ouvidos o "passe bem" dos brasileiros soava como o "passa fora" que a vizinha enfezada da direita usava para enxotar cachorros. Um ódio insuspeitado começou a surdir feito regurgitação de ralo, e ela explodiu:
– Não passo. Fico.
De dentro, o disco cantava: *Mon cœur s'ouvre à ta voix comme s'ouvrent les fleurs...*
Francisco olhava abobado. Ela repetia:
– Não passo. Fico.
E ficou. Ficou e voltou. Parou no meio da sala e continuou:
– Aquele homem que está entre a vida e a morte lá no hospital salvou sua honra, Dr. Almeida e Silva...
– Dona Júlia, não tenho tempo para conversas agora. Já fiz o que pude.
– ... porque a minha família sabe o que é honra...
– Não duvido! Com um filho comunista!
– Dr. Almeida e Silva (os olhões agora estavam semicerrados, e o indicador direito zunia em riste), naquela noite, naquela noite...
– Dona Júlia, passe muito bem – Francisco foi até ela e lhe pôs a mão no ombro, tentando levá-la até a porta.
– ... quando o senhor e o Geraldo ficaram girando, girando feito dois tontos, procurando a dona Lucinha, naquela noite...

Francisco afrouxou a mão, o braço pendeu, a expressão era de pasmo.

– ... ela foi lá em casa pedir ajuda, dizendo que o senhor batia nela.

– Ela?

– Ela, dona Lucinha. Eu acreditei, queria deixar entrar, eu tive pena. Mas o Giuseppe não. Sabe o que foi que ele disse? Sabe? Ele disse: "Nosso patrão é honrado, não merece a mulher que tem. Eu nunca vou dar abrigo para uma vagabunda." Pois ele estava errado. O senhor mereceu. E merecia mais. O senhor não tem coração, Dr. Francisco. Tenho pena da dona Lucinha, que ainda por cima mandaram matar. O senhor não presta.

E repetia "o senhor não presta", passando por ele com um ímpeto insuspeitado para sandálias tão frágeis. Saiu vestíbulo afora batendo os pés, atravessou o jardim e foi parar no portão, que Tomé abriu solícito. Francisco ficou ali parado, olhando os últimos reflexos do chapelito se desvanecer no mármore do terraço, descido o último degrau. Naquele minuto revivia na carne a dor de uma noite ainda, dez anos já, dor que – ele não sabia – era imperecível e jazia sedimentada em algum recesso escuro das suas entranhas. No esôfago, talvez.

– *Ah! réponds à ma tendresse! Verse-moi, verse-moi l'ivresse!*

Dalila se espalhava pelo chão, subia pelas paredes, penetrava por vãos e desvãos. Francisco saiu daquele estado de torpor e entrou embalado pela melodia que ia ficando mais forte à medida que ele avançava. Apt estava sozinho na saleta onde ficava a vitrola. Da porta, Francisco o via de costas, recostado num sofá. O charuto dormia apagado num cinzeiro ao lado.

Foi até a sala de jantar. Immaculada e Judith, sentadas junto à mesa, interromperam uma conversa. Francisco tentou ler o olhar das duas. Não conseguia.

— *Ainsi qu'on voit des blés les épis onduler sous la brise légère...*

A música abafava tudo. Tinha abafado a voz de Giulia. Para os outros.

Francisco se afastou, voltou, saiu de novo. Precisava descansar, enveredou pela escada. Atrás dele, Dalila subia:

— *La flèche est moins rapide à porter le trépas, que ne l'est ton amante à voler dans tes bras!*

Bravatas desbravadas dos mui bravos

— Pois afirmo em sã consciência que o único candidato digno da presidência de nossa pátria é o Dr. Armando de Salles Oliveira... (Aplausos.) Só ele é capaz de atender às aspirações do Brasil, neste transe pelo qual passa nossa pátria. É um homem valoroso, competente, um mestre da economia, um baluarte da moral. Não bastasse isso, soube elevar este nosso estado aos mais altos píncaros da cultura. (Aplausos.) Estadista experimentado, de envergadura, conhece o decoro, a prudência, o bom senso, qualidades raras em meio aos iracundos que em sua sanha maldita rilham as carnes tenras de nossa república.

— Pontes! Que imagens!

— Francisco, quando é que você vai aprender a se encantar com a arte da retórica? O único pecado dele foi repetir "pátria" duas vezes...

— O governo para o qual se mostrou tão capacitado, idôneo e habilitado nesta terra dos bandeirantes é apenas uma amostra do que poderá fazer por este nosso imenso Brasil... (Aplausos.)

— Aqui já somos todos eleitores do Dr. Armando, Pontes, ele bem podia dispensar a lambição e tratar de coisas mais concretas.

— Francisco, já pensou que tédio um bom programa de governo causaria nestas senhoras? — e Pontes olhou para as três senhoras, sentadas em torno da mesa redonda.

Immaculada olhou para o tio-avô e sorriu uma retribuição ao gesto. Pontes sorriu de volta e cochichou para Francisco:

– Está cada dia mais bonita, não?

– É o único candidato que sabe ser progressista dentro do respeito às nossas mais dignas tradições...

Correndo e gritando pelo gramado, quatro ou cinco crianças trincavam a voz do orador. Uma brisa leve ondulava as toalhas brancas e se enfiava pelas mangas largas de Immaculada, que começava a sentir frio. O crepúsculo caía devagar. Fazia quase uma hora que os pratos tinham sido retirados da frente dos convivas empanturrados. Fazia quase uma hora que o orador falava. Os garçons serviam café, as luzes se acendiam.

– Foi a brava e lutadora gente paulista que alçou este país ao plano da civilização, despejando-o da mortalha do primitivismo em que jazeu embrulhado por tanto tempo... Homens e mulheres como tantos dos aqui presentes e um sem-número de ausentes, infelizmente... (E, entre aplausos, o orador desfiava o nome de ilustres presentes e ausentes.) Finalmente, peço vênia para homenagear em especial aqueles sem os quais não teria sido possível este tão profícuo encontro: nossos anfitriões deste dia, Dr. Humberto Souza Pontes e senhora, bem como o Dr. Francisco Moura Almeida e Silva, brilhante advogado, empresário bem-sucedido, que aos rígidos princípios morais pelos quais pauta sua vida sabe aliar as qualidades de grande articulador político... (Todos aplaudiram e olharam para aquela mesa). Mas não quero terminar estas modestas palavras sem uma merecida e particular homenagem a dona Julieta Romeiro Dias Pontes, que sintetiza em sua pessoa toda a galhardia desta terra. Tetraneta de bravos, desbravadores bandeirantes...

(E o olhar do orador passeava pelo jardim, buscando dona Julieta, que tinha sumido.)

Carlinhos vinha chegando com um rapaz. Queria apresentá-lo ao Pontes.

– Este é o Henrique Saldanha Mendes, de quem lhe falei. Uma grande promessa, um grande talento. Henrique, este é o Dr. Pontes, que você tanto queria conhecer.

Immaculada olhou o rapaz e teve um sobressalto. Quantas heroínas, numa situação daquelas, não derrubaram champanhe, vinho ou chá sobre as vestes irrepreensíveis! Por sorte a xícara de café descansava esvaziada num pires, sobre a mesa, com um minúsculo fundo maculado de borra. Foi assim que o susto de Immaculada passou despercebido, e ela, incólume. Era Paolo escrito. Na altura, nos traços. Não na voz, que soava mais metálica; não nos modos, que eram mais refinados. O mesmo molde com outra substância. O grupo de homens ficou em pé, conversando. O discurso acabava, as palmas ressoavam alívio. Pontes e Francisco eram chamados à tribuna, para as últimas homenagens ao Dr. Armando.

Edmund Apt também se aproximava, e os três homens se sentavam junto às três mulheres. Já não ouviam os discursos que corriam mansos como fundo indistinto de coisas desimportantes. A conversa girava risonha. Francisco voltou sozinho e Carlinhos, como se esperasse aquela oportunidade, começou a enfiar sua fala costumeira sobre bandeirantes e que tais. Não conseguia ouvir falar em bravos desbravadores sem que se lembrasse da história de tia Julieta.

Quando ele terminou a história, os músicos já tinham transformado o palanque em palco. Começava o baile. Edmund cochichava: "quero dançar com você" e pedia a Francisco permissão para dançar com Immaculada.

– Daria, se não pretendesse eu mesmo dançar com minha mulher.

E saíram dançando.

E da vestal despiu-se messalina

Por volta de meia-noite, o carro subia a Consolação, que corria descendo, passando pela janela um filme de muros, portões, árvores, guias, sarjetas, sigmas, suásticas, foices, martelos. Nele, Immaculada, num semissono ébrio, sorria lembrando o modo declamado como Carlinhos contava aquele caso decorado.

— Francisco, dizem que a tia Julieta descende de um bandeirante chamado Fernão Bulhões, que de santo nada tinha. Esse Fernão se instalou lá pelos lados da Freguesia do Ó nos idos de mil, setecentos e tantos...

Um friozinho agudo vazava pela janela do motorista, Paolo era um vulto lá embaixo, ao lado de uma árvore. Paolo era Henrique!... Ela tinha bebido demais.

— ... casou-se com uma bugre e teve seis filhos. Um deles era sonâmbulo, epiléptico e — dizem — maluco. O nome dele era Joaquim.

Você é bonita — diziam os olhos de Apt e de Henrique. O vestido cor-de-rosa esvoaçava com a toalha branca. O baile ia animado, Apt pediu a Francisco permissão para dançar com Immaculada.

— ... o sobrenome da mãe nunca se conheceu. Numa das andanças noturnas desse filho, houve lá um acidente com uma lamparina, que caiu num monte de palha, enfim a casa pegou fogo...

— Daria, se não pretendesse eu mesmo dançar com minha mulher.

Os cachos cor de mel lhe faziam cócegas na testa.

— ... morreram quase todos os que estavam dormindo... dormindo deitados, porque só se salvaram o sonâmbulo incendiário, que dormia em pé...

Francisco ria, olhando para Apt e Immaculada.

— ... e a mãe, sabe-se lá por quê.

Um bonde cruzou rente, carrilhando seu barulhão vazio rua abaixo.

— ... a viúva triste herdou todas as terras, mais um bom estoque de ouro, que o marido tinha guardado de antigas explorações mineiras. Apareceu um candidato a marido...
Um dos garçons tentava trocar a lâmpada queimada, perto da mesa. Henrique achegava a cadeira à dela, para dar espaço. O frio tinha passado.
— ... o homem era carvoeiro. Pois é, consta lá nos documentos do casório.
— Levante o vidro, está ventando aqui.
Paolo era um vulto indistinto que declamava Castro Alves. Um sentimento atroz descia do peito e se encontrava no ventre com um desejo desenfreado que subia pelas coxas. A voz de Francisco e a do motorista se misturavam.
— ... o carvoeiro aplicou tão bem o ouro do antecessor, que conseguiu criar mais cinco filhos nascidos do casamento. Vejam só, ela acabou seus dias de novo com seis filhos: o sonâmbulo, mais cinco...
Suástica, foice e martelo. Foi-se o martelo. O que teria acontecido com o filho de Giulia?
— ... a tia Julieta, então, se for descendente do bandeirante, só pode ser pela linha do notívago epiléptico. Mas há dúvidas. Dizem alguns que não descende do bandeirante, e sim do carvoeiro. Grande dilema...
O carro parou diante do portão, o motorista desceu para abrir.
Francisco a segurava pela cintura. Dançavam, e na testa dela roçava o bigode dele.
— O que você preferia, Francisco, descender de um bandeirante por via de um sandeu ou de um sensato por obra de um carvoeiro?
Immaculada ria.
— Do que está rindo?
— Do sandeu...
E ria, ria...

Francisco também começou a rir. Judith e Tomé estavam recolhidos. Francisco e Immaculada subiam as escadas, rindo, rindo.

No quarto dela, se abraçaram, ele disse que ia até o seu, mas voltava. Ela tirou o vestido, abriu o armário, subiu numa cadeira e de uma caixa do maleiro extraiu um vidrinho em cujo rótulo, entre arabescos indianos, lia-se *Love s*....

Ficou sentada na cama, virando o vidro na mão direita. Um resto de líquido oleoso dançava lá dentro. Francisco entrou. Deitou-se na cama. As bochechas ainda queimavam, incendiadas de vinho. Puxou Immaculada pela cintura, que se deixou carregar com docilidade nunca vista. Francisco puxava para si uma vestal cobiçada por outros homens. Tirou-lhe a combinação, e ela se deixou acariciar, beijar, amar, mas não só. Também amou em arroubos tempestuosos, atirando-se ao coito como se atira à terra a chuvarada de verão, em bátegas incontroláveis. A vestal despiu-se de messalina.

Passava das seis quando Francisco acordou. Abriu os olhos com a estranheza de quem emerge das letargias, quase sem identidade. Uma ponta lhe aferroava o coração. Tentava refazer as coordenadas. Ao lado, Immaculada dormia semicoberta por um lençol azulado. Que Immaculada era aquela? Não havia encaixe para a lembrança da volúpia da madrugada. Teria entrado num jogo sem ser convidado? Acariciou o sexo. O tato era acetinado... não, oleoso. Lembrou-se: tudo tinha sido regado, amortecido e aromatizado por uma essência surgida não se sabe de onde.

Olhou para o criado-mudo, além do corpo da mulher. Lá estava um vidro obscurecido por uma espécie de pátina de poeira e gordura. No rótulo rasgado não se lia nada daquela distância. Queria ler, apoiou-se no cotovelo. Immaculada acordou e olhou para ele. No olhar, o dardo embotado de sempre, que ele tão bem desconhecia.

— Immaculada é sonsa, meu pai... — os cabelos de Evaristo esvoaçando no canavial.

Não, não era ele o convidado daquele jogo. Nem podia ser. Nem queria ser. Levantou-se. A ferroada doía. O mistério gritava, ele saiu.

Arma capaz, de fortes derrubar

Domingo de noitinha, não tinha voltado ainda. Immaculada, descida às dez da manhã, não encontrou o marido em lugar nenhum. Almoçou sozinha, foi para o ateliê, o jardim, de novo o ateliê, o quarto. Eram seis quando se deitou, com dor de cabeça. Durante o dia todo tinha lembrado e deslembrado as carícias do marido. Chegou a se imaginar dona da única arma capaz de vencer a força masculina. Quantas vezes teria coragem ou vontade de usar aquela arma, com ele ou com outro?

Cobriu-se, a noite caía. Pela janela voavam os cantos últimos e ordinários dos pardais nas árvores. Um pio mais longo e saliente vazou os vidros.

A porta se abriu, e logo depois bateu. Em pé, diante dela, Francisco:

— Onde você arranjou aquela meleca?

A pergunta caiu feito pedra em lagoa funda, foi bater na profundeza e lá ficou, da água só remexendo a superfície. Era pergunta que se fizesse? Vulgar como o perguntante. Ela não se mexeu. Ele foi até o criado-mudo, abriu a gaveta. Não adiantava procurar, o vidro tinha sumido. Ele parou no meio do quarto, em silêncio, olhando ao redor. Até que perguntou:

— O que você andou fazendo antes de se casar comigo?

A esperteza dele teria nascido naquela noite ou já vinha sendo gestada de antes? Uma aranha se dependurava morta de uma teia velha, no canto de parede acima de seus olhos. Immaculada não respondeu, só deitava o olhar na teia e o pensamento nos sentimentos mais trágicos e sublimes, que sempre só se expressam em frases vulgares. As palavras eram competentes só para dizer o nome das coisas, nunca para falar delas.

Mas a voz de Francisco continuava falando das coisas:

– O seu silêncio, Immaculada, fala mais que qualquer palavra.

Esperou. Ela não respondeu. Ele disse:

– Se a mãe não presta, como poderia ser a filha?

Immaculada deu um pulo na cama. Ele já tinha saído. Não se falaram mais. Dois meses depois, ela descobriu que estava grávida.

E num instante em sangue se desfaz

Era junho ou julho de 1937. A descoberta da gravidez foi oca.

– A senhora está grávida, dona Immaculada – disse o médico, pondo o papel do exame ao seu alcance, em cima da mesa.

Ela não se mexeu. Ficou olhando para ele, parecia que nem tinha notado o papel. Não respondeu, não riu nem chorou. Ele cobriu o desconcerto com a peneira do profissionalismo e passou a dar recomendações, indicações, prescrições.

Ela ouvia. Quando percebeu que o protocolo estava cumprido, pegou a papelada e foi à casa da mãe.

Helena a abraçava, uma, duas, três vezes:

– Minha filha, que bom, você vai ser mãe! Só sendo mães sabemos o que é de fato amar.

Passou a tarde com a mãe, ouvindo conselhos, recebendo abraços. Hastings chegou às seis, ficou feliz, muito feliz, abraçou, abraçou. Sugeriu nomes. Sugeriram nomes. Immaculada sorria, sugando o sorriso dos outros.

Chegou em casa às oito, Francisco já tinha jantado. Sentada sozinha à mesa, jantou sem olhar para o prato. Recolheu-se às nove e meia, sem ver o marido.

Uma semana depois, eram dez da manhã, Judith, subindo, deparou com a patroa no topo da escada. Immaculada vinha vindo com uma expressão de dor no rosto. Mas não parou, não disse nada. Passou por ela silenciosa e pálida. Parecia que ia descer. Mas desistiu. Voltou-se e olhou para o chão. Judith também olhou. Que pingos eram aqueles reluzindo à luz oblíqua do sol? Sangue. Sangue que descia pelas pernas da patroa em dois filetes cerrados.

– Dona Immaculada, a senhora está sangrando!
– Estou.
– Vou chamar o Dr. Francisco.
– Não precisa.
– Aonde a senhora está indo?
– Não sei – e se curvou, apertando o ventre, rosto contraído. – Dói – disse.

Entrou no banheiro e fechou a porta. Judith bateu, ela não abriu. Judith pegou o telefone e chamou o patrão. Depois, ligou para o médico.

Quinze minutos se passaram até que Immaculada abrisse a porta e se atirasse na cama. Judith tentava limpar a sangreira toda que havia pelo quarto e pelo banheiro. Immaculada gemia. Quando Francisco chegou, encontrou a empregada aos prantos e a mulher estirada na cama, de bruços.

– Dr. Francisco, até que enfim.

Immaculada levantou a cabeça, virou-se na cama, olhou para ele e disse:

– Venha aqui.

Levantou-se, deixando um círculo vermelho na coberta branca. A saia estava emporcalhada de sangue. Entrou no banheiro, ele parou antes da porta, abobalhado, sem saber o que pensar. Judith chorava, informando que já tinha chamado o médico.

Da porta do banheiro, Immaculada chamava. Sem saber por quê, ele se lembrou de uma prostituta que, na porta de um prédio velho da Líbero Badaró, chamava clientes dobrando o indicador com um sorriso maroto. Ele foi. No banheiro, ela abriu um armário, tirou de dentro um penico, que destapou e botou debaixo do nariz dele. No fundo, centrado numa poça de sangue, uma coisa amorfa, espécie de pele escurecida, um sapo morto talvez, uma casca de batata?...

Ele tentava identificar aquele objeto informe, mas ela puxou o penico e – plof – despejou a coisa no vaso sanitário. Puxando a descarga, disse:

– Era nosso filho.

Francisco não titubeou. Virou-lhe um bofetão e, enquanto ela caía, ele via Evaristo escorregando pela parede na capela, debaixo de um crucifixo, perto de um lampião. Saindo pela porta do banheiro, tropeçou no médico, que dizia:

– Que que é isso, Dr. Francisco?

Não ficou para explicar. Desceu e sumiu.

Em mescla bem dosada, mas eivada

Immaculada pousou o carvão, cruzou os braços sobre a mesa e inclinou a cabeça. Olhou para os pés, metidos nuns chinelos catados à última hora naquela manhã, olhou para o avental, depósito das cores todas revolvidas nos últimos meses, arabescos criados pelo caos. Do outro lado da mesa, encostados à parede, os quadros todos devolvidos da última exposição. Pouco tinha sido vendido daquela pintura de "cores mórbidas, sem o brilho transmitido pela outrora forte influência do *fauvisme*". Levantou a cabeça e ficou olhando para eles, tentando distinguir "a técnica acadêmica presente em mescla bem dosada, mas eivada por um ecletismo capaz de relegar qualquer obra ao limbo..." Palavras do mesmo crítico que tinha elogiado a primeira exposição. Inesquecíveis os olhos dele: saltados, lacrimejantes. Da primeira vez lambiam; da segunda, passeavam distraídos, à espera da hora de sair, dar a tarefa por cumprida. Quanto Francisco teria pago da primeira vez? Essa humilhação ela não revelava a ninguém. Laura também calava. Para não confessar incapacidade de aliciar críticos? Para não ferir a amiga? Immaculada já nem sabia se gostava de seus quadros. Se devia gostar, se tinha razão para gostar. O que às vezes brotava dos dedos desmentia a inspiração, e a emoção do quadro revisto desdizia o entusiasmo do último traço depositado. Abaixou de novo a cabeça. Sentiu um desânimo parecido com as canseiras da infância, daquelas que fazem dormir num degrau de escada, em cima de cadeiras duras. Mas, agora, sem sono.

Olhou de novo o avental. Daria um quadro. Tinha uma harmonia caótica de cores e traços que ela não ousaria criar. Começou a idear técnicas de colagem do tecido sobre tela. Tudo podia ser feito naquela mesma noite. Mas não se mexia. Melhor deixar para o dia seguinte. Sabia que no dia seguinte aquilo ia parecer grotesco. Levantou-se, olhou para o desenho que tinha deixado no cavalete: uma silhueta feminina, um nu reclinado. Não gostava daquela curvatura do abdome. A tridimensionalidade era problemática. Num gesto repentino esfregou o punho fechado no traço que ia do busto à virilha, espalhando um borrão disforme pelas imediações. Arrancou o papel e o jogou longe.

Sentou-se de novo e de novo olhou para os pés. E se saísse pela cidade de chinelos? Um brinquedo de infância se pintou na sua retina: um carrinho de madeira bidimensionalizado, janelas perfuradas no pau maciço, rebordos em aresta. Uma possibilidade, um estudo. Mas estava cansada. Sairia pela cidade de chinelos. Andaria sem parar, incógnita, pelas ruas e, sem prestar contas a ninguém, iria dar no centro da cidade. Era ali que gostava de estar, naquela impura riqueza de misturas, não no ascetismo asséptico do seu bairro. E, quando se cansasse, ficaria encolhida na escadaria de algum prédio fechado, vendo o povo passar. Lá dentro, um guarda viria até a vidraça, olharia e veria uma mendiga. Se a mandasse embora, ela se levantaria e vagaria devagar, devagaria, até o prédio vizinho. Podia viver assim, desconhecida e desconfortável, tão infeliz quanto agora, mas sem precisar contar a ninguém por quê. E se saísse pela vida, pelo mundo, de chinelos?

Enveredou pelo corredor, foi até a sala, levantou a cortina, olhou a rua além do jardim. Não era tão grande a distância até o outro lado da avenida, mas aquele espaço não lhe pertencia. Percorrê-lo era como invadir terras alheias. Na fazenda era diferente. Lá se palmilhava chão próprio.

A fome a levou de volta à cozinha. Helena tinha deixado uma cozinheira nova antes de viajar para Londres. A mulher era uma lástima. Por onde andaria agora? Por onde andaria Helena?

– Immá, não quer ir para Londres conosco?

– Não.

Não queria. Não queria Londres. Preferia ficar de chinelos em casa, ou talvez de chinelos sair pelas ruas de São Paulo, ruas não suas, desmilinguir-se nas brechas dos paralelepípedos, como lodo em dia de chuva. Morte de uma identidade. E quem precisava de mais uma burguesa?

Por onde andaria a tal cozinheira? Por aí em plena segunda-feira. Sabendo que Helena estava longe, aproveitava. Porque a ela ninguém respeitava. Três empregadas: todas flanando por uma casa imensa, malservindo uma mulherzinha estranha e solitária, que pouco saía do trajeto estreito e estrito que ia de um dos quartos ao ateliê e vice-versa.

Já fazia algum tempo que a noite tinha caído. Quanto? Pôs um bocado de pirão no prato, uma posta de peixe assado, arroz. Tudo frio. Comeu assim mesmo, matando uma fome já moribunda. Engolia devagar, olhos fixos no vazio, lembrada do pai. Pensava nele todos os dias.

– Immá, venha morar comigo – convidava a mãe.

– Não.
Queria morar ali, silenciosa, de chinelos, entre um quarto e outro.
Levantou-se, voltou para o ateliê, deixando prato, talheres e copo na mesa.
No peito surdia um oco, uma oquidão que só. Lá fora uma buzina. Sentou-se, retomou o carvão, chegou perto do cavalete, largou. Não tinha mais vontade de desenhar.
Atravessou a sala de jantar, entrou na saleta onde estava o rádio. Sentou-se e ficou olhando para o aparelho. Música! Ligou:
– A gravidade da situação que acabo de descrever em rápidos traços está na consciência de todos os brasilei... (Mudou de estação.) Era necessário e urgente optar pela continua... (Mudou.) ...ão desse estado de coisas ou pela continuação do Bras... (Mudou.) Entre a existência nacional e a... (Mudou.) ...ção de caos, de irresponsabilidade e desordem...
Desligou.
– Eu lá quero ouvir voz de presidente?
Levantou-se. O telefone tocou.
– Não quero ouvir ninguém. Não vou atender.
O telefone tocou. Immaculada foi em direção à biblioteca. Entrou. O telefone tocou. Foi até o sofá, encolheu-se numa das pontas. O telefone tocou. Lembrou-se de Giulia.
– Por onde andará aquela mulher?
O telefone tocou. Tocaria de novo, mas parou.
O azeite do silêncio voltou a embotar as quinas do barulho. Nem um pio.
– E se eu saísse pela cidade de chinelos?
Fechou os olhos e dormiu.

Partidos como os novos, indo velhos

Judith retirando o jantar passou pela sala e ouviu a voz do presidente. O rádio falava para a porta, Francisco o ouvia de costas. Da porta, Judith via o cabelo liso, escovinha, recém-cortado, uns fios brancos já despontando na coroa que vai de uma têmpora a outra, justamente na zona que ele mais fazia questão de rentear. O patrão não estava na posição descansada de todas as tardes quentes, quando – até que enfim – tirava os sapatos e desabotoava a camisa. Continuava de paletó (não jantava sem ele), inclinado para a frente, cotovelos nos joelhos, cabeça apoiada nos punhos cerrados. Lá parada, Judith ouvia a voz do rádio dizendo:

– Contrastando com as diretrizes governamentais, inspiradas sempre no sentido construtivo e propulsor das atividades gerais, os quadros políticos permaneciam adstritos aos simples processos de aliciamento eleitoral. Tanto os velhos partidos como os novos, em que os velhos se transformaram sob novos rótulos, nada exprimiam ideologicamente, mantendo-se à sombra de ambições pessoais ou de predomínios localistas, a serviço de grupos empenhados na partilha dos despojos e nas combinações oportunistas em torno de objetivos subalternos.

– Judith!

Era Tomé, chamando da porta. Ela correu como gato até ele, para não perturbar o patrão. Lá, falou com voz sussurrada:

– Que é, homem?
– O que é que você tá fazendo aí parada?
– O presidente tá falando.
– E o que é que você tem com isso?
– Eu?... O Dr. Francisco parece que está...
– Problema dele.
– O que é que você quer, afinal?
– Acho que o cachorro não tá bom. Vai lá ver.

Os dois saíram. Lá dentro, a voz do rádio continuava:

— Para comprovar a pobreza e desorganização da nossa vida política, nos moldes em que se vem processando, aí está o problema da sucessão presidencial, transformado em irrisória competição de grupos, obrigados a operar pelo suborno e pelas promessas demagógicas, diante do completo desinteresse e total indiferença das forças vivas da nação.

Francisco se levantou, foi até o telefone, discou. Do outro lado, sinal de ocupado. Pôs o fone no gancho e voltou para o sofá.

Ficou ali sentado de frente para o aparelho, olhos fixos nos botões, nos frisos mais claros da madeira, no pano, véu pudico para uma boca essencial e feia. Nunca tinha se visto ministro. Baile montado, tinha entrado na dança, como todos. Mas a valsa política, fazia tempo, rodava descompassada, desencontrada. Agora, os acordes finais, esperados. Afinal, o tom era sempre o mesmo, bobo de quem acreditara em modulações. Francisco mal ouvia agora a voz que se despejava entre estalidos. Pensava no futuro próximo. Não estava comprometido politicamente a ponto de temer retaliação. Mais uma ambição pessoal frustrada, só isso. Para outros, talvez, as perdas fossem maiores. Nos últimos sete anos tinha aprendido a não esperar demais, a não confiar na política de ostentação. Ficaria na sombra, como sempre, pois é sempre da sombra que brota o comando de verdade. Ficaria, enquanto fosse possível. E, se um dia deixasse de ser possível, das próprias sombras partiria o contracomando.

— Resulta daí não ser a economia nacional organizada que influi ou prepondera nas decisões governamentais, mas as forças econômicas de caráter privado, insinuadas no poder e dele se servindo em prejuízo dos legítimos interesses da comunidade...

Francisco se levantou, foi até a porta e chamou Judith. Estava com sede. Ela não respondeu.

– Hoje, porém, quando a influência e o controle do Estado sobre a economia tendem a crescer...
– Chamou, Dr. Francisco? – Judith aparecia.
– Chamei. Estou com sede.
Judith saiu.
– Em tais circunstâncias, a capacidade de resistência do regime desaparece e a disputa pacífica das urnas é transportada para o campo da turbulência agressiva e dos choques armados.
Judith depositou o copo na mesinha ao lado e ficou olhando o patrão, sem coragem de falar. Francisco se voltou e ela disse:
– Dr. Francisco, o Rubião.
– ...
– Está babando e não come...
Francisco se levantou e saiu. No quintal, chamou Rubião, ele não veio. Judith apontou uma reentrância por baixo de uma escada de acesso aos aposentos dos empregados. Francisco foi até lá, Tomé aproximou o lampião. Francisco viu o cão ofegante, o rosto voltado para o lado escuro, tentando fugir da luz.
– Rubião, Rubião.
Ele não reagia, continuava na mesma posição. Francisco estendeu a mão, Judith agarrou a manga do paletó:
– Não Dr. Francisco, pode ser raiva.
– Rubião, venha cá.
Tomé afastou um pouco o lampião. Pressentindo a penumbra, o cão endireitou o pescoço. No seu perfil, Francisco conseguiu perceber o vazio de um olhar perdido no imenso deserto da dor. Endireitou o corpo e disse:
– Não podemos fazer nada hoje. Tomé, isole esta área. Encoste aqui aqueles trastes que estão lá no fundo do quintal. Ele não pode sair daí. Amanhã cedo, chamo o Dr. Fernandes.

Um peso angustioso lhe sufocava o peito enquanto ele caminhava para a porta da casa. Lá dentro, o telefone tocou, Judith correu atender.

– Dr. Francisco, é da casa do Dr. Pontes.

Na voz que não ecoa, é chupada Pontes terminou de jantar e foi para uma das poltronas do terraço. Julieta deu algumas instruções apressadas às empregadas e foi atrás. Nunca tinha visto o marido tão calado. Não que tivesse se casado com um homem falante. Pontes era um ser de palavras medidas, certeiras, suficientes e necessárias, mas não ausentes. Só na zanga se calava. E não era incomum que ficasse zangado com ela. Era um homem suscetível, que se melindrava com um tom menos cortês, uma palavra que traduzisse intenções veladas. Pontes se gabava de ler nas entrelinhas, mas ela achava que muitas vezes as entrelinhas eram de autoria dele. Tinha recusado o café.

Sentou-se ao seu lado, já com um assunto engatilhado:

– Vou ser obrigada a convidar minha sobrinha para a festa do ano-novo.

– ...

– Vamos ter de engolir o marido integralista, mas as obrigações familiares...

– ...

– Outro problema é o Francisco: convidamos ou não? Você sabe que muita gente na nossa família não gosta dele...

– ...

– Meu velho, você anda muito calado nestes últimos dias. Já estou preocupada.

Pontes olhou para ela sem dizer nada. Ficaram assim, olho no olho, algum tempo, até que ela perguntou:

– Está zangado com alguma coisa?

Ele acenou um não com a cabeça.
— Está doente?
O mesmo gesto.
— Por que não diz nada e só fica olhando?
Pontes ficou olhando, sem dizer nada. Depois, desviou o olhar e o cravou nas luzes de um prédio recém-construído, uns poucos quilômetros a leste.
— Julieta, está vendo aquele prédio?
— Estou.
— É só o primeiro. Mais uns anos, estas casas todas vão ser engolidas por eles.
Julieta ficou quieta. Pontes olhou para ela, tentando descobrir até que ponto ela entendia o que ele queria dizer. Depois continuou:
— Francisco e gente como ele cuidarão disso.
— ...
— ... gente que eu pus lá em cima.
Depois, mudando de tom, disse sem mais nem menos:
— Quando eu me for, venda tudo isto, vá morar com sua irmã em Lorena.
— Que conversa é essa agora, homem?
— Os bens não testados devem ser partilhados de acordo com a lei. Quanto aos testados, quero que tudo se cumpra à risca. Quem sabe do testamento é o Andrade, já lhe disse, não?
— Já. Está melancólico! Então é isso. Não é zanga, não é dor, é melancolia!
Pontes sorriu e acenou outro não, enquanto ela lia no olhar dele um lampejo que lhe trazia de volta tempos atrás, distantes. "Quando os membros se despedem..." — lembrou.
— Sabe, Julieta, faz quinze dias fui barrado na porta do Carvalho.
— O coronel?
— Sim. Um simples ordenança achou de me revistar.

— Como assim? Você não se identificou?
— Não era preciso, ele me conhecia.
— Então...
— Disse que agora é praxe, que estamos em estado de guerra.
— Que abuso! E ficou por isso mesmo?
— Depois o Carvalho apareceu e pediu desculpas. Mas só lá dentro, entre quatro paredes. Justificou, dizendo que ordens militares não podem ser descumpridas, aquela coisa toda.

Depois de um silêncio, Pontes suspirou. Julieta consolou:
— Não se amofine, tudo passa. Tantas coisas já passaram.
— Passaram mas não mudaram. Agora é diferente. O mundo está mudando. Vem aí uma nova barbárie.
— Não exagere!
— Não estou exagerando. Não estou me queixando da dificuldade de negociar. Esse tipo de coisa eu já enfrentei. Agora o que há é a cristalização em dois blocos cerrados, e eu não me encontro em nenhum deles. A impressão que eu tenho é de me chocar contra uma muralha.

Suspirou de novo. Parecia asfixiado.
— Amanhã mesmo chamo aqui o médico — Julieta estava quase aflita.
— Justiça nunca houve. Política como manifestação de ideais sempre foi conversa fiada. Em nenhum tempo a pessoa humana foi respeitada. Mas agora nem a inteligência alheia é poupada. Mente-se uma mentira grossa, despreocupada, porque quem tem a força bruta só é freado pelo medo ao mais forte. Estado de direito! Balela.

Ficaram quietos os dois. Pontes disse então, como se falasse consigo:
— E nada surge do nada. Eu mesmo contribuí para isso.

O mordomo apareceu na porta, os dois se voltaram.
— Dr. Pontes, está começando o pronunciamento do senhor Presidente.

— Já vou — mas não se mexeu.
Julieta se levantou e ficou esperando. Ele continuava sentado.
— Vamos lá. Você já sabe o que ele vai dizer, mas é sempre bom ouvir.
Pontes se ergueu devagar e caminhou com a mulher até a saleta onde estava o rádio. Ela entrou e ficou esperando que ele fizesse o mesmo. Mas ele parou na porta. A voz do presidente não ecoava, era chupada pelos tapetes. Na porta, Pontes disse:
— Vou ao banheiro.
E foi.
Julieta se sentou. O presidente dizia que
— ... a contingência de tal ordem chegamos, infelizmente, como resultante de acontecimentos conhecidos, estranhos à ação governamental...
De dentro um grito desesperado fez Julieta se levantar num pulo. Vinha do corredor. Quando ela chegou lá, Pontes estava estendido no chão. Ela teve tempo de ver a boca do marido se abrir num movimento que podia ser um bocejo, um esboço de gemido ou gesto de ânsia. Conhecia aquele hausto às avessas. Abaixou-se e procurou o brilho dos olhos. Não o encontrou. A alma tinha ido embora sem se despedir.
A empregada explicava:
— Ele entrou aqui, pôs a mão no coração, só disse "ai" e caiu.
Julieta apalpava a jugular que não pulsava. O corpo quente não iludia. Então se debruçou sobre o peito do marido e começou a chorar um choro fino, uma espécie de miado sem fim, enquanto a cabeça dele balançava um bocadinho, de lá para cá, acenando não no ritmo dos soluços dela. Cinco ou seis empregadas já se aglomeravam no corredor, trocando olhares estarrecidos. Enquanto isso, o mordomo foi até o telefone, para chamar o médico e os parentes.

Na vida que tricota com capricho

Pontes foi velado em casa. Francisco chegou por volta das onze da noite e não arredou pé da beira do velho amigo até a manhã, quando entrou em contato com os advogados do escritório, pedindo que cuidassem do desembaraço mais breve possível da certidão de óbito. Tinha acabado de tomar uma xícara de café com bolinhos, eram quase nove e meia da manhã. Sentado agora a um canto, deixava-se mergulhar no delongado assombro que lhe causava o capricho daquela sua vida, grande e boa tricoteira, capaz só ela de tramar coincidências. Cada dia, uma malha. As malhas que traziam àquele dia se entrelaçavam umas às outras, nó por nó, numa coluna rija e certeira, que assentava em outro dia, sete anos antes, quando também num enterro ele recebia notícias de um golpe urdido pela mesma pessoa e assistia ao esgarçamento de outros tecidos.

Naquela hora só estavam por lá os familiares mais próximos, entre eles Paulo. Os pais de Helena acabavam de chegar. O pai, diabético e apoplético, só andava amparado. A mãe, figura magra e seca, era mais ágil, mas sofria de ataques de bronquite, que irrompiam repentinos, sem causa visível. E, sempre que isso acontecia, o ambiente era imediatamente qualificado de empoeirado, motivo pelo qual poucos tinham ânimo de convidá-la. E assim o casal tinha vida social cada vez mais rala. Por essas razões, não deixou de causar espanto o vigor com que se manifestaram em relação ao fracasso conjugal da neta. Não cumprimentavam Francisco. Podiam entender o processo de partilha que ele tinha aberto, as exigências que fazia, pondo em litígio até bens dotais. Não aceitavam mesmo era o despudor com que caluniava Immaculada: dizia que ela tinha provocado o aborto. Brandia um atestado médico e declarava que levaria o caso a juízo, se a família não cedesse às suas reivindicações. Os avós e a mãe, injuriados, lhe declaravam guerra, acusando-o de abandonar o lar. Só o Pontes tinha continuado ao seu lado. Paulo também, mas este estava sempre ao lado de todos, planando naquela neutralidade de quem parece nascido em outra dimensão. O próprio Carlinhos tinha tentado dizer que aquela ação era desastrada. Evaristo não se metia, só aconselhava evitar escândalos.

 O atestado estava engavetado. Agora, morto o Pontes, mortos os planos políticos, as atitudes podiam mudar. Ele ainda não sabia quais seriam: se desistia de tudo por desânimo ou se ia até o fim por ódio.

 Sentados ao lado de Julieta, os pais de Helena conversavam baixinho, do outro lado do salão. O salão... Ali ele tinha entrado pela primeira vez cheio de projetos e ambições. Tinha conversado com o Pontes naquele canto ali... olhou para a direita, tentando adivinhar por trás do ataúde o lugar onde se encontraria a poltrona do velho. A poltrona tinha mudado de lugar. Ah, sim, agora recebia o assento tépido da viúva, que repetia pela décima vez as últimas palavras do marido. Francisco tentava não olhar muito para aquele lado, evitando o exame dos pais de Helena. De Immaculada, nem sombra por enquanto. O salão... Esvaziado dos móveis de costume, agora abrigava toda a tralha funerária: quatro castiçais enormes, um em cada canto do ataúde, coroas e coroas de flores de todas as cores, um atril com Bíblia aberta, uma mesa com livro de presença na entrada do salão, um colossal crucifixo prateado em pedestal de jacarandá: INRI. Marília tinha sido seu primeiro enterro, o dolorido. Nos outros, às vezes machucava o desalento de ver o cadáver como casca oca, molde vazio de alguém que já tinha estado lá. Para onde ia a vida? – era a pergunta que se fazia nessas horas. Outras vezes, incômoda era a necessidade de cumprir rituais, incômodo era o tédio de ver familiares chorando e não sentir nada. Não, nada se igualava ao enterro de Marília.

 As cortinas brancas da casa tinham sido amortalhadas por outras roxas, de dois panos, presos dos lados por

braçadeiras bordadas de ouro: seis corpos sem tronco, dependurados de sanefas agaloadas, com pernas compridas e castas que mal se deixavam transpassar por um solzinho maroto. As bambinelas!
   Começava a chegar o grosso da gente.
   Num dos cantos da sala, uma roda de correligionários.
   – Olha só o capricho desse gaúcho: redigir uma constituição às escondidas, ele e um ministro, sozinhos, na calada da noite!
   – Mito! Essa constituição estava pronta há muito tempo. Muita gente, se não sabia, desconfiava. O Pontes, por exemplo... Primeiro acertaram tudo, depois montaram o circo.
   – Mas dizem que fazia serão no Palácio...
   – Vem cá, qual foi a *causa mortis*?
   – Ataque cardíaco.
   – Deve ter sido por causa do discurso.
   – Nem ouviu, morreu antes.
   – Sentiu muito os últimos acontecimentos.
   – Dona Julieta diz que morreu das dores do passado e do futuro.
   Dois ou três sorriram e olharam para o caixão. Nele, o nariz afilado do Pontes era pico saliente de um vale que não se deixava ver daquele ponto de vista.
   – Presos?
   – Oficialmente não se sabe de nada ainda. Alguns nomes correm à boca pequena. A imprensa carioca ontem foi chamada ao Palácio. Pedem colaboração...
   – E vão ter... e vão ter.
   Atrás de Francisco, uma voz de mulher perguntou:
   – E a Helena, foi avisada?
   – Passaram um telegrama, sim. Que tristeza...
   Eram dez e meia, Immaculada surgiu na porta de entrada, amparada pela avó. Não cumprimentou ninguém. Foi até o caixão, lá parou e, imóvel, ficou olhando para o velho como quem olha um poço escuro. Francisco foi para

o terraço por uma das portas que ainda estavam abertas e se debruçou na amurada. Alguém chegou atrás. Era o Andrade. Depois do aperto de mãos, o colega comentou:
— Encontro desagradável, eu sei.
— Tudo está sendo desagradável neste dia.
— Francisco, apesar dessas coisas todas, você tem um futuro brilhante pela frente. Não se deixe abater.
— Não estou abatido. Estou entediado, ou melhor... Não continuou. Andrade nem percebeu.
— Não sei até que ponto o novo governo vai implicá-lo, mas acho que você não deve temer nada.
— Eu não sou político, Andrade, você sabe disso. E o Dr. Armando?
— Exílio ou prisão domiciliar, acredito. Não sei o que é pior.
O mordomo do Pontes apareceu na porta e disse:
— Dr. Francisco, telefonema de sua casa.
Francisco pediu licença e foi atender na biblioteca. Na ponta da linha, a voz de Tomé:
— É raiva, sim. O Dr. Fernandes diz que precisa abater.
— Abater?
Uma voz cochichou alguma coisa. Era a de Judith. Tomé disse:
— Sacrificar, sim senhor.
Francisco ficou em silêncio.
— O senhor está ouvindo?
— Estou, Tomé. Como é feito isso?
— A gente pode chamar a Força Pública, eles vêm e matam...
— A tiro?
— É.
— Não, não, de jeito nenhum.
Tomé pediu um minuto, Francisco ouviu a voz de Judith novamente. Tomé voltou à linha:
— A Judith tá dizendo que o Dr. Fernandes disse que pode matar sem dor, mas é caro.

– O que for possível, Tomé. Sem dor, sem dor.
– Tá bom, vou ligar pra ele.
Desligou e sentiu uma espécie de vertigem. Estava sozinho na biblioteca. Olhou para a porta, Carlinhos vinha entrando, caminhando em sua direção de braços abertos. Francisco caiu nos braços do amigo e, agarrado ao seu paletó, chorou, chorou, chorou como nunca se tinha visto antes.

Penhora-se o florido, descabido

Era uma daquelas tardes azuis-turquesa, pleno maio. Um cacho branco de primaveras se projetava contra o céu, e Immaculada, de dentro do ateliê, contava mentalmente tons e tons daquele quadro que a janela lhe ofertava. O cuco cantou quatro horas. Mais uns segundos, ouvia-se um eco saltitante pelo corredor:
– Cu-co, Cu-co.
Era Juliano, que vinha correndo para o ateliê. Mas parou na porta, repetindo o bordão, à espera de um sorriso e um abraço de Immaculada. Ela o chamou, ele foi, sentou-se na cadeira ao lado, agarrou uma barra de carvão de cima da mesa e, com um traço de mestre, riscou grossa diagonal numa folha de papel em que um esboço ganhava forma.
– Não... Não... Você estragou.
Immaculada olhou para o rosto do menino e, num relance, releu os lábios de Paolo. Nesses momentos sempre ficava enredada, não agia, só sentia. Fazia três meses tinha trazido mãe e filho para casa. Nos primeiros dias, a presença da criança tinha atenuado aquele ermo de existência. Menos de dez dias depois, porém, o guri desassossegado tinha desarranjado toda a ordem doméstica. Antes que terminasse a quinzena, a primeira empregada pedia demissão. E assim, uma a uma. Agora, os moradores da casa eram três: ela, Joanita e aquele diabinho.

Juliano arreganhou os dentinhos num semissorriso insolente, desceu da cadeira e disse resmungando:
— Quelo bola.
Costumava falar como bebezinho sempre que se via julgado, censurado, arreliado.
— A bola deve estar no quintal.
Juliano fez questão de dar um sorrisinho maroto, para depois fechar de novo a cara e dizer:
— Quelo bola pa casa.
— Aqui é sua casa. E fale direito.
— Não é. Quelo a minha mãe.
— Ela já vem.
Mentira! Aquela mulher dizia a mesma coisa desde antes do almoço. Ele sabia que ela mentia sempre. Começou a choramingar e a esfregar o olho. Immaculada o olhava desalentada. Nessas horas não havia o que fazer. Era esperar o berreiro. Preferiu olhar a folha, tentando imaginar o que fazer para salvar o desenho. De repente a lamúria parou, cortada pela voz de Joanita que ecoava no corredor. Juliano saiu correndo e daí a pouco a amiga entrava com o filho nos braços.
— Deu muito trabalho?
— Um pouco.
— Eu estraguei o desenho dela — disse o moleque franzindo o nariz.
— Como?! — Joanita perguntou com a mão pronta para desabar numa palmada.
— Estragou mesmo. Como foi a visita? Conseguiu falar com ela?
— Consegui. Que dó... — respondeu Joanita pondo o garoto no chão.
Mas não podia continuar. Juliano lhe puxava a saia, pedindo mingau aos berros. Joanita saiu. Só voltou meia hora depois.
— Pronto. Comeu mingau e está brincando. A gente pode conversar. Então... Me deu dó. O moço não apareceu mais mesmo.

— Morreu?
— Ninguém sabe. Nenhuma notícia. Nenhuminha. E ela não está bem da cabeça. Anda variando. Vendo espíritos... Conversa com eles como se estivesse conversando com gente viva. A família diz que é loucura de menopausa. Só a vizinha acredita nela, diz que ela é santa, que fala com Nossa Senhora da Conceição. Tem dia que está melhor, dia que está pior. Às vezes nem o marido reconhece.
— Ele então se salvou?
— Ah, sim, está vivo, mas paralítico. Quem toca o açougue é o irmão. Ele ajuda como pode, de cadeira de rodas. Cheguei lá, ela estava sentada no degrau do portãozinho, do lado do açougue, cochichando, cochichando. A cunhada me disse: "Está falando com suas almas." Olha para todo o mundo que passa, mas, se alguém cumprimenta, não responde.
— E entre essas almas está a do filho?
— Puxa, foi isso que eu também perguntei! A vizinha diz que não está. E, se ela não fala com o filho, sinal que ele está vivo, né?
— Pobre dona Giulia... Será que está passando necessidade?
— Necessidade, necessidade, não. Mas eles são pobres.
— Deu o dinheiro que mandei?
— Não queriam aceitar, de jeito nenhum. Eu precisei insistir muito. No fim, a cunhada pegou, dizendo que só aceitava porque andam gastando muito com remédios. Mandou agradecer.
— Falou de mim para a Giulia?
— Falei.
— E...
— Olhou para mim, com aqueles olhos esbugalhados, mas não comentou. Depois começou a dizer "o peixe se cozinha na própria água". Daí não entendi mais nada.

A campainha tocou.

– Vou ver quem é – disse Joanita.

Foi e voltou depois de um pouco, seguida por Edmund Apt, que entrou de chapéu na mão, com uma expressão meio abismada por se ver nos recessos da casa, diante de uma mulher de chinela e penhoar, sem sequer encontrar a chapeleira onde costumava sempre estar.

– Edmund, você por aqui?

– Desculpe, sua empregada me trouxe até aqui, eu prefiro esperar lá na sala, com licença... – e fez menção de sair, sem entender bem por que lia hostilidade nos olhos da empregada.

– Não se acanhe, já que está aqui. Não é minha empregada. Mas você apareceu tão de repente. Nem ligou...

– Cheguei de viagem na semana passada, resolvi fazer uma visita.

– Alguma má notícia?

– Não, não, nenhuma, tenho cara de enterro?

– Não, não...

E continuava ali, de pé, na atitude de quem acaba de entrar e já começa a sair.

Immaculada disse:

– Você quer se sentar na sala. Vamos lá.

E foi saindo. Edmund a seguiu. Percorrendo o corredor, ia vendo no chão as marcas deixadas pelo vai e vem de sapatos sobre um fundo de poeira solta, quando não de barro seco. À sua frente, caminhava uma Immaculada esquálida, de penhoar florido, chinelos escangalhados, cabelos amarrados com uma fitinha amarela na nuca. Debaixo de um dos consoles do corredor jazia um carrinho de madeira com as rodas para cima, e um pedaço de pão com manteiga teria sido ali deixado em algum dia de passado indefinido. Já no jardim percebera que as plantas deviam estar sendo vítimas de descaso, se não de maus-tratos. No terraço, tinha surpreendido os restos secos de uma barata de porte razoável. Entraram na sala. As poltronas estavam todas cobertas por lençóis brancos, como freiras proibidas de abraçar. Immaculada arrancou os mantos de duas delas, sentou-se numa e convidou Apt a sentar-se na outra.

Apt obedeceu. Immaculada começou a tossir.

– A senhora não está bem de saúde?

– Estou, estou sim. É a poeira. Mas o que me conta o senhor?

– Eu, eu... Bom, para dizer a verdade...

Mas não pôde dizer a verdade. Porque da porta um tropel lhe cortou a palavra e o prumo. Juliano entrava montado num pau de vassoura, gritando como possesso:

– Alazão, alazão, alazão.

Os cachos dos cabelos subiam e desciam, enquanto o pimpolho pulava pela sala e, com o pau, ia refranzindo tapetes, espancando móveis, pondo os bibelôs a cambalear desvairados.

– Juliano! – Era o grito de Joanita, que chegava afobada e catava o filho pelo braço esquerdo. O moleque gritava, ela gritava também e saíam os dois em luta corporal, corredor afora, enquanto o pau de vassoura repicava no assoalho o estardalhaço da queda.

– Quem são? – perguntou Apt.

– Uma amiga e o filho dela.

– Estão morando aqui agora?

– É, estão.

De lá de dentro, ouviam-se os gritos de Juliano, sobrepostos à voz de Joanita que dizia:

– Cala a boca, moleque, você só faz cagada!

Apt arregalou os olhos para Immaculada. Mas ela não o olhava. Parecia não ter ouvido. Tossia. Decerto como a avó, com ataques de bronquite por causa da poeira. O mal das mulheres é essa capacidade de se transformar em réplicas das antepassadas. No fim, acabam todas igualmente estropiadas – pensava Apt.

– Bom, eu só queria saber como estava. Mas acho que estou atrapalhando.

— Não, o que é isso?
— Dona Helena quando volta?
— Daqui a um mês.
— Sei...

Edmund mal podia acreditar que aquela mulher um dia tivesse despertado nele tantos e inconfessos apetites. Estava claro que tinha perdido a viagem.

Levantou-se. Ela também, sem se fazer esperar.

— Bom, já vou indo. Se precisar de alguma coisa, pode telefonar.

— Telefono, sim.

Quando Apt entrou no carro, virou a chave da ignição com alívio e frustração.

CODA

Marrom-esverdeado, salpicado

A atendente punha um prato na mesinha enquanto a enfermeira ajudava Immaculada a se sentar para comer.
– O que é isso?
– Sopa de lentilhas. Está muito gostosa. Quer ajuda para comer?
– Não.
– Mas promete que come?
– Prometo.
– Daqui a dez minutos eu volto. Se não tiver comido, vou ser obrigada a falar com o médico.
– Pode deixar.
A porta se fechou devagar. Immaculada ficou olhando o caldo grosso, marrom-esverdeado, salpicado por um branco de etiologia indefinida. Depois, ergueu os grandes olhos de mel para a janela. As montanhas adiante se cobriam do amarelo dos ipês. Sempre tinha sonhado sobrevoar montanhas nessa estação. A cara da sopa era ruim, mas o cheiro, bom. Daqui a dez minutos eu volto –

soava a voz da enfermeira. Pôs uma colherada na boca. O calor temperado, descendo pelo esôfago, foi deixando de passagem um sabor de asilo, caldo quente para pobres em inverno gelado, misto de sons, palavras soltas em outras línguas. Num daqueles milagres urdidos pelos sentidos, Immaculada se viu numa cadeira baixa, à beira de uma mesa tosca, sorvendo lentilhas passadas que lhe haveriam de devolver a vida por um dia. Onde teria visto uma cena dessas e por que a revivia? Nalguma leitura de Mlle Durbec, na certa. Coisa deglutida, digerida e assimilada, como os nutrientes da lentilha. A voz de Mlle Durbec agora substituía a da enfermeira na acústica da memória. Lia em francês as desventuras de Gavroche, esticando os lábios para inventar um sorriso que disfarçasse o choro enquanto dizia: *"Je suis tombé par terre, c'est la faute à Voltaire..."* Immaculada, encolhida ao pé da lareira, também se comovia, sendo Gavroche por uns minutos, Gavroche debaixo de um cobertor quente, com lágrimas tépidas, esquecidas, escorridas pelas bochechas aquecidas por chamas bem controladas. Uma saudade imensa da preceptora lhe umedecia agora os olhos. Sentiu vontade de tê-la ali, com ou sem livro na mão, sem enredo até, sem lareira, com um simples caldo de lentilhas. Mas ali. Por que não desejava estar na França com ela?

Tomou mais uma colherada. Por que não tinha ido para a Europa quando finalmente se viu livre do homem mais detestável que já tinha conhecido? Por que se trancou em mutismo irretorquível? Por que sempre tinha permanecido Immaculada e nunca arriscado Gavroche? Lá, se não fosse covarde, poderia ter corrido terras e mares, colhido os frutos da arte, qualquer coisa... podia até ter tombado em barricadas... Dantas dizia "trombar em barrigadas", desfazendo da emoção de Mlle Durbec. Immaculada sorriu. Sonhos. Pior: lembranças. Poderia ter reencontrado Paolo. Por que se negou a ir sempre?

Mais uma colherada, tentando ir até o fim do prato. O pai não as deixou ir, a mando de Francisco. E ela continuava obedecendo. Tinha sonhado com o pai, fazia três dias, e desde então não passava hora sem se lembrar dele e do sonho. Dizia: "sábado". E a voz dele enchia o quarto. Acordou.

– Sábado – ressoavam as paredes.

Acordou olhando para os pés da cama. Era ali que ele estava, dizendo "sábado". Parecia que o vulto continuava lá, abertos já os olhos.

Tinha sido no sábado, dois dias atrás. Helena tinha uma explicação: ele estava dizendo que era sábado.

– Mas me apareceu em sonho para dizer o dia da semana?

– Não, você sonhou que era sábado pela figura de seu pai. Vai ver que alguém disse: "hoje é sábado", no quarto, enquanto você dormia. É tudo criação do seu cérebro.

Tudo assim simples, prosaica assim a vida? Não, a vida não é prosaica, e o pai tinha ido anunciar-lhe a morte.

Naquele sábado, afinal, alguma tranquilidade depois de semana difícil. O organismo mal respondia ao pneumotórax artificial. Todos se desvelavam, nada lhe faltava, mas nada surtia efeito. Depois de uma semana de tratamentos intensivos, doses maciças dos remédios mais modernos e até uma sessão de benzedura, suplicada aos prantos por Joanita, depois de uma semana infernal (assim lhe tinha relatado a mãe), ela milagrosamente acordava num sábado, sonhando com o pai. A noite da sexta tinha sido de bem-estar, até que enfim, e na tarde do sábado ela ainda dormia quieta. E o pai lhe aparecia, dizendo o dia da semana. Ou melhor, um dia da semana. Tudo indicava que ela escaparia, que o corpo finalmente reagia, mas o pai lhe aparecia, anunciando o dia da morte: sábado. Que vem – completava ela.

Tomou outra colherada. A primeira hemoptise tinha sido no começo de junho. Antes, naquele mesmo dia, Joanita dizia:

– Immá, lembra quando você era pequena? No inverno ia para a fazenda. Por que não vai agora?

Juliano brincava no chão do ateliê, calmo naquele dia como em poucos. Joanita bordava a um canto.

O que tinha respondido? Não se lembrava. Sentia muito frio, tinha dormido mal. Uma dor surda lhe oprimia as costelas, mas ela queria pintar. Sentou-se diante de uma tela já imprimada, que esperava, receptiva. Não tinha dado meia dúzia de pinceladas, desencadeou-se um acesso de tosse como nunca antes. E o sangue saiu numa golfada que se espalhou pela tela, respingando o chão. Juliano gritou, Joanita soltou o bordado. O bastidor caindo no chão foi a última lembrança visual. Deve ter desmaiado. Mais tarde, chegavam a avó, o avô e mais dois criados. Desde então estava no sanatório. Helena desembarcou da Europa poucos dias depois. Já vinha vindo, graças a deus. Chegando, ouviu um sermão da mãe. Que aquela viagem tinha sido inoportuna. Que ela nunca deveria ter deixado Immaculada desamparada depois da tragédia (referia-se ao aborto). A menina estava desequilibrada. Os comportamentos eram estranhos. Primeiro, tinha ficado arredia. Não queria convivência com ninguém, não atendia telefone, não dava atenção a visitas, tratava as empregadas com descaso. Duas delas, indignadas, tinham ido embora sem avisar. Ficaram duas, moças boas, deixadas ali por Helena. Mas aí Immaculada – o que lhe teria dado na telha? – achou de levar para casa aquela ex-amiga com um filho que era um verdadeiro demônio. Foi quando as outras empregadas desistiram. Não saíram sem avisar, não. Foram procurar a família, na pessoa dos avós, fizeram um relato do que estava acontecendo. Ela, a avó, bem que tinha tentado mostrar a verdade à neta, bem que tinha escrito à filha, tudo sem resultado. Foi procurar Immaculada diversas vezes, tentando conversar: a menina se esquivava. Quis contratar outras empregadas: ela dizia que não era preciso, que Joanita daria conta do serviço. Absurdo! Uma casa daquele tamanho! Pediu-lhe que viesse morar em sua casa, provisoriamente: a menina também disse que não, que não, e não arredou pé. Aquela teimosia a desarmava! Porque, em certo sentido, era bom mesmo que continuasse lá, pois assim mostrava ao mundo que aquela era a morada honrada de uma mulher honesta, enquanto o ex-marido, que cobiçava a casa, havia abandonado o lar. Desavergonhado!

Immaculada ouvia tudo do fundo de um sono modorrento. A voz da avó narrava a sua vida nos últimos capítulos. O bom era a presença de Helena. Hastings tinha ficado na Europa, mas já se preparava para vir. Não deixaria Immaculada sozinha num momento daqueles.

Tinha tomado meio prato de sopa, não aguentaria tomar o resto. Que ela falasse com o médico. A porta se abriu, a enfermeira entrou.

– Não vai acabar o prato, dona Immaculada?
– Não aguento.
– Assim vai ficar fraca de novo. Esta maçã cozida, então.
– Um pouco só. Será que a minha mãe demora?
– Antes das três é certeza que chega. Não se preocupe.

Immaculada começou a comer a maçã cozida, a enfermeira saiu.

– Ele veio avisar que sábado que vem eu morro.
– Você está louca? Pare de dizer bobagem.

Era sábado à noite. Mesmo a luz débil da lâmpada de cabeceira revelava o cansaço do rosto de Helena. Só não revelava o estampado *ton sur ton* do vestidinho de seda que Immaculada conhecia tão bem. Enquanto tentava adivinhá-lo naquele mar de penumbra, pensava em como dizer à mãe o que pretendia fazer.

– Aquela fazenda é metade minha, metade sua, certo?
– É.
– Ele quer aquela fazenda.
– Quer, mas não consegue. Era bem dotal, está pleiteando porque se acha poderoso, capaz de conseguir até o que a lei lhe nega.
– Posso fazer da minha parte o que quiser, não posso?
– Acredito que sim, por quê?
Quatro segundos de silêncio, marcados por um tique-taque teimoso, e Immaculada disse:
– Quero fazer xixi.
Sem dissimular o espanto, Helena disse:
– Deve ser coisa importante para você fazer tanta hora. Vou buscar o urinol.
– Chama a enfermeira.
– Não, eu mesma vou. Diga logo o que está querendo dizer.
Mas Immaculada não dizia. Naquela posição ridícula não havia como continuar conversa tão importante. A urina se despejava quente no penico, exalando um cheiro mortiço de ureia e penicilina. O ruído foi diminuindo, desmilinguindo-se até sumir. Então a voz da moça disse:
– Acabou.
Helena foi até o banheiro, ouviu-se o despejo do líquido na privada, o troar da descarga, o chiado cambaleante da torneira chovendo em cima das mãos dela. Quando voltou ao quarto, Immaculada disse.
– Quero me deitar.
E, ajudada, passou da cadeira à cama, cobriu-se e ficou olhando a mãe se sentar junto à cabeceira. Agora a luz estava mais distante do seu rosto, Immaculada mal distinguia os traços.
– Quando eu morrer...
– Pare com isso, Immá!
– ... não me negue um último pedido.
– Diga logo.

— Eu quero que aquela fazenda fique para o Juliano.
— Você deve estar louca.
O tom da voz de Helena — Immaculada conhecia tão bem aquelas inflexões! — não dizia exatamente o que diziam as palavras. Por trás delas, uma cisma, um talvez.
— Eles querem renovar o contrato de arrendamento?
— Com o casamento, o contrato se tornou... digamos... inútil. Ele passou a explorar a fazenda como seu marido, enfim, você sabe...
— Ele ou o pai?
— Na verdade o pai. E continua, enquanto a situação não se define. Para todos os fins legais, vocês ainda estão casados. Com a dissolução, o arrendamento vai precisar ser discutido. O velho pretende continuar lá. Já fiquei sabendo que quer conversar comigo sobre esse assunto. Está amistoso. Não quer que a ação movida pelo filho atrapalhe seus negócios. Eu estava pensando em concordar. Mas, Immaculada, o que você está dizendo? Você não pode arrolar aquela fazenda num testamento tão...
— Eu já me informei.
— Com quem?
— Antes de ficar doente, um advogado que procurei só para isso. Gente de confiança, que não é do círculo dele. Quando eu nem achava que ia morrer. Agora... Ele me disse: "O testamento pode ser feito resguardando-se a legítima do outro herdeiro." O outro herdeiro é a senhora.
— E se eu morrer antes?
— Não vai morrer antes.
— Posso ser atropelada quando sair daqui.
Immaculada sorriu:
— Nesse caso a fazenda inteira fica para Juliano, desde que conste que o único beneficiário da minha herança é Juliano.
— Por que você quer fazer isso? Só para se vingar? Aquele é um bem inestimável!

– Para quem?
Helena não concordava. Immaculada tinha chorado, implorado, sabia que ia morrer daí a uma semana. Ameaçou a mãe com remorsos eternos se não concordasse. Não adiantava. No fim, disse que, se a mãe não fizesse sua vontade, ela pediria ao médico, à enfermeira, ao faxineiro, a Deus do céu que lhe mandasse lá alguém competente para isso.
Helena saiu dizendo que pensaria. Voltaria na segunda.
Na parede em frente, o relógio marcava três e dezesseis. A porta se abriu, Helena entrou seguida por um quarentão com terno de gabardine marrom, gravata bege, camisa branca, pasta de couro pendurada na mão esquerda, estendendo a direita para cumprimentar. Decerto quem ela queria. E era.

E o negro se empastela, finalmente

O testamento foi feito, Immaculada não morreu. Não naquele sábado. Voltou para casa um mês depois, se tanto. Para a casa da mãe, afinal, da desvelada e incansável Helena. Mas a melhora não durou muito. Em maio, uma recaída, a volta ao sanatório. E lá Immaculada morreu, heroína romântica gorada na casca. Morreu em setembro de 1939, numa sexta-feira.
Francisco enviuvava pela segunda vez. Recebeu a notícia no café da manhã. Lia a guerra nos jornais. Desligou o telefone, retomou o jornal, ficou pensando se convinha mandar algum telegrama de condolências. Judith entrou, ele disse sem saber por quê:
– Dona Immaculada morreu.
A fisionomia da empregada ficou inalterada, mas dos olhos brotaram lágrimas silenciosas como o ressumbro que a terra chora em certas covas úmidas. À tarde, ela se aprontou e foi ao enterro.

Duas semanas depois ele ficou sabendo da história do testamento. Teve um acesso de raiva, jogou ao chão o que havia na mesa, até palavrão disse. Tentou impugnar, não conseguiu, impetrou recurso, a coisa se arrastou, batalha jurídica de anos: por trás da outra parte ele conseguia distinguir o coração de Helena, a cabeça e os bolsos de Hastings. As forças eram iguais. No fim, as terras ficaram mesmo com o diabinho. Rescindiu-se o contrato de arrendamento, a fazenda ficaria ao deus-dará, era certeza. Mas não ficou. Joanita, naquele ínterim, tinha conhecido um guarda-livros que não se importou de casar com mãe solteira, negra ainda por cima. Da união nasceu até uma filha. A família se instalou na fazenda. Mãe e padrasto administrariam o bem até a maioridade do encabritado. Este, é verdade, passados os oito anos de idade, começou a adquirir certo jeito de gente. Convivência com o metódico guarda-livros, quem sabe. Porque este era um homem de visão. Assim que viu Evaristo pelas costas, foi falar com Helena, conseguiu dela garantias de fornecimento da infraestrutura necessária para continuar tocando a produção e atender às exigências da empresa americana interessada na compra do algodão. E a partir daí viveram todos felizes por muitos e muitos anos.

Com dezoito, Juliano não quis ficar. Pediu à mãe e ao padrasto que continuassem fazendo o que faziam, já que faziam tão bem, e partiu para São Paulo. Queria ser médico.

Em 1940 finou-se Evaristo. Foi encontrado morto, ao lado do cavalo, com a cabeça rachada. Durante muito tempo se discutiu se tinha caído do cavalo por causa de algum ataque cardíaco e rachado a cabeça numa pedra ou se tinha rachado a cabeça por cair do cavalo e disso morrido. Até hoje se discute.

Francisco continuou progredindo em todos os setores, principalmente no bancário, que, passada a guerra, floresceu como maria-sem-vergonha, não sofrendo com seca ou geada. Aos quarenta e cinco anos era uma das maiores fortunas do país. Foi quando ficou sabendo que Natália estava grávida. Achou uma tremenda safadeza aquela gravidez bem na época em que já ia encaminhado um interessante casamento com a viúva jovem de um banqueiro. Não cedeu. Ela fez ameaças, ele fez outras tantas, mais concretas e iminentes. Combinou-se então que ela se calaria mediante substanciosa pensão vitalícia. A filha nasceu em 1945 e foi registrada em nome de um apaniguado, em troca de certas regalias. Em 1963, tinha a moça dezoito anos, resolveu abrir um processo de paternidade. Foi luta renhida. Ela dizia que, mais do que o dinheiro, queria o abraço afetuoso do pai que sempre soube ser seu. Ele, ao contrário, dizia que, se fosse pobre, ninguém iria bater à sua porta para pedir abraços. E, de fato, o abraço nunca ocorreu.

Francisco atravessou governos todos nos bastidores da política: 1945, 1954 parecidos não só nos algarismos. Francisco vivia o poder dentro e fora, em vitórias e derrotas públicas e particulares. E, ganhando ou perdendo, negociava, conspirava. São Paulo precisava ter no campo político a supremacia que tinha no econômico, e a direção do país não podia ficar só nas mãos de políticos, pensava ele. Durante anos trabalhou para elevar o grau de consciência das classes produtoras que de fato impeliam o país. O auge de tanta luta se deu nos anos de 1962 e 1963, dedicados ao afã de pôr no governo gente que, afinal, fosse realmente digna de tão excelsa missão. Desdobrou-se, mesmo enfrentando problemas familiares sérios (um filho doente, uma mulher geniosa, coisas de outra história) e, ainda por cima, um processo de paternidade. Nada disso, afinal, importava tanto quanto os destinos da pátria.

Certa manhã de 1964 Judith acordou, ligou o rádio e ouviu uma marcha militar. Mudou de estação, a marcha continuava. Numa outra, também. Eram oito horas, precisava chamar o patrão. A patroa só se mostraria mesmo depois das nove. Na noite anterior, uma reunião avançara até meia-noite: era servir café o tempo todo para uns dez homens que não pareciam ter pressa de ir embora, uns discutindo, outros escrevendo ou telefonando, alguns saindo, outros chegando, uma agitação danada. Mas o patrão tinha ido dormir animado. Antes de entrar no quarto, pediu:

– Me acorde às oito, no máximo.

Judith foi até a porta do quarto, bateu. Não houve resposta. O telefone tocou, ela precisou se afastar para ir atender. Uma voz de homem chamava o patrão, era urgente, tinha notícias importantes. Ela pediu que esperasse, voltou ao quarto, bateu, bateu, nada. Empurrou a porta. Na penumbra, só percebeu um pé para fora da cama, as cobertas cobriam o rosto. Chamou, ele não respondeu. Desconfiada, chegou perto, puxou a coberta e deu um grito. O patrão, de boca aberta, fixava nela os olhos esbugalhados. Já até estava frio.

IMPRESSÃO E ACABAMENTO:
YANGRAF Fone/Fax: 2095-7722
e-mail:santana@yangraf.com.br